D1502985

LOUIS XIV

★★

L'HIVER DU GRAND ROI

LOUIS XIV

tome I : *Le Roi-Soleil*
(1638-1682)

tome II : *L'Hiver du grand roi*
(1683-1715)

DU MÊME AUTEUR
voir en fin d'ouvrage

Max Gallo

de l'Académie française

LOUIS XIV

★★

L'HIVER DU GRAND ROI

EDITIONS

© XO Éditions, 2007
ISBN : 978-2-84563-241-7

« Messieurs, je m'en vais ; mais l'État demeu-
rera toujours. »

Louis XIV, 26 août 1715

« Ci-gît au milieu de l'Église
Celui qui nous mit en chemise
Et s'il eût plus longtemps vécu
Il nous eût fait montrer le cul.
Ci-gît Louis le Petit
Ce dont tout le peuple est ravi... »

Anonyme, 1715

« Pourquoi donc, insensés, par les traits les plus
lâches
Jusque dans le tombeau troublez-vous son
sommeil ?
Il avait des défauts, le soleil a ses taches
Mais il est toujours le soleil. »

Père de la Rue,
Panégyrique de Louis XIV, 1715

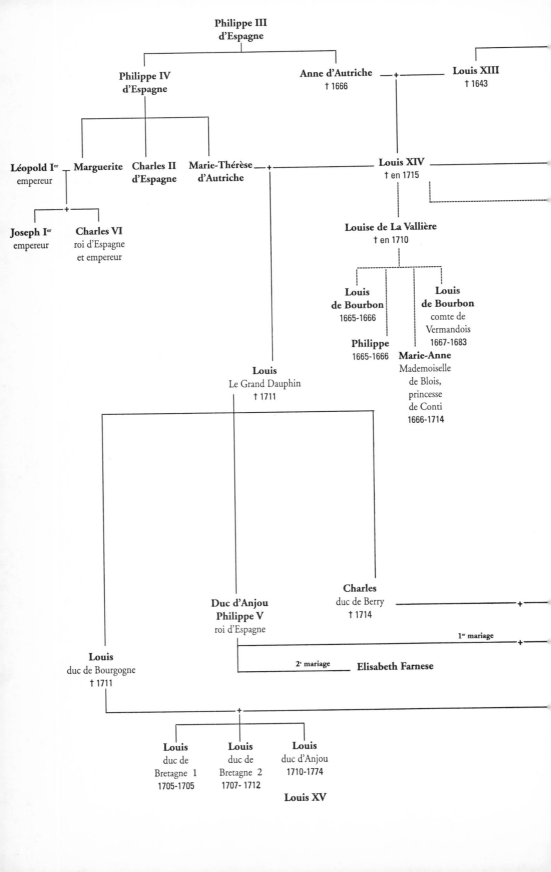

Philippe III d'Espagne

Philippe IV d'Espagne

Anne d'Autriche † 1666 + **Louis XIII** † 1643

Léopold Ier empereur — **Marguerite**   **Charles II d'Espagne**   **Marie-Thérèse d'Autriche** + **Louis XIV** † en 1715

Joseph Ier empereur + **Charles VI** roi d'Espagne et empereur

Louise de La Vallière † en 1710

Louis de Bourbon 1665-1666   **Louis de Bourbon** comte de Vermandois 1667-1683

Philippe 1665-1666

Marie-Anne Mademoiselle de Blois, princesse de Conti 1666-1714

Louis Le Grand Dauphin † 1711

Charles duc de Berry † 1714 +

Duc d'Anjou Philippe V roi d'Espagne

1er mariage +

2e mariage   **Elisabeth Farnese**

Louis duc de Bourgogne † 1711

Louis duc de Bretagne 1 1705-1705   **Louis** duc de Bretagne 2 1707-1712   **Louis** duc d'Anjou 1710-1774

Louis XV

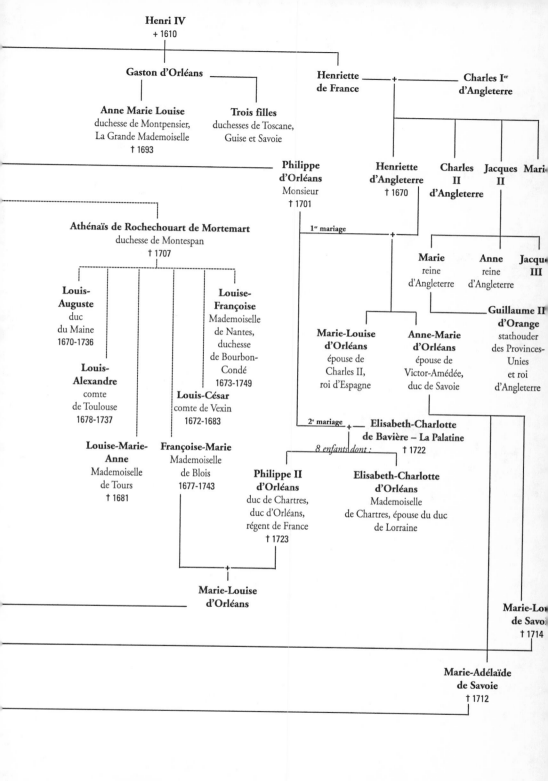

Henri IV
+ 1610

Gaston d'Orléans

Anne Marie Louise
duchesse de Montpensier,
La Grande Mademoiselle
† 1693

Trois filles
duchesses de Toscane,
Guise et Savoie

**Henriette
de France** + **Charles Ier
d'Angleterre**

**Philippe
d'Orléans**
Monsieur
† 1701

**Henriette
d'Angleterre**
† 1670

**Charles
II
d'Angleterre**

**Jacques
II**

Mari...

1er mariage +

Athénaïs de Rochechouart de Mortemart
duchesse de Montespan
† 1707

**Louis-
Auguste**
duc
du Maine
1670-1736

**Louise-
Françoise**
Mademoiselle
de Nantes,
duchesse
de Bourbon-
Condé
1673-1749

**Louis-
Alexandre**
comte
de Toulouse
1678-1737

Louis-César
comte de Vexin
1672-1683

**Louise-Marie-
Anne**
Mademoiselle
de Tours
† 1681

Marie
reine
d'Angleterre

Anne
reine
d'Angleterre

**Jacqu...
III**

**Marie-Louise
d'Orléans**
épouse de
Charles II,
roi d'Espagne

**Anne-Marie
d'Orléans**
épouse de
Victor-Amédée,
duc de Savoie

**Guillaume II
d'Orange**
stathouder
des Provinces-
Unies
et roi
d'Angleterre

2e mariage + **Elisabeth-Charlotte
de Bavière – La Palatine**
† 1722

Françoise-Marie
Mademoiselle
de Blois
1677-1743

8 enfants dont :

**Philippe II
d'Orléans**
duc de Chartres,
duc d'Orléans,
régent de France
† 1723

**Elisabeth-Charlotte
d'Orléans**
Mademoiselle
de Chartres, épouse du duc
de Lorraine

+

**Marie-Louise
d'Orléans**

**Marie-Lo...
de Savo...**
† 1714

**Marie-Adélaïde
de Savoie**
† 1712

PREMIÈRE PARTIE

1683-1686

1.

Il a quarante-cinq ans.

Il est allongé, les mains croisées sur la poitrine, dans la nuit dense et pesante de son lit à baldaquin.

Il a entendu les craquements du parquet.

Il sait que son premier valet de chambre Bontemps, qui couche par terre, au pied de la balustrade qui clôture le lit, comme si celui-ci était l'autel consacré à Dieu, vient de se lever.

Mais Louis ne bouge pas, n'ouvre pas les yeux.

Il doit attendre.

Il est le roi, et comme le Soleil il est l'horloge du monde.

Il imagine les courtisans qui se rassemblent en frissonnant.

Car ce premier hiver à Versailles est vif. Les pièces, les galeries, les escaliers sont parcourus par des courants d'air glacés.

En ce mois de janvier 1683, les eaux des trente-neuf fontaines du labyrinthe des jardins ont gelé, comme le vin dans les carafes et les sauces dans les plats.

Les dames tentent de réchauffer leurs épaules et leurs poitrines avec des foulards de soie. Elles grelottent. Mais quand on attise les feux, dans les mille deux cent cinquante-deux pièces qui disposent d'une cheminée, la fumée se répand, si épaisse que les yeux pleurent, qu'on ne distingue plus que des silhouettes. Et dans les huit cents pièces qui ne comportent pas de cheminée, le froid paralyse.

Mais qui choisirait de quitter Versailles ? De s'éloigner du Soleil ?

Il ne chauffe pas mais il éclaire et, sans sa lumière, on n'est rien.

Le parquet craque de nouveau.

Bontemps doit se rapprocher de la tête du lit.

Il va dire, comme chaque jour, à sept heures et demie :

— Sire, voilà l'heure !

Puis il ira ouvrir les portes de la chambre, et rentreront le premier chirurgien et le premier médecin, et cette vieille femme, voûtée, la nourrice.

Bontemps dira de nouveau, d'une voix un peu plus forte :

— Sire, voilà l'heure !

Il tirera les rideaux. Il présentera la chemise qui doit remplacer celle de la nuit, puis la coupe en vermeil contenant de l'eau bénite.

Louis se redresse.

Il effleure de son regard les visages de ces hommes et de cette femme qui n'osent le scruter, mais qui essaient de le dévisager à la dérobée.

Tous font ainsi, cherchant à deviner son humeur, ses pensées. Et il doit demeurer impassible, impénétrable, sachant que tous le guettent et qu'ils vont, du « petit lever » – les « grandes entrées » – où ne sont admis que quelques dizaines de gentilshommes aux « entrées de la chambre » où des centaines de personnes se pressent, essayer d'attirer son attention, d'obtenir un regard, un mot.

Il doit, comme le Soleil et comme Dieu, être inaccessible et mystérieux.

Il est celui qui possède le pouvoir de changer les vies, en nommant à telle ou telle fonction, en décidant d'éloigner de

Versailles, de faire enfermer à la Bastille ou dans une forteresse de province, ou bien en attribuant une pension, une charge fructueuse.

Tous ici savent qu'ils dépendent de lui.

Voici que s'avancent, après que le barbier – un jour sur deux – l'a rasé, les «secondes entrées».

Louis s'installe sur sa chaise percée. Il écoute les lecteurs de la chambre lire les nouvelles, les rapports.

Puis c'est le moment du «grand lever», une centaine de gentilshommes, d'ambassadeurs, de cardinaux qui se pressent dans la chambre, cependant qu'on l'habille.

Il lève lentement les bras pour que le grand maître des cérémonies lui passe sa veste et le justaucorps.

Après, il s'agenouillera, puis, avant la messe de neuf heures, il prendra le repas du matin, le dîner ayant lieu à une heure après midi.

Il conviera à la chasse, ou bien à une visite des jardins ou des travaux encore inachevés, quelques courtisans qui rougiront de plaisir, s'inclineront jusqu'à terre, et marcheront, en retrait, près de lui.

Et ce seront, se succédant au cours de la journée, les réceptions d'ambassadeurs, les conseils, les jeux, le souper, le coucher. La chambre, étape par étape, selon un rituel, se vidant peu à peu, et Bontemps à la fin restant seul dans la pièce, tirant les rideaux, se couchant, au pied du lit, contre la balustrade.

Louis, dans la nuit et le silence revenus, garde les yeux ouverts. Il croise les mains sur la poitrine.

Il pense aux gisants, ces souverains qui l'ont précédé.

Il a voulu que le château de Versailles soit sa basilique, mais pour le culte d'un roi vivant et non d'un prince mort.

Il y est parvenu.

Il éprouve chaque nuit, depuis qu'il loge à Versailles, au moment de s'engloutir dans le sommeil, un moment d'intense satisfaction.

Il a voulu ce château.

Il en a surveillé tous les travaux, ceux des jardiniers et des charpentiers, des tapissiers et des peintres.

Il a guidé la main des architectes.

Il a voulu que se croisent les deux axes, allant d'un point cardinal à l'autre.

À l'est, l'espace des jardins, avec ces trente-neuf fontaines placées dans le labyrinthe, ces statues, cette nature réglée, dont il est le maître et possesseur.

À l'ouest, c'est le côté de la ville, les bureaux des secrétaires et des commis.

Et dans tout ce qui est visible, l'or doit briller, comme le trône de vermeil surmonté d'un dais pourpre dans lequel il s'installe, pour dominer cette foule de plusieurs milliers de courtisans.

Il contemple ce grouillement où les aigrefins, les voleurs, les débauchés côtoient les princes. Mais comment extirper le vice ?

Il chasse de la Cour quelques illustres sodomites. Il ordonne même que certains soient condamnés au bûcher. Mais il ne peut éradiquer ce mal. Et il est contraint d'avouer à Mme de Maintenon qui l'y invite :

— Il faudrait que je commence par mon frère !

Et c'est impossible. On ne touche pas à Philippe d'Orléans et on ne peut châtier sévèrement ses mignons ! Alors, les pervertis et les tricheurs s'abandonnent à leurs vices, corrompent, ruinent les princes aux jeux de la bassette, du lansquenet, du hoca.

Louis voudrait que la Cour se voue à Dieu. Et il constate

qu'à la chapelle, les dames, hier si licencieuses, s'agenouillent, prient, font comme si chaque dimanche était Pâques.

Mais il n'est pas dupe. Il se souvient de Tartuffe. Les courtisans font mine d'être dévots pour lui plaire, séduire Mme de Maintenon, mais les espions qui sillonnent la Cour, à l'affût des rumeurs, rapportent qu'on se moque de la bigoterie de la nouvelle favorite, qui transforme le roi en dévot. Il le sait : entre eux et lui, c'est une épreuve de force. Et c'est pour cela aussi qu'il laisse les courtisans continuer à jouer, à se ruiner, à se livrer aux usuriers, aux prêteurs, et à devenir ainsi plus serviles encore, tous quémandeurs d'un don, d'une charge.

Et il veut qu'ils soient soumis et qu'ils soient tous là sous son regard, espérant un geste, une pension.

Et celui qui abandonne la Cour doit savoir qu'il n'obtiendra rien.

— C'est quelqu'un de peu car il ne vient jamais à la Cour, dit-il d'une voix forte.

Il faut que chacun entende et que chacun comprenne qu'on doit paraître et même se ruiner pour rester à Versailles.

Et Louis répète, pour que la leçon ne soit pas oubliée ·
— C'est un homme que je ne vois jamais.

Alors ils sont tous là, dans les galeries, les salons, les antichambres, se pressant autour des tables de jeu, pour le « souper au grand couvert ».

Ils sont prêts à tout accepter, le froid, la promiscuité, la saleté qui après quelques jours envahit les galeries.

Les femmes et les hommes pissent là où ils peuvent, contre les lambris, sur les parquets.

On marche sur des étrons.

On vole les couverts et même les franges en fil d'or des rideaux.

On s'entasse pour dormir sous les combles, si l'on n'a pas obtenu l'un des cent quatre-vingt-deux logements, ou l'une des mille deux cent cinquante-deux pièces avec cheminée !

On espère être distingué, être invité à faire partie du petit nombre de courtisans admis à se rendre au château de Marly.

On supplie pour y être convié : « Sire, Marly. »

Et pendant ce temps, une partie des sept mille domestiques nettoiera le château de ces immondices.

L'or, le marbre, les boiseries, les parquets brilleront à nouveau. On aura lustré les consoles, les commodes et, dans leurs cadres dorés et leurs moulures, les peintures de Poussin, de Le Brun, de Mignard resplendiront.

Louis ferme les yeux.

Il a imaginé le château de Versailles. Il a voulu cette scène, ce décor. Il a composé les figures de ce ballet, choisi les acteurs, précisé l'ordre de succession des tableaux et des actes.

Il veut qu'« avec un almanach et une montre on soit capable à trois cents lieues d'ici de dire ce qu'il y fait ».

Il faut que chaque sujet connaisse la course du Soleil et qu'il en soit ébloui.

Il faut qu'en chaque point du royaume et dans toutes les nations on regarde vers ce château, vers le roi qui l'a fait surgir dans une nature ingrate, elle aussi domestiquée.

Et chacun doit se persuader qu'en ce château, cœur du royaume et cœur du monde, le roi est comme le Soleil capable d'éclairer d'autres empires : *Nec pluribus impar*.

Il faut qu'on n'oublie jamais que « le roi seul reçoit tous les respects, que lui seul est l'objet de toutes les espérances, qu'on ne poursuit, qu'on n'attend, qu'on ne fait rien que par lui seul ».

Et que « tout le reste est rampant, tout le reste est impuissant, tous le reste est stérile ».

2.

Il se penche vers la reine.

Marie-Thérèse a déjà prononcé quelques mots, mais d'une voix si faible qu'il ne les a pas entendus, à moins qu'il n'ait pas voulu les comprendre.

Elle se soulève un peu, le visage couvert de sueur, elle murmure :

— Monsieur, je me meurs.

Il se redresse. Il ne peut pas répondre, la rassurer et la contredire. Il sait qu'elle dit vrai.

Il a soumis les Grands. Il les a contraints à suivre méticuleusement l'étiquette qu'il a fixée. Sur la scène de Versailles, ils sont les acteurs de cette machine qu'il a conçue pour qu'ils ne soient plus que les rouages du pouvoir dont il est l'incarnation et le principe.

Et il a fait s'agenouiller tous les sujets du royaume, ces paysans si souvent en révolte et qui maintenant en Anjou tendent la main, pour recevoir l'aide royale. Et il a écrit à Colbert :

« La misère me fait grand peine, et il faudra faire tout ce que l'on pourra pour soulager les peuples. Je souhaite de le pouvoir bientôt. »

Quant aux huguenots, têtus et hérétiques, il a approuvé Louvois de multiplier les dragonnades dans le Vivarais, au Poitou, en Languedoc, au Béarn, et selon le ministre les conversions se font chaque jour plus nombreuses.

Et les souverains des autres nations, même ligués entre eux, ont dû reconnaître sa puissance.

Il a voulu parcourir avec la Cour les terres de Franche-Comté et d'Alsace. Il a visité les villes conquises, annexées, réunies : Besançon, Belfort, Colmar. Il a fait manœuvrer dix-huit mille cavaliers au camp de Bellegarde, et vingt-huit bataillons d'infanterie dans celui de Bouquenon.

Qui peut lui résister ?

Il le sait : la mort.

C'est la grande invincible frondeuse

Il l'a vue, tout au long de ce voyage de plus d'un mois, faire le siège de la reine, emporter une à une ses résistances, obligeant Marie-Thérèse à ne pas chevaucher aux côtés des autres dames pour assister aux parades et aux manœuvres.

Il a dû écrire à Colbert :

« Pressez tous les ouvrages de Versailles car je pourrais bien abréger le voyage de quelques jours. »

Et dès le retour au château, Marie-Thérèse s'est couchée, épuisée, un abcès douloureux sous l'aisselle.

Il lui a rendu souvent visite, comme il a pris l'habitude de le faire depuis qu'il s'est installé à Versailles et qu'il n'a plus près de lui l'une de ces maîtresses régnantes dont le corps l'enflammait.

Mme de Maintenon au contraire, de sa voix posée, l'invite à se rendre chaque soir auprès de Marie-Thérèse.

Et il lui sait gré de l'inciter ainsi à rendre hommage à la reine qui pour la première fois l'émeut.

Et voici la mort qui s'avance. La fièvre brûle le corps de Marie-Thérèse. Les médecins s'opposent, impuissants à la

20

combattre. L'un, Guy Fagon, veut qu'on fasse une saignée au pied. L'autre, le chirurgien Gervais – le médecin de la reine –, refuse d'abord, puis pleure.

— Vous voulez donc que ce soit moi qui tue la reine ?

Mais il s'exécute.

Fagon ordonne alors qu'on fasse boire à la reine du vin émétique qui épuise la malade.

Mais que peuvent les médecins contre la mort ?

Le 30 juillet 1683, Marie-Thérèse murmure :

— De toute ma vie, depuis que je suis reine, je n'ai eu qu'un seul jour de véritable contentement.

Puis elle meurt.

— Voilà le premier chagrin qu'elle m'ait donné, dit Louis.

Il entend Élisabeth Charlotte, la Palatine, murmurer :

— On peut bien dire que tout le bonheur de la France est mort avec elle.

Il voit s'avancer Mme de Montespan. Qui pleure-t-elle ? Marie-Thérèse, ou la fonction de surintendante de la Maison de la reine qui lui assurait, en dépit de son rejet par le roi, une fonction éminente à la Cour ?

Il ne veut pas répondre à cette question qu'il se pose pourtant.

Il sait gré à Mme de Maintenon de lui avoir conseillé de se rendre souvent chez la reine et il est touché par la peine qu'elle semble éprouver, enveloppée dans les voiles du deuil.

Puis elle s'agenouille et prie.

Et il songe déjà qu'elle pourra occuper les appartements de la reine.

Car il veut rester dans la vie, même si la mort, insatiable, est encore aux aguets.

Colbert va mal. La fièvre le terrasse à son tour.

Il faut charger son fils Seignelay d'organiser les cérémonies de l'enterrement de la reine.

« J'envoie à Votre Majesté, écrit Seignelay, la liste des corps qui sont dans le caveau de Saint-Denis. Il n'y a plus de place et il est nécessaire d'en mettre quelqu'un dans le caveau des Valois qui est le plus proche... »

Il faut aussi se préoccuper des dettes de la reine.

Il dit à Seignelay :

— Essayez donc de savoir le détail des dettes du jeu sans être trompé.

Il connaît les prêteurs, examine les billets écrits de la main de la reine, grande et maladroite joueuse. Ils se montent à cent treize mille livres, qu'il faudra payer.

La mort saisit le vif et laisse les dettes.

Et puis il faut se rendre à Saint-Denis, entendre les éclats de voix et même les rires des courtisans dans les carrosses, voir les mousquetaires quitter le cortège pour aller dans la campagne chasser le lapin !

Il écoute Bossuet qui, dans son oraison, exalte l'« incomparable piété de Marie-Thérèse ».

Mais il lui semble que l'évêque est moins éloquent qu'autrefois, quand il prononçait l'oraison funèbre d'Henriette d'Angleterre, première épouse de Monsieur, et qu'il disait :

« Qu'attendons-nous pour nous convertir ? Commencez aujourd'hui à mépriser les faveurs du monde ! Attendons-nous que Dieu ressuscite les morts pour nous instruire... »

Il se tourne vers Mme de Maintenon. Elle est agenouillée sur son prie-Dieu, le front posé sur ses mains croisées.

Il lui est reconnaissant, au moment où il entrait dans cette nouvelle période de la vie – quarante-cinq ans déjà ! –, de lui avoir rappelé ses devoirs envers Dieu, cette présence de la mort qu'aucun pouvoir, fût-il celui du Roi-Soleil, ne peut faire disparaître.

Elle est toujours là, cette mort avide.

Elle emporte Colbert le 6 septembre 1683.

Elle a pris la forme, selon les médecins, d'«une grosse pierre dans l'un des urètres et d'autres moindres dans la vésicule du fiel».

Il se sent affligé.

«Madame Colbert, écrit-il, je compatis à votre douleur d'autant plus que je sens par moi-même le sujet de votre affliction, puisque, si vous avez perdu un mari qui vous était cher, je regrette un fidèle ministre dont j'étais pleinement satisfait. Sa mémoire me sera toujours une forte recommandation, non seulement pour votre personne que votre vertu recommande assez mais aussi pour tous les siens...»

Seignelay restera au Conseil, chargé de la Marine et de la Maison du roi.

Mais c'est un parent de Michel Le Tellier et de son fils Louvois, Claude Le Peletier, ancien prévôt des marchands, qui se voit attribuer le contrôle des Finances. Et c'est Louvois qui occupe la fonction de surintendant des Bâtiments, Arts et Manufactures.

Il s'interroge.

A-t-il trop cédé au clan Louvois? Il avait jusqu'alors veillé à ce que, dans les Conseils, l'équilibre soit maintenu, et il avait joué de la rivalité entre les Le Tellier et les Colbert.

Il sait que certains à la Cour, ou au Parlement de Paris, craignent que «le lézard n'ait écorché la couleuvre et que la peau ne soit chez Le Peletier».

La couleuvre Colbert, il ne l'oublie pas, l'avait bien servi contre l'écureuil Nicolas Fouquet.

Qui va contenir les lézards Le Tellier et Louvois?

Il convoque Louvois, l'écoute. L'homme est à la fois orgueilleux et servile. Il n'a pas le tempérament «mélancolique et bilieux» de Colbert. Il ne contestera pas la dépense. Et les rumeurs de la Cour rapportent qu'il est, sous ses dehors austères, homme de plaisir. On peut gouverner ces hommes-là.

Colbert était vertueux, préoccupé seulement de sa fortune et de celle des siens. Bon ministre, mais la nuque un peu raide, et toujours cette volonté de restreindre les dépenses royales.

Louis se souvient qu'il avait dû, quelques semaines avant la mort du contrôleur des Finances, lui répéter :

— Je sais que vous faites tout ce qui est possible. La grande dépense me fait beaucoup de peine, mais il en est de nécessaires.

Il ne veut plus qu'on le harcèle ainsi.

Et pour quel profit ?

Il a fallu qu'on enterre Colbert à la nuit tombée, parce que l'on craignait que le peuple manifestât contre lui, autour de l'église Saint-Eustache, où se déroulaient les cérémonies funèbres.

Le peuple ne sait pas. Le peuple est ingrat.

Un roi ne doit chercher qu'en lui-même, et non chez ses sujets, fussent-ils ministres, l'approbation ou le désaveu de ses actions.

Il ne doit accepter aucune critique.

Seule la mort est plus puissante que le roi, et Dieu est son seul juge.

3.

Il est assis à la droite de la cheminée, dans ce qui fut la chambre de la reine.

Il a voulu dans les jours qui ont suivi la mort de Marie-Thérèse que Mme de Maintenon s'installât dans ses appartements.

Elle est là, de l'autre côté de la cheminée. Elle brode ou elle lit. Il lève les yeux, ferme l'état des dépenses et des recettes que vient de lui remettre le contrôleur général des Finances, Claude Le Peletier. Il observe Mme de Maintenon.

Il a besoin de sa présence, le plus souvent silencieuse. Mais il la sent attentive. Réservée, la tête baissée sur son ouvrage, elle ne perd aucun mot des propos que les ministres échangent, puisque c'est en sa présence, dans sa chambre, qu'il a décidé de tenir les Conseils. Et il a même pris l'habitude de l'interroger.

— Que pense Votre Solidité ? lui demande-t-il.

Elle le regarde. Elle murmure qu'elle ne sait pas. Il répète sa question. Il ne doute pas qu'après quelques instants, d'une voix douce, elle donnera son avis et, même s'il ne s'y rallie pas, il veut l'entendre.

Il a l'impression qu'elle veille sur lui, qu'elle le protège contre lui-même, contre les tentations qui parfois l'effleurent encore.

Mais les jeunes et provocantes suivantes ou dames d'honneur, ce bouquet de fleurs fraîches qu'on lui présentait à chaque pas, ont disparu.

La reine n'est plus. Mme de Montespan rôde encore dans les galeries et elle a conservé les appartements qu'elle occupait lorsqu'elle était maîtresse régnante, mais il ne la voit plus, détournant les yeux chaque fois qu'il la croise. Elle fréquente d'ailleurs plus la chapelle du château que les tables de jeu d'après souper.

Et lui-même a changé. Il veut encore de grandes fêtes, des réceptions fastueuses pour les ambassadeurs étrangers, des représentations de ballets, mais il n'a plus l'entrain d'autrefois.

Son corps est encombrant. Parfois une douleur fulgurante traverse son ventre, brûle ses fondements. Il pense à la reine, à Colbert, à ses proches, plus jeunes que lui et que la mort a ensevelis.

Puis la douleur s'efface. Mais son souvenir demeure. Il est soucieux. Il ne s'apaise que quand il entend le murmure des prières que Mme de Maintenon récite en égrenant son chapelet.

Et il l'imite.

Elle dit :

— Je crois que la reine a demandé à Dieu la conversion de toute la Cour.

Elle baisse encore la voix, ajoute :

— La vôtre est admirable, Sire.

Il pense que peut-être doit commencer pour lui le temps de la pénitence.

Il a si souvent cédé aux besoins de la chair sans se soucier de savoir si ses amours étaient criminelles, sacrilèges, qu'il lui faut demander pardon, changer.

Désormais, dans cette partie de sa vie, il veut refuser ces plaisirs. D'ailleurs, il ne sent plus en lui le désir tumultueux auquel il s'était toujours soumis.

Le temps n'est plus.

Le sommeil – et non le désir – le saisit au milieu de la journée. Il se réveille en sursaut, un peu hagard, et il est rassuré dès qu'il aperçoit Mme de Maintenon, assise non loin de lui, immobile, comme si le temps n'avait pas de prise sur elle.

Il veut qu'elle soit là, près de lui, toujours.

Peu importe son passé.

Il connaît toutes les rumeurs qui ont couru sur elle et qui se propagent encore.

Elle a peut-être été cette jeune Françoise d'Aubigné veuve Scarron, mariée à cet infirme par ambition, accueillante aux côtés de Ninon de Lenclos, une courtisane aux amants si nombreux qu'on ne pouvait en dresser la liste, mais qui étaient tous de haute lignée.

Il ne veut pas se souvenir de cela, mais de la gouvernante aimant les enfants qu'il a eus avec Mme de Montespan.

Il l'a vue vivre. Il l'a vue prier. Et elle est désormais marquise de Maintenon.

Et d'ailleurs, s'il l'a choisie, il l'élève, il efface son passé.

N'a-t-il pas le pouvoir dont il use encore, quatre ou cinq fois par an, de toucher les écrouelles et de les guérir, et les malades l'attendent, les plaies couvrant leur visage ou leurs membres difformes. Il les effleure du bout des doigts. Et le jeudi saint, il lave les pieds de treize enfants pauvres.

Mais lui, qui le touchera avec la volonté de le protéger, d'apaiser ses souffrances, ces maux du corps qui chaque jour le mordent plus profondément, plus durement ?

Il a besoin de cette femme devant laquelle il peut somnoler, soupirer, montrer sa lassitude, sa fatigue.

Il regarde Mme de Maintenon, assise dans son fauteuil à

27

coussins de damas rouge. Elle brode, mais souvent elle lève les yeux.

Il ne se sent pas surveillé, guetté. Son regard le caresse, elle l'enveloppe. Elle partage avec lui le même âge de la vie. Et il ne ressent plus guère le désir d'un jeune corps. Il n'a plus besoin d'être conquérant.

Il aime la manière passive et souriante dont elle l'accepte, s'offrant avec tendresse et soumission. Elle n'a aucune des fureurs amoureuses, des inventions passionnées d'Athénaïs de Montespan. Mais il n'attend pas cela d'elle.

Lorsque, après une brève étreinte, il s'écarte, il est apaisé. Et parfois, une deuxième fois dans la journée, il la serre contre lui, et avec la même douceur, la même bienveillance, elle se laisse aimer.

Louise de La Vallière ou Marie-Angélique de Fontanges défaillaient quand il les prenait. Elles étaient de jeunes proies. Marie-Thérèse fermait les yeux et subissait. Athénaïs de Montespan se nouait à lui, avec un désir si fort qu'il en était presque effrayé, et elle l'entraînait dans des gouffres de plaisir où il perdait conscience.

Mme de Maintenon l'accueille avec simplicité et naturel. Elle lui appartient. Et après l'amour il s'endort paisiblement.

Lorsqu'il se réveille, il veut qu'elle soit là, toujours, disponible, priant pour lui. Et une phrase tout à coup s'impose à lui alors que l'automne commence à noyer sous le brouillard les jardins, et que la terre est tapissée de feuilles mortes. La fumée des cheminées se répand dans les galeries du château, sans que le feu puisse vraiment réchauffer les bâtiments où s'infiltre le vent humide !

Il murmure ces mots qui s'imposent à lui. Elle sera son épouse devant Dieu ; celle qui demeurera à ses côtés chaque jour jusqu'à ce que la mort s'avance.

Et elle n'exigera de lui que la présence et la piété.

Il sera avec elle tel qu'il est avec lui-même.

Il la regarde vivre, prier dès le matin, se rendre à l'une des premières messes, s'y confessant, puis revenant dans ses appartements, se préparant à l'accueillir.

Il s'installe à droite de la cheminée cependant qu'elle prend son ouvrage et que les ministres défilent, exposent leurs affaires.

Il veut pouvoir à tout instant lui demander : « Qu'en pense Votre Solidité ? »

Et c'est une grâce de Dieu que d'avoir placé près de lui cette femme pieuse, qui prie pour le salut de son roi.

Il peut avec elle, devant elle, sortir de cette scène royale où il doit mesurer chacun de ses gestes, de ses regards. Et c'est de ce repos intime dont il a besoin.

Il convoque son confesseur le père de La Chaise, puis l'archevêque de Paris Harlay de Champvallon.

— Elle prie pour mon salut, dit-il.

— Elle n'a que le souci de votre âme, dit le père de La Chaise. Dieu l'habite.

Il veut l'épouser, en la seule présence du confesseur et de l'archevêque, du marquis de Montchevreuil dont l'épouse est une amie de Mme de Maintenon, de Louvois. Le premier valet de chambre Bontemps préparera la chapelle du château de Versailles.

Ce mariage, le 9 octobre 1683, est affaire d'âmes et non de théâtre.

Et chacun sera tenu au secret.

4.

Il lit et relit cette copie de l'une des nombreuses lettres qu'Élisabeth Charlotte, la Palatine, adresse chaque jour aux siens et que les espions du cabinet noir subtilisent et traduisent.

«Je n'ai pas pu savoir si le roi a oui ou non épousé la Maintenon, écrit la princesse. Il y en a beaucoup qui assurent qu'elle est sa femme et que l'archevêque de Paris les a unis en présence du confesseur du roi et du frère de la Maintenon; mais d'autres disent que ce n'est pas vrai, et il est impossible de savoir ce qu'il en est. En tout cas, ce qu'il y a de certain, c'est que le roi n'a jamais eu pour aucune maîtresse la passion qu'il a pour celle-ci; c'est quelque chose de curieux à voir lorsqu'ils sont ensemble. Si elle est quelque part, il ne peut pas y tenir un quart d'heure sans aller lui parler à l'oreille et l'entretenir en secret bien qu'il ait été toute la journée auprès d'elle.»

Il est satisfait. Il est parvenu à ses fins.

Chacun a compris à la Cour que Mme de Maintenon jouit d'une position unique auprès de lui, mais qu'elle est autre chose qu'une maîtresse régnante. Et, en même temps, comme il le souhaitait, le secret du mariage a été gardé, et

l'incertitude règne. Il ne voulait pas que Mme de Maintenon soit confondue avec une Athénaïs de Montespan ou une
Marie-Angélique de Fontanges. Elle a souffert, elle s'est
indignée quand on l'a imaginé. Mais la rumeur du mariage
a détruit la rumeur de la liaison banale.

Les courtisans, les princes ne savent plus. Et c'est mieux
ainsi. Tous, ils voient bien qu'elle est pour lui la seule femme
qu'il appelle avec déférence « Madame ». Et en même temps,
ils ne peuvent imaginer qu'une épouse devant Dieu aurait
cette discrétion, cette modestie.

Il en sait gré à Françoise.

Elle lui a dit, de sa voix posée :

— Mon état est éclatant. Dieu m'y a mise. Dieu sait que
je ne l'ai pas cherché. Je ne m'élèverai pas davantage et je
ne le suis que trop.

Il admire sa retenue, ses œuvres de charité.

Elle a créé une maison d'éducation pour jeunes filles
pauvres et elle s'y rend chaque jour, abandonnant la Cour
pour ce château de Noisy, situé à quelques lieues de Versailles.

Il le lui a offert. Il sait qu'elle y enseigne le catéchisme,
qu'elle y soigne les malades.

Il veut qu'on suive son exemple.

Il a demandé aux dames de la Cour de prendre soin des
pauvres de Versailles, comme on le fait dans les paroisses de
Paris.

Il a été heureux que Françoise lui dise qu'il est inspiré par
Dieu qui le voit.

Il veut servir le Seigneur comme elle le fait, et, un matin
au grand lever, il invite les gentilshommes à se rendre aux
offices, à faire leurs pâques, à respecter comme il s'y applique
lui-même avec assiduité les obligations de la religion.

Et pour montrer qu'il en a terminé avec une part de sa
vie, il affronte Athénaïs de Montespan.

C'est désormais une grosse femme, dont les bajoues déforment le visage. Elle s'indigne dès qu'il lui parle du respect qu'elle doit à Mme de Maintenon, qui est comme elle marquise.

— Que je l'appelle Mme de Maintenon ! s'écrie Athénaïs. Elle ? Cette gardeuse d'oies, ce torche-cul !

Il reste impassible. Il lui indique qu'elle doit quitter ses appartements, contigus aux siens qu'il veut agrandir, transformer en cabinet où il exposera les statues, les tableaux, les objets qu'il collectionne.

Il lui précise qu'elle occupera l'appartement des bains, situé au rez-de-chaussée, là où il avait fait aménager pour eux une piscine octogonale entourée de glaces afin qu'ils puissent jouir de la vision de leurs ébats aquatiques.

Ce temps n'est plus.

Louis s'éloigne.

Il sait maintenant comment il va vivre cette nouvelle partie de sa vie. Il faut qu'elle soit plus glorieuse encore que celle qui s'est achevée avec son installation à Versailles, la mort de la reine et de Colbert.

Il va vivre dans ce château qu'il a fait surgir d'un pays ingrat, de marais et de forêts, et au centre duquel, comme un germe, il voit le vieux pavillon de chasse de son père, auquel il rend ainsi chaque jour hommage.

Et c'est autour de ce pavillon qu'il a rassemblé les plus puissants, les plus illustres nobles de France, devenus ses sujets obéissants, qui quémandent un mot, un regard, une pension.

Il ne les craint plus. Plus de frondeurs parmi eux. Et il ne craint plus la mort, cette indomptable rebelle qui durant plusieurs mois l'a inquiété.

Il s'est rangé aux côtés de Dieu. Il prie. Il communie. Il a près de lui cette pieuse épouse, Mme de Maintenon, Françoise, qui veille sur son salut. Il veut qu'elle soit toujours à portée de voix ou de regard. Il veut qu'elle l'accompagne lorsqu'il décide de prendre la tête de ses troupes qui assiègent la ville de Luxembourg.

Elle est assise à sa droite dans le carrosse royal rouge et or. Et près d'elle, il a voulu que la dauphine, Marie Anne Charlotte de Bavière, la mère de son petit-fils le duc de Bourgogne, l'héritier de la dynastie, prenne place.

Tout est en ordre.

Il éprouve même un regain d'énergie qui lui permet de chevaucher aux côtés du maréchal de Créqui et de Vauban, sur le parapet des tranchées, et il a l'illusion qu'il retrouve la vigueur de ses premières campagnes.

Mais les douleurs percent son bas-ventre et ses fondements, après quelques heures de selle.

Il ne veut pas montrer sa souffrance.

Il entre aux côtés des troupes dans Luxembourg qui vient de capituler. Il y assiste à un *Te Deum*, et Mme de Maintenon est agenouillée dans la nef de la cathédrale.

Dieu est aux côtés du très chrétien roi de France.

Dieu ne lui tient pas rigueur d'avoir refusé de joindre ses troupes à celles de l'empereur germanique et du roi de Pologne qui affrontaient les Turcs sous les murs de Vienne. Ils l'ont emporté sans les soldats de France. Et Dieu a accepté que Louis le Grand ne soit pas d'abord le soldat de la papauté mais celui de la France.

Le souci d'un souverain doit être de défendre les intérêts de son royaume et de faire resplendir sa gloire.

Lorsqu'il dit cela à Seignelay, le ministre de la Marine, il guette le visage de Mme de Maintenon.

Il aime que d'une inclinaison de tête elle l'approuve lorsqu'il demande à Seignelay de rassembler une flotte qui bombardera Gênes jusqu'à ce que capitule cette république alliée de l'Espagne, et qui fabrique et arme pour ce royaume des galères. Il sait que Seignelay exécutera avec efficacité cet ordre.

Il apprécie le fils de Colbert, et d'autant plus que Mme de Maintenon, par petites phrases, lui tresse des éloges, montrant qu'elle se défie de Louvois, dont elle a appris sans doute qu'il était hostile au mariage, même s'il en fut le témoin.

Louis est satisfait. Il peut continuer à jouer de la rivalité des clans Louvois et Colbert. Chacun d'eux veut l'emporter sur l'autre et c'est le roi qui gagne. Seignelay réussit. Gênes, détruite sous une pluie de quatorze mille bombes et boulets, tirés depuis l'escadre de Duquesne, demande grâce, annonce qu'elle enverra le doge à Versailles pour faire acte de soumission.

Et Louvois obtient à Ratisbonne que les puissances liguées contre la France signent une trêve de vingt ans, par laquelle elles acceptent les annexions, les réunions – celle de Luxembourg comme celle de Strasbourg, de Besançon comme de Belfort – accomplies par Louis le Grand.

Il est à Versailles. Il règne sur la Cour et l'Europe.

Il s'installe sur son trône de vermeil.

Les ambassadeurs du dey d'Alger s'avancent vers lui, nuques ployées. Leur ville a été bombardée par la flotte de Duquesne. Ils viennent reconnaître leur défaite, se soumettre, comme doit le faire dans quelques mois le doge de la république de Gênes.

Humble, entouré de quatre sénateurs et des membres de sa famille, le doge parcourra la longue galerie des Glaces courbé. Il confessera les fautes de la République.

Ainsi, chacun saura que la force du roi de France vaut droit !

On doit s'en persuader du Sénégal, là où l'on entasse dans les cales des navires négriers les esclaves, aux îles d'Amé-

34

rique où on les débarque, et on doit le reconnaître du Brandebourg à Gênes.

Et les sujets du roi ne doivent pas l'oublier.

Il est assis dans la chambre de Mme de Maintenon, à droite de la cheminée.

D'un mouvement de tête, il approuve l'ordonnance que vient de lui lire Louvois.

Désormais, les déserteurs de l'armée royale ne seront plus condamnés à mort, car la marine a besoin de bras.

Ils auront le nez et les oreilles tranchés. Ils seront rasés, enchaînés et envoyés aux galères.

Et sur leurs joues, ils seront marqués au fer rouge de deux fleurs de lys.

L'empreinte du roi doit s'inscrire dans les âmes et dans les chairs.

5.

Il étend la jambe, mais à peine le talon a-t-il effleuré le parquet que la douleur comme une lame rougie au feu s'enfonce dans le mollet, taraude la cuisse, le dos, le bas-ventre.

Les médecins l'ont dit : c'est la goutte.

Il mordille ses lèvres. Il sent que la douleur gagne la nuque et s'infiltre même dans la bouche.

Il tente d'oublier ce corps, pesant, gênant.

Il invite d'un geste lent Monseigneur le dauphin, Michel Le Tellier et Louvois, puis le marquis de Châteauneuf à prendre place autour de lui.

Mme de Maintenon, assise à gauche de la cheminée et penchée sur son ouvrage, n'a pas bougé.

— Ce que veut le roi devient le droit, dit-il.

Tous approuvent.

Mais, reprend-il, il veut plus que la gloire, plus que la réunion et l'annexion des territoires et des villes, plus que les excuses du doge de la république de Gênes, plus que la trêve acceptée par les Provinces-Unies, l'Espagne et l'empereur germanique.

D'ailleurs, ces adversaires se préparent déjà à reprendre la guerre.

Guillaume d'Orange s'est allié à l'électeur de Brandebourg, Frédéric-Guillaume. En Angleterre, le nouveau souverain, le catholique Jacques II, est critiqué, menacé par ses sujets, restés hérétiques.

— J'ai le dessein de travailler à la conversion entière des hérétiques de mon royaume, ajoute-t-il. Je suis prêt à faire ce qui sera jugé le plus utile au bien de la religion.

Il voudrait se lever, mais la douleur lancinante le paralyse.

— Les sujets doivent avoir la religion de leur roi, dit Louvois. Une foi, une loi, un roi, chacun doit se soumettre à ce principe.

Louis regarde Mme de Maintenon. Elle baisse la tête en signe d'assentiment, puis murmure :

— Il ne faut point précipiter les choses. Il faut convertir et non point persécuter.

Louis répète :

— Convertir tous les hérétiques.

Depuis 1661, explique Louvois, près de trois cents édits ont été promulgués qui ont peu à peu réduit l'hérésie.

Des dizaines de milliers de huguenots, à Montauban, à Bordeaux, en Béarn, se sont convertis. Seuls les rebelles au roi refusent la conversion.

Ceux-là, il faut les réduire. Ils sont le mauvais germe, l'ivraie dans la moisson. Il suffirait de révoquer l'édit de Nantes pour que l'hérésie soit extirpée.

— Il faut en finir avec ce péril huguenot, poursuit Louvois. Ces obstinés religionnaires ne sont que des républicains, de mauvais sujets.

Monseigneur le dauphin toussote, puis à voix basse dit que la révocation peut susciter des troubles, une reprise des guerres de Religion.

Les huguenots, ajoute-t-il, peuvent chercher l'appui des princes de leur foi, ou bien, s'ils ne prennent pas les armes, fuir le royaume, ce qui nuirait au commerce et à l'agriculture.

Louis toise son fils.

Il a de bons généraux, dit-il au dauphin, des troupes fidèles, de braves dragons pour empêcher toute rébellion. Les huguenots le savent et n'iraient pas à leur perte.

Il se lève malgré la douleur, prenant appui sur le dossier de son fauteuil.

— Quant à la raison d'intérêt, continue-t-il, elle est peu digne de considération comparée aux avantages d'une opération qui rendrait à la religion sa splendeur, à l'État sa tranquillité et à l'autorité tous ses droits.

Il fait quelques pas en boitillant.

Il prendra bientôt sa décision, dit-il, avant la fin de cette année 1685.

Il s'adresse à Louvois.

Il veut que dans toutes les villes et provinces du royaume, on incite sans violence les huguenots à la conversion, en utilisant tous les moyens nécessaires.

— Ce que veut le roi est le droit, conclut-il.

Il a hâte que tous quittent la chambre.

S'il se retrouvait seul avec Françoise de Maintenon, la douleur qui ronge son talon et sa jambe, qui brûle son ventre, déchire ses fondements, s'atténuerait.

Mais il doit faire face à Monseigneur le dauphin qui s'attarde, qui n'en finit plus d'évoquer les excès commis en Béarn, dans de nombreuses villes, par les dragons, que les intendants au lieu de retenir poussent à être impitoyables.

On ferme les temples, on arrache les enfants à leurs parents. On pille. On viole. On tue. On rassemble les huguenots sur les places des villes. On les exhorte à se convertir et, s'ils s'y refusent, on les frappe. On les oblige à rester immobiles jusqu'à ce qu'ils aient changé d'avis. Les évêques sont aux côtés des généraux.

On outrepasse les désirs du roi.

Seuls quelques hommes, des prêtres, des prévôts, s'interrogent sur les conséquences que de telles violences susciteront. Que gagne le royaume à voir un drapier, un artisan, conduit comme un criminel aux galères, et sa femme violée, ses enfants confiés à des familles inconnues ? Qui peut avoir confiance dans les nouveaux convertis, qui peut croire qu'ils seront les fidèles sincères d'une religion qu'on leur aura forcé d'accepter ?

Louis ne répond pas.

Il a reçu des placets qui rapportent les mêmes faits. Il l'a dit : il ne veut pas de violences. Mais c'est l'unité du royaume qui est en question, l'autorité de son roi, le destin de la foi et de la religion catholiques, menacées par les hérétiques, les Turcs. Et il doit être le souverain qui en son royaume triomphe de l'hérésie.

Il devine que Monseigneur veut continuer à parler. Il l'interrompt. Il s'irrite et la douleur devient plus aiguë. Elle embrase tout son corps de la nuque aux talons.

Il voudrait fermer les yeux, laisser sa tête retomber sur sa poitrine. Il voudrait pouvoir s'affaisser, s'allonger, ne plus porter ce corps si lourd.

Il voudrait s'appuyer au bras de Françoise, l'entendre prier, invoquer le Seigneur, l'appeler à l'aide, à la miséricorde.

Il a besoin d'elle. Il peut, devant elle, montrer sa faiblesse, ses craintes, exhaler sa douleur.

Il a besoin de Dieu.

D'un mouvement de tête, il renvoie Monseigneur le dauphin.

Il est enfin seul avec Mme de Maintenon.

Il ne veut plus qu'on le harcèle avec des détails comme si l'on cherchait, de cette manière, à le faire revenir sur ses décisions.

Il veut éteindre l'hérésie dans le royaume. Voilà son

grand dessein ! Il veut que son autorité soit partout respectée. Et il n'accepte plus qu'on se comporte autrement qu'il le désire.

Il a l'impression que la douleur dans son corps s'avive chaque fois qu'il éprouve un mécontentement. Il a besoin, pour vaincre cette souffrance, pour mener cette guerre contre ce corps qui lui échappe, de ne plus rencontrer d'opposition, d'obstacle.

Il veut d'autant plus maîtriser le corps du royaume que sa propre chair se rebelle, que son propre corps se défait.

Il veut l'ordre partout.

Il approuve les soixante articles qui établissent les règles de la traite négrière, du commerce et du travail des esclaves dans les îles de l'Amérique.

Par ce « code noir » sera « maintenue la discipline de l'Église catholique, apostolique et romaine pour y régler ce qui concerne l'état et la qualité des esclaves dans nos dites îles ».

Il veut que tous les esclaves soient baptisés et instruits dans la religion catholique, apostolique et romaine.

Il accomplit ainsi, dans les îles lointaines, son grand dessein de défendre partout la juste religion. Les hérétiques et les juifs n'ont point de place dans les îles. Et même si « les esclaves sont meubles, et comme tels entrent dans la communauté », et s'il est de droit que « les enfants qui naîtront de mariage entre les esclaves seront esclaves », du moins pourront-ils, parce que baptisés, être reconnus comme hommes par l'Église et par Dieu.

Il lit la dernière phrase du code :

« Car tel est notre bon plaisir, et afin que soit chose ferme et stable à toujours nous y avons fait mettre notre scellé, le grand sceau de cire verte, en lacs de soie verte et rouge. »

Il signe.

Et durant quelques instants la souffrance se dissipe, comme si l'acte accompli était le meilleur des remèdes pour son corps douloureux.

Et il en est ainsi chaque fois qu'il agit, qu'il a le sentiment que l'ordre et son autorité pénètrent plus profondément dans le royaume et l'apaisent.

Il veut qu'on enferme les mendiants, qui sont comme les plaies purulentes des villes et des campagnes, dans des « ateliers de mendicité ».

Il approuve Mme de Maintenon, quand elle lui exprime sa volonté de faire construire à Saint-Cyr des bâtiments pour y accueillir et y éduquer des jeunes filles de bonne lignée de noblesse, mais pauvres.

Il voudrait que le royaume soit aussi réglé que l'est la Cour, et qu'en chaque ville le roi soit présent – comme il l'est à Versailles, et chaque jour aux yeux de tous – par une statue équestre, placée au centre de la plus grande place afin que tous les sujets le voient, l'honorent, sentent qu'il veille sur eux et les contrôle.

Et que ces sujets puissent venir à Versailles, admirer ces constructions, ces chantiers encore ouverts, et où s'affairent plus de trente mille ouvriers, entreprenant là la construction d'un aqueduc, pour détourner le cours d'une rivière, l'Eure, ou bien ici bâtissant l'aile nord du château.

C'est ainsi, quand l'ordre progresse, quand les hommes et la nature sont maîtrisés, que la douleur en lui s'apaise.

Et il réprimande, il châtie ceux qui viennent par leurs propos troubler cet ordre.

Il ne tolère plus les comportements fantasques, les écrits, les libertés d'Élisabeth Charlotte, la Palatine, qui il y a quelques mois encore le faisaient sourire.

41

Elle doit rentrer dans le rang. Et il le dit durement au confesseur de la princesse.

Il veut que le prêtre transmette dans les mêmes termes cette réprimande.

Il pourrait chasser de la Cour, insiste-t-il, Élisabeth Charlotte. Il faut qu'elle comprenne que les temps ont changé.

Elle lui répond. Il lit les premières phrases et, durant quelques instants, la douleur qui le tenaille semble s'effacer.

Élisabeth Charlotte écrit :

« Je sais que vous êtes mon roi et par conséquent mon maître, ainsi je ne m'aviserai jamais de vous bouder... Vous êtes mon roi et c'est à moi d'en souffrir et quoi que cela m'ait pénétré de douleur jusqu'aux os je me suis flattée, je vous l'avoue, que vous ayez encore assez de bonté pour moi pour écouter ma justification... »

Elle s'excuse, elle se soumet :

« Je ne puis que vous supplier, Monseigneur, d'oublier le passé, de m'ordonner quelle conduite vous voulez que je tienne à l'avenir et je l'exécuterai très exactement, et vous assure, Monseigneur, qu'en cela et en tout ce qui vous plaira jamais de m'ordonner, vous serez obéi. »

Et puis tout à coup, alors qu'il parcourt les dernières lignes, il sent l'étau de la douleur le serrer de nouveau.

La Palatine écrit :

« Et je vous supplie encore de croire que je n'ai pas moins de respect et, si j'ose dire, de véritable amitié pour Votre Majesté, que les gens qui croient se faire valoir auprès de vous, qu'ils ne peuvent avoir de véritable respect pour vous, parce qu'ils ont la hardiesse de vous rendre odieux... »

Il cesse de lire, il rejette la lettre.

Élisabeth Charlotte ne cite pas de noms, mais qui peut-elle viser sinon Françoise de Maintenon ?

Les espions qui se sont glissés dans l'entourage de la

Palatine ont déjà rapporté qu'elle voue à Mme de Maintenon une haine tenace, qu'elle l'accuse de «s'amuser à rendre odieux au roi tous les membres de la famille royale».

La souffrance qui le tenaille se fait plus vive.

Élisabeth Charlotte ne s'est convertie que pour pouvoir épouser Philippe d'Orléans, mais elle est demeurée au fond d'elle-même une hérétique.

Il est sûr qu'elle est hostile à la révocation de l'édit de Nantes.

Dans ses lettres à ses proches restés hérétiques, elle écrit : «Il m'est impossible de traiter par la poste de questions religieuses.»

Elle se méfie, connaît l'existence du cabinet noir !

Mais elle se confie et il s'emporte en lisant les propos qu'elle tient :

«Là où le diable ne peut arriver il envoie une vieille femme, dit-elle. Nous tous, les membres de la famille royale, nous nous en apercevons bien. Mais assez là-dessus ! Il n'est pas recommandé d'en dire davantage. Mais j'ai plus de religion que tous les grands dévots, car je vis aussi bien que je peux et je ne fais de mal à personne...»

Qui est cette vieille femme, sinon Mme de Maintenon ?

Il se sent blessé, et impuissant, car pourrait-il chasser de la Cour, faire emprisonner, la femme de son propre frère ?

Il doit agir. Il ne doit pas suivre ces nouveaux convertis, ces hésitants qui acceptent que le royaume soit menacé par la gangrène de l'hérésie.

Il doit écouter Bossuet, le père de La Chaise, qui répètent :

— Le prince doit employer son autorité pour détruire dans son État les fausses religions. Il est le protecteur du repos public qui est appuyé sur la religion et il doit soutenir son trône dont elle est le fondement...

Il confie à Bossuet que certains, auprès de lui, prêchent la tolérance, l'acceptation de la présence de l'hérésie dans le royaume.

Bossuet s'indigne, dit :

— Ceux qui ne veulent pas souffrir que le prince use de rigueur en matière de religion, parce que la religion doit être libre, sont dans une erreur impie.

Il entend le murmure des prières de Mme de Maintenon qui, égrenant son chapelet, ne le quitte pas des yeux.

Elle veille sur lui, le conforte dans sa décision. Elle demande au Seigneur de le protéger, de soulager ses souffrances. Et il a l'impression que peu à peu la douleur s'efface, qu'elle disparaît lorsqu'il demande à Michel Le Tellier et au marquis de Châteauneuf de rédiger l'édit de révocation de l'édit de Nantes.

Il en lit lui-même, le 18 octobre 1685, le préambule, et son corps lui paraît plus léger, comme si chaque phrase qu'il prononçait lui rendait une nouvelle part de sa vigueur juvénile.

«Nous voyons, dit-il, que la meilleure et la plus grande partie de nos sujets de la religion prétendue réformée ont embrassé la catholique. Aussi nous avons jugé que nous ne pouvions rien faire de mieux pour effacer entièrement la mémoire des troubles... de révoquer entièrement ledit édit de Nantes et les articles particuliers qui ont été accordés en suite d'icelui, et tout ce qui a été fait depuis en faveur de ladite religion.»

Ainsi, l'hérésie est chassée du royaume. Le culte huguenot est interdit dans les maisons privées et dans les temples qui seront détruits. Les pasteurs n'auront le choix qu'entre abjurer ou quitter le royaume. Mais il n'est point question de permettre aux derniers fidèles de l'hérésie de sortir de France. Ils doivent choisir entre la conversion ou les galères – et pour les femmes la punition sera le couvent.

Il lui paraît juste aussi que les enfants soient baptisés dès leur naissance dans la vraie religion, et si besoin est retirés à leurs parents qui s'obstineraient à refuser la conversion.

Il ne veut pas lire les placets, les requêtes, les suppliques qu'on lui adresse après la publication de cet édit de Fontainebleau. Ceux qui en subissent les effets, qu'on conduit aux galères, qu'on prive de leurs enfants ou qui s'enfuient aux Provinces-Unies ou au Brandebourg, abandonnant leurs biens, sont des rebelles qui ont délibérément refusé de se convertir.

Ils ne sont les victimes que de leur choix diabolique !

Ils ont rejeté la religion de leur roi, celle de tous les sujets du royaume.

Il ne veut entendre que ces louanges qu'on lui adresse au Conseil, et lorsqu'il paraît à la Cour.

Il est le nouveau Charlemagne, le nouveau Constantin, le champion de la foi, lui répète-t-on. Aucun roi n'a fait et ne fera rien de plus mémorable.

Il ne sent autour de lui qu'approbation.

Jamais l'accord n'a été aussi grand entre lui et ses sujets. Jamais le royaume n'a été plus uni, pense-t-il.

Il écoute Louvois, qui lui lit les rapports des intendants. Dans toutes les provinces, ce ne sont qu'actions de grâces pour le roi, qui comme Saint Louis a combattu pour le Seigneur.

Et il se sent conforté dans sa décision et sa foi lorsqu'il apprend qu'en Angleterre, aux Provinces-Unies, les pasteurs qui ont préféré quitter la France plutôt que de se convertir le dénoncent. Ils parlent de « cruelle persécution ». Ils le menacent du tribunal de Dieu. Ils accusent l'Église du royaume d'être comme le roi coupable de toutes les violences.

«La mauvaise foi, la fourbe, la violation des promesses, la profanation du Sacré nom de Dieu, la fureur, la violence, la brutalité, tout y rentre. Qui ne serait scandalisé de voir les gens qui se disent chrétiens agir en Turcs et en cannibales?»

Voilà les ennemis de Dieu qui sont ceux du royaume.

Ils ont tombé le masque. Et aussi, les quelques-uns qui vivent encore dans le royaume, qui n'ont pas été convertis, ceux qui ont échappé à la chiourme des galères, et qui ne renoncent pas.

Il approuve Louvois qui, contre ces hérétiques qui se rassemblent dans les lieux les plus reculés, dans les Cévennes, le Vivarais, pour chanter les psaumes impies, veut envoyer les dragons, afin de disperser ces obstinés, de les conduire de force à l'autel, pour qu'ils communient, et ceux qui s'y refuseront seront enchaînés, condamnés aux galères.

Il sent que la douleur revient, plus aiguë encore.

La guerre contre elle et contre les hérétiques et les rebelles, contre tous ceux qui, à l'intérieur des frontières ou dans les pays ennemis, veulent affaiblir le royaume, ne cessera donc jamais!

Il doit la mener : c'est son destin de grand roi.

Il se souvient des temps de la Fronde, de l'hostilité qui entourait sa mère, le cardinal de Mazarin, de la haine des princes qui avaient pris les armes, se mettant au service de l'étranger.

Et les huguenots s'enrôlent dans les régiments de l'électeur Frédéric-Guillaume ou dans ceux de Guillaume d'Orange!

46

Et cependant, certains dans son entourage même prennent leur parti.

Il lit dans les rapports des espions qu'Élisabeth Charlotte, sa belle-sœur, aurait tenté de protéger des huguenots, facilité leur fuite et empêché qu'on leur arrache leurs enfants.

Elle aurait dit :

— La vieille conne et le père de La Chaise, et tous les jésuites persuadent le roi que tous les péchés que Sa Majesté a commis avec la Montespan seront absous s'il harcèle et chasse les réformés. Et que c'est là le chemin qui le conduira au paradis. Sa Majesté le croit fermement car de sa vie il n'a lu un seul mot de la Bible. C'est ainsi qu'il est trompé.

Il est indigné qu'on insulte ainsi Mme de Maintenon.

Il est emporté par la colère parce qu'on ose faire de lui le jouet d'une épouse, ou de l'ordre des Jésuites.

Il se tourne vers Mme de Maintenon.

Elle est la seule personne en qui il ait confiance, la seule qui comprenne ses intentions. Il lui tend la main pour qu'elle le rassure, parce que, avec la colère et l'indignation, la douleur l'a de nouveau empoigné.

6.

Il ouvre la bouche.

Il tient la main de Françoise de Maintenon qui est debout près du fauteuil sur lequel il est assis, la nuque appuyée au dossier, la tête un peu renversée en arrière afin de faciliter le travail du chirurgien.

Il entend le murmure de Françoise qui prie et dit :

— Que la volonté de Dieu soit faite, que Dieu vous protège.

Il lève la main pour inviter le chirurgien à approcher, à commencer. Il est prêt à accepter cette nouvelle épreuve, cette souffrance. Dieu la lui impose et on ne se rebelle pas contre le Seigneur.

Voilà des mois maintenant qu'il vit avec la douleur.

Il est contraint souvent de ne se déplacer dans les galeries et les salons du château que dans un fauteuil à roulettes, parce que la goutte l'empêche de marcher. Et il a dû renoncer à chevaucher, ses fondements sont si douloureux qu'il peut à peine rester assis dans un fauteuil, et que la selle est devenue un instrument de torture.

Alors il chasse le cerf et le sanglier, à demi allongé dans une calèche. Et il a même dû souvent s'installer sur une sorte de chariot poussé par des valets, parce qu'il ne peut plus marcher dans ses jardins, et qu'il veut pourtant s'y promener. Et parce que Dieu qui lui inflige ces épreuves ne peut pas désirer que le Roi Très-Chrétien, défenseur de la juste religion, s'abandonne, se couche, n'accomplisse plus ses devoirs de roi et de catholique.

Le chirurgien se penche.

Louis voudrait oublier son corps, cette plaie qui s'est creusée dans son palais et que le chirurgien veut cautériser en en brûlant les contours purulents avec un fer rougi au feu.

Il faut accepter, laisser le chirurgien agir, tenter de fermer ce trou par où les aliments et les boissons pénètrent avant de ressortir par le nez.

C'est comme si Dieu voulait lui rappeler qu'il n'est qu'une chair vulnérable et souffrante, qui après avoir connu tous les plaisirs doit maintenant subir la douleur et l'épreuve.

Dieu lui retire tous ces plaisirs du corps dont il a tant joui et dont il lui reste si peu.

L'amour n'est plus qu'une brève étreinte dont il ne se lasse pas, qui l'apaise et dont il rend grâce à Françoise de Maintenon.

Mais il ne veut même plus se souvenir des nuits brûlées par le désir.

Maintenant, après l'amour, il se redresse avec peine. Il se rend en boitillant vers sa chaise percée, placée dans la chambre, et sur laquelle il s'assied plusieurs fois par nuit, et jusqu'à dix fois dans la journée.

Les médecins le purgent, lui font boire du vin émétique. Ils lui répètent qu'il doit évacuer les aliments qu'il ne mâche plus, et qu'il avale le plus vite possible pour éviter qu'ils ne s'infiltrent dans la plaie du palais. Mais s'il se nourrit ainsi, il n'a jamais l'impression de manger, de savourer. Il ne peut plus écraser, déchiqueter les bouchées parce qu'il n'a plus que quelques morceaux de dents. Les chirurgiens ont arraché, cassé les autres, et en même temps brisé ses mâchoires, crevé son palais.

Il est donc contraint d'engloutir, sans être jamais rassasié, avec l'impression d'avoir toujours le ventre gonflé qu'il faut vider alors que la faim le tenaille.

C'est ce ver aussi qui vit en lui, dans ses entrailles, qui lui donne cette sensation, disent les médecins. Il faudrait réussir à l'extirper, et pour cela purger, saigner, faire vomir.

On lui a montré ce ténia, mais ce n'est qu'une partie du ver, la tête est encore dans le ventre, et il faut donc à nouveau purger.

Et il est ainsi toujours entre l'envie d'engloutir et celle de se vider.

Il doit livrer son corps aux médecins, aux chirurgiens.

Il faut accepter. Ne pas se rebeller contre la douleur. Elle est épreuve et punition, expression de la volonté divine.

«Mon Dieu, je me remets entre vos mains», pense-t-il, alors qu'il sent dans sa bouche la chaleur dévorante du fer rougi qui s'approche de la plaie du palais.

Il est le roi. Il ne crie pas. Il ne montre ni sa souffrance, ni son appréhension, ni sa peur.

Mais malgré lui son corps tremble et se couvre de sueur, et sa main se crispe sur celle de Mme de Maintenon.

Il subit. Il se livre. Il veut que son corps pour mieux résister à la douleur s'y abandonne sans défense. Et il veut, bien qu'il connaisse leur impuissance, faire confiance aux médecins.

La plaie du palais a cessé d'être purulente, même si elle demeure ouverte et qu'il est lui-même incommodé par la puanteur de son haleine.

Il interroge le premier de ses chirurgiens, Félix, sur cette douleur, cette brûlure, cette gêne qui griffe ses fondements.

Il écoute le chirurgien évoquer cet abcès, cette fistule, ces saignements qui rendent l'anus si douloureux.

C'est un mal qui se répand, dû sans doute à l'abus, dans les dîner et les soupers, des ragoûts et des épices, mais provoqué aussi par les longues chevauchées, et chez certains par la pratique du « vice italien ».

Il faut quelquefois se résoudre à la « grande opération » pour résorber cette fistule, cette fissure, qui révèle que « le gros boyau qui communique au fondement se trouve pourri ». M. le duc de Ludres, grand maître de l'artillerie de France, et quelques autres personnages de bonne lignée ont subi cette « grande opération ». Périlleuse, dit Félix.

Mais la douleur est là. La brûlure, l'abcès sont si incommodants que Louis ne peut plus marcher en ce début du mois de février 1686. Il faut se résoudre à garder le lit, s'agenouiller, écarter les jambes, dans cette chambre de Mme de Maintenon où se pressent les chirurgiens, les médecins, et Louvois et Seignelay, les ministres les plus importants.

— Tumeur à la cuisse, murmure l'un des médecins.

— Abcès, fistule, dit le chirurgien Félix.

Mais Félix hésite à tenter la « grande opération ».

Louis l'écoute.

Il faut accepter ce que Félix propose, avant la « grande » épreuve.

— Maintenant, Votre Majesté, dit le chirurgien.

C'est comme si, de cette boule brûlante qui ferme l'anus, irradiaient des douleurs fulgurantes, lames, rayons de feu, parcourant les jambes, se nouant autour des chevilles et perçant la nuque.

Et la brûlure se prolonge puisque le chirurgien applique sur l'abcès incisé une pierre de cautère.

La douleur est si vive, si tenace, qu'il ne peut somnoler.

Il reste immobile, ne quittant pas des yeux Françoise de Maintenon qui, près du lit, égrène son chapelet.

Il faut accepter quelques semaines plus tard une nouvelle incision et de nouvelles brûlures, alors qu'il imagine les rumeurs qui doivent infester la Cour, se répandre dans toutes les nations, parmi ces groupes d'hérétiques qui ont été accueillis dans les Provinces-Unies, à Genève, en Angleterre, dans le Brandebourg.

On doit prétendre qu'il va mourir.

Il apprend qu'à Augsbourg une ligue s'est constituée, autour de la Hollande, des princes allemands, de l'Espagne, de l'Angleterre, se préparant à recommencer la guerre, oubliant la trêve de Ratisbonne.

Il doit malgré la souffrance réunir le Conseil, dans la chambre, interroger Louvois et Seignelay, toujours rivaux, ordonner que l'on rassemble les troupes dans les forteresses des frontières, que l'on chasse des vallées vaudoises les huguenots qui s'y sont réfugiés, et qui peut-être s'apprêtent à entrer en force dans le royaume. Et que l'on menace Genève de l'invasion si la ville hérétique accueille des huguenots français.

Est-ce d'accomplir ses tâches de roi, ou bien est-ce la guérison à la suite des coups de lancette et des applications de pierre de cautère, mais il se sent mieux, alors que le printemps déjà colore les jardins du château.

Il s'y promène en chariot, malgré la douleur qui revient à chaque cahot. Il peut même se rendre en carrosse à Paris, où l'on a dressé place des Victoires une statue équestre pour célébrer ses victoires.

Il veut espérer que l'épreuve s'achève, qu'il va pouvoir être à nouveau le roi qui chevauche à la tête des régiments et qui chasse.

Certains jours, il oublie même qu'il a tant souffert. Il ne sent plus le poids de son corps. Il lui semble que malgré ses quarante-huit ans, il a gardé l'énergie de sa jeunesse.

Il se rend aux fêtes qu'offrent, rivalisant de magnificence, Louvois et, dans son château de Sceaux, Seignelay.

Il inaugure au côté de Mme de Maintenon cette maison de Saint-Cyr que Mansart vient d'achever, et qui accueille les deux cent cinquante jeunes filles pauvres mais de quatre quartiers de noblesse.

Il fait quelques pas dans les vastes galeries de ce bâtiment qu'il juge plus beau que tous ceux dont il a ordonné la construction, plus noble même que ce château de Marly où il espère bientôt passer quelques jours.

Il est heureux de voir ces jeunes filles s'incliner devant lui.

Il se souvient de l'inscription placée sur le piédestal de la statue équestre de la place des Victoires : *Viro immortalis*.

Il est un bref instant grisé.

Ces statues, ces châteaux de Versailles et de Marly, cette maison de Saint-Cyr, et l'unité religieuse du royaume, ces annexions, ces réunions de villes et de territoires lui assurent l'immortalité.

Il doit recevoir les ambassadeurs du royaume du Siam, venus s'incliner devant lui, le plus grand des rois. Quelle preuve plus grande que sa gloire s'étende jusqu'à l'autre extrémité du monde, et qu'elle lui assure l'immortalité ?

Mais est-ce d'avoir trop présumé de ses forces ?

Mais est-ce d'avoir trop espéré, trop cru dans un regain de santé ? Tout à coup, alors que l'automne étend sa grisaille sur le labyrinthe des jardins, la douleur revient, plus aiguë, et les pierres de cautère ou les incisions, au lieu de la réduire, l'avivent.

Et la fistule ne se résorbe pas mais s'approfondit.

Il veut affronter la « grande opération », parce qu'il faut livrer la bataille et non se contenter d'escarmouches.

Il sait que les chirurgiens, et d'abord Félix, ont pour se préparer à la grande épreuve sur le corps du roi opéré des malades anonymes, et conçu des instruments appropriés.

Peut-être certains de ces patients que Louvois a fournis aux chirurgiens sont-ils morts ?

Mais la vie du roi est le bien le plus précieux du royaume.

Le 18 novembre, Louis se lève à l'aube.

Il s'agenouille auprès du lit, il prie, murmure en se redressant, en s'avançant vers les chirurgiens :

— Mon Dieu, je me remets entre vos mains.

Il regarde ceux qui l'entourent, ces chirurgiens, et le premier d'entre eux, Félix, et d'Aquin, le premier des médecins, puis Françoise de Maintenon, Monseigneur le dauphin, Louvois, le père de La Chaise, le premier valet de chambre, Bontemps, et Bessières, un des grands chirurgiens de Paris.

Il s'allonge, saisit la main de Louvois, et d'un signe de tête invite Félix à opérer.

Coup de lame, plus tranchant encore que ceux qui l'ont déjà si souvent transpercé.

Il se mord les lèvres. Il voudrait être silencieux. Mais il répète comme une plainte : « Mon Dieu ! mon Dieu ! »

Il est en sueur. Il faut que cette bataille soit victorieuse et il craint que les chirurgiens n'osent pas attaquer avec toute l'énergie nécessaire. Il doit leur en donner l'ordre.

— Est-ce fait, messieurs ? Achevez, ne me traitez pas en roi, je veux guérir comme si j'étais un paysan.

Il sent deux nouvelles incisions et les douleurs qui en naissent le déchirent.

Il répète «Mon Dieu! mon Dieu!» en serrant la main de Louvois.

Puis, alors que son corps frissonne, il sent que le chirurgien retire sa lancette, que la bataille est terminée. Et la douleur faiblit.

Il se repose quelques instants, puis il dit qu'il veut que l'on ouvre les portes de la chambre et que les gentilshommes du petit et du grand lever soient introduits, afin qu'ils apprennent de sa bouche que la grande opération a eu lieu et que le roi, comme à l'ordinaire, les reçoit et tiendra Conseil.

Un roi, tant que la vie ne l'a pas quitté, gouverne son royaume.

Il souffre encore, mais il peut se lever, marcher dans la chambre appuyé au bras de Mme de Maintenon.

Il a faim, et il peut avaler un peu de viande, avec du vin coupé d'eau.

Mais après quelques jours la douleur revient et il écoute, s'efforçant de rester impassible, le premier chirurgien lui dire que la plaie ne se cautérise pas, qu'il faudra sans doute faire de nouvelles incisions, afin d'arracher les duretés calleuses qui se sont formées de part et d'autre de la fistule.

Il doit encore accepter mais il veut, dit-il, quelle que soit la souffrance, recevoir tous ceux auxquels il doit donner audience. Il fait un signe pour que le premier chirurgien commence.

Et la douleur est si vive que son corps est à nouveau couvert de sueur cependant que le chirurgien l'assure qu'il n'y a plus rien à couper.

Il ferme les yeux.

Dieu décide. Il faut se lever, s'asseoir, répondre aux louanges de ces visiteurs sans que la voix tremble.

Il fait son métier de roi.

Et en même temps, c'est comme s'il était voué au supplice, roué, écartelé.

Et la torture dure, ne cesse qu'à l'avant-veille de Noël.

C'est tout à coup la paix dans son corps.

Il entend les musiciens de la chapelle royale qui entament un *Te Deum* pour remercier Dieu de la guérison du roi.

Il est ce roi qui a traversé l'épreuve et remporté la plus difficile des guerres.

Peu importe si des hérétiques, aux Provinces-Unies, dans le Brandebourg ou en Angleterre, le qualifient de «nouveau Turc des chrétiens», le condamnent, l'accusent «d'effrayer les enfants, de brûler, de dévaster, de piller, de mener des dragonnades, de faire massacrer sujets et étrangers, amis et ennemis, hommes et femmes» et considèrent que «les vapeurs qui animent le cerveau de ce roi, qui se prend pour un héros, sont descendues de l'esprit pour se manifester dans cette région du corps qu'on nomme anus, provoquant une fistule, se rassemblant là en une tumeur et laissant ainsi pour un certain temps le reste du monde en paix».

Maintenant qu'il a vaincu la maladie, il va montrer à ses ennemis qu'il est plus que jamais Louis le Grand.

DEUXIÈME PARTIE

1687-1693

7.

Il s'agenouille sur son prie-Dieu, auprès de son lit.

Il veut, il doit remercier le Seigneur.

Ce matin, 15 mars 1687, il va pour la première fois depuis des mois monter à cheval.

Il croise les mains, il appuie son front sur ses pouces, il ferme les yeux. Il se souvient de cette douleur qui, comme une tenaille, semblait lui arracher les chairs, mordait ses chevilles et son bas-ventre.

Elle n'est plus que diffuse, et il a pu, dès les premiers jours de janvier, marcher, assister au *Te Deum* que dans l'église des Jacobins Lully a fait chanter.

Mais au milieu de l'office, Lully a poussé un cri, et s'est effondré après s'être blessé en frappant son pied avec sa canne, emporté par le rythme du chant qu'il conduisait.

Et il a suffi de quelques semaines pour que la gangrène dévore Lully. Peut-être Dieu a-t-il voulu punir les débauches du musicien, le condamner pour tous les jeunes gens qu'il a corrompus, et a initiés au vice italien.

Mort Lully et mort aussi le prince de Condé.

Et Louis a écouté le sermon de Bossuet, qui a plusieurs fois répété :

— C'est Dieu qui fait les rois, les guerriers et les conquérants.

L'évêque de Meaux a ajouté que la mort de Condé n'affaiblirait pas le roi, que protège « la main de Dieu, toujours prête à venir à son secours, afin qu'il soit toujours le rempart de ses États ».

Louis prie.

Il est sûr que Dieu l'a protégé, a guidé la lancette du chirurgien, et a voulu que l'épreuve s'achève, que les plaies se cautérisent, que l'on ne parle plus de fistule ou de tumeur « entre les fondements et les bourses », et qu'ainsi, il puisse à nouveau se promener dans les jardins, manger même si les mâchoires et le palais restent douloureux, et le ventre gonflé, l'obligeant à s'asseoir si souvent sur la chaise percée.

Mais ce sont là si faibles désagréments qu'il veut les oublier.

Il a pu rester debout dans l'ancienne chapelle de Versailles, où s'était rassemblée le 18 janvier toute la Cour pour le baptême des ducs de Bourgogne, d'Anjou et de Berry, les trois fils de Monseigneur le dauphin et de Marie Anne Charlotte de Bavière.

Il a remercié Dieu de pouvoir porter sur les fonts baptismaux le duc de Bourgogne, sa descendance directe, son petit-fils.

Que l'avenir de sa lignée soit ainsi assuré lui a donné un regain d'énergie.

Il a même eu l'impression, depuis ce début du mois de janvier 1687, que son corps était moins pesant, comme épuré, et, chaque matin, il a suivi les recommandations des médecins, laissant son premier valet de chambre Bontemps le frictionner entièrement à l'eau de toilette.

Cette fraîcheur qui entre dans son corps en chasse les impuretés.

Et chaque jour, il a senti monter en lui la joie de ses sujets de le savoir guéri, et cela l'a ragaillardi.

Il s'est rendu à Notre-Dame de Paris, pour remercier le Seigneur de sa guérison, et il a accepté de présider le dîner que les édiles de la ville lui offrent.

On lui récite le poème de Charles Perrault, *Le Siècle de Louis le Grand*, qui a été lu à l'Académie française :

La belle antiquité fut toujours vénérable
Mais je ne crus jamais qu'elle fût adorable.
Je vois les Anciens sans plier les genoux,
Ils sont grands, il est vrai, mais hommes comme nous ;
Et l'on peut comparer sans crainte d'être injuste
Le siècle de Louis au beau siècle d'Auguste.

Il veut, il doit remercier Dieu.

Il se redresse. Bontemps l'aide à s'habiller, puis ouvre les portes de la chambre pour le grand lever.

Louis s'avance. Il dit que ce matin, il monte à cheval.

Et il écoute les compliments et les louanges des courtisans qui se pressent autour de lui.

Il chevauche d'abord avec appréhension, sur ses gardes, craignant que tout à coup la douleur ne le déchire. Puis, peu à peu, il oublie cette inquiétude et galope, avec la sensation de renaître.

L'après-midi, il se promène longuement dans les jardins, parcourant à pas lents plusieurs fois le labyrinthe, se proposant d'écrire une « manière de visiter les jardins de Versailles » tant il éprouve de plaisir à s'y attarder, à se pencher sur les massifs de fleurs, à respirer leur parfum.

Il rentre enfin, rejoint Mme de Maintenon dans ses appartements. Elle l'accueille le buste serré dans une robe bleue, le visage que ne griffe aucune ride.

Il lui prend la main, il l'entraîne dans sa chambre.

Le désir est là, vif mais si vite épuisé.

Louis s'installe devant la cheminée.

Sur une table qu'il a fait placer à sa droite sont déposées les lettres subtilisées et copiées par les espions du cabinet noir, ainsi que les dépêches des ambassadeurs. Il commence à lire ces dernières.

Il s'indigne des pamphlets écrits et publiés dans les Provinces-Unies par des pasteurs huguenots exilés. Ces auteurs dénoncent les dragonnades, ce qu'ils appellent des « actes d'une cruauté inouïe ».

« Parmi ces mille hurlements et mille blasphèmes, écrit l'un d'eux, les dragons pendaient les gens, hommes et femmes, par les cheveux ou par les pieds aux plafonds des chambres ou aux crochets des cheminées. »

Louis convoque Louvois qui affirme qu'il ne s'agit là que de calomnies.

Louis l'interrompt. L'heure n'est pas aux excès à l'intérieur du royaume mais à la guerre contre les nations ennemies et souvent hérétiques.

Il veut se rendre, poursuit-il, sur la frontière, à Luxembourg, visiter la forteresse, car la guerre, même si elle n'a pas été déclarée, est déjà ouverte par ces pays qui accueillent, soutiennent, paient les huguenots français.

Il faut agir pour écarter cette menace, d'autant plus grande que sous la conduite de Charles V de Lorraine les princes germaniques ont fait reculer les Turcs, écarté ainsi la menace ottomane. Ils vont pouvoir reporter leurs forces contre le royaume de France.

Il écoute Louvois qui propose de ne pas attendre que l'alliance antifrançaise et la ligue d'Augsbourg s'élargissent, devenant dangereuses.

Il ne faut pas agir sans réflexion, sans précaution, dit Louis.

Il faut d'abord s'assurer que dans les vallées vaudoises les huguenots ne se sont pas à nouveau rassemblés.

Il faut partout montrer, avant même que la guerre n'éclate, que le roi de France ne cède rien, et à personne, ni même à ce pape Innocent XI qui prétend contrôler les ambassades situées dans ses États.

Qu'on envoie des troupes à Rome avec un nouvel ambassadeur, et qu'on rappelle au souverain pontife que le roi de France refuse que l'on touche aux franchises de son ambassade, même si tous les autres souverains se sont inclinés devant la volonté du pape.

Et celui-ci argue de ce fait pour exiger que les Français acceptent ces dispositions nouvelles.

Louis se lève.

— Je ne me suis jamais réglé sur autrui, dit-il, et c'est à moi de servir d'exemple.

8.

Il a préféré être seul pour lire les copies des lettres d'Élisabeth Charlotte.

Il a craint, s'il restait dans la chambre de Françoise de Maintenon, que celle-ci ne l'interroge, à sa manière douce mais insistante.

Il aurait dû lui répondre qu'il s'agissait de lettres de la princesse Palatine. Les deux femmes se haïssent. Françoise aurait baissé la tête sur son ouvrage, en soupirant. Et il n'aurait pas pu lui rapporter ce qu'Élisabeth Charlotte dit avec cette violence et cette verdeur de ton qu'il n'aime pas.

Elle a écrit, il y a quelques jours, à sa tante Sophie, électrice de Hanovre :

« Je ne puis taire que la Cour devient à présent si ennuyeuse qu'on n'y tient presque plus, car le roi s'imagine qu'il est pieux s'il fait en sorte qu'on s'ennuie bien. Je ne puis croire pour ma part qu'on peut servir Notre-Seigneur Dieu à force d'aimer les vieilles femmes et d'être grincheux ; si cela est la voie du paradis, j'aurai de la peine à y arriver. C'est une misère quand on ne veut plus suivre sa propre raison, et qu'on ne se guide que d'après les prêtres intéressés et de vieilles courtisanes. »

Il a senti que la colère empourprait son visage et

Mme de Maintenon l'a aussitôt remarqué, s'inquiétant de son état, lui demandant si la douleur était revenue.

Elle s'est approchée pleine de compassion, et la colère de Louis s'est tournée contre elle, qui n'avait pas, lui a-t-il dit, à s'occuper des affaires du royaume. Il décidait seul et, s'il avait besoin d'un avis, il le demandait à ses ministres, en son Conseil.

Il ne veut plus vivre de tels moments, et il a choisi de s'installer désormais dans ses appartements, devant la table de marbre, sur laquelle les lettres sont posées.

Il sait qu'il va être irrité, mais il ne peut ignorer ce qu'écrit et ce que pense Élisabeth Charlotte.

Elle n'est pas qu'une méchante langue, une Allemande hérétique jamais vraiment convertie. Elle est la belle-sœur du roi et la princesse Palatine.

Et à ce dernier titre, elle a des droits sur le Palatinat depuis la mort de son père.

Et Louis les a fait valoir, comme roi de France, chef de la famille royale, et donc autorisé à défendre les intérêts de Mme Élisabeth Charlotte, épouse de M. le duc d'Orléans, frère du roi.

L'empereur du Saint Empire germanique Léopold, les princes électeurs, Guillaume d'Orange, et tous ceux qui se retrouvent dans la ligue d'Augsbourg ont fait part de leur indignation, considérant cette revendication sur l'héritage du père d'Élisabeth comme une nouvelle tentative pour s'emparer des villes et des territoires allemands.

Il sait que la princesse Palatine est inquiète.

Elle craint pour son pays. Elle l'a dit à Louvois qui l'a rapporté, et elle l'a écrit :

« On se sert de mon nom pour ruiner ma pauvre patrie. »

Elle a fait état de la protestation des princes allemands.

Faut-il qu'il répète : « Je ne me suis jamais réglé sur autrui ! »

Il ne cédera pas aux lamentations d'Élisabeth Charlotte.

Le Palatinat n'est qu'une carte qu'il faut posséder pour être plus fort dans la grande partie qu'ont engagée les ennemis du royaume de France.

Et il est le roi de France, soucieux de sa gloire et de sa puissance. Louvois l'a compris.

Le ministre prépare l'armée à la guerre en rassemblant les troupes sur les bords du Rhin, et en créant une Milice royale dont les recrues seront équipées par leur paroisse et recevront une solde de deux sous par jour. Elles serviront de réserve à l'armée.

Mais Louis constate que Colbert de Croissy, chargé des Affaires étrangères, veut essayer à tout prix de préserver la paix. Qu'imagine-t-il, que Guillaume d'Orange, les Espagnols, les princes allemands, Frédéric Ier qui vient de succéder au Brandebourg à son père Frédéric-Guillaume ne veulent pas la guerre ?

Il y a plus grave. Les Anglais rejettent leur roi, Jacques II le catholique, avec encore plus de détermination depuis qu'il est le père d'un fils – le prince de Galles – baptisé dans la religion catholique, et sa fille Mary, épouse de Guillaume d'Orange, bonne protestante, n'est plus dès lors l'héritière du trône.

Comment ne pas imaginer que Guillaume d'Orange, l'hérétique, l'ennemi résolu du royaume de France, s'alliera avec les hérétiques anglais pour chasser le roi catholique, Jacques II, son épouse et son prince de Galles afin de se faire attribuer, à lui et à Mary, le trône d'Angleterre ?

Et il faudrait ne pas prendre ce gage qu'est le Palatinat !

Louis ordonne que l'on s'empare de la ville de Philippsburg, sur la rive droite du Rhin.

Il veut que Monseigneur le dauphin prenne la tête de l'armée, et qu'il apprenne ainsi sur le terrain en compagnie de

Vauban comment l'on assiège une ville, et la contraint à capituler.

Il le dit au dauphin.

— Je vous donne l'occasion de faire connaître votre mérite. Allez le montrer à toute l'Europe afin que, quand je viendrai à mourir, on ne s'aperçoive pas que le roi est mort.

Il va mourir.

Cette pensée tout à coup l'habite.

Le dauphin sera son successeur, et devant Philippsburg il se conduit en homme de courage et de talent.

Louis ressent de la fierté et de l'inquiétude aussi quand Louvois lui remet les lettres écrites par Vauban qui racontent comment Monseigneur le dauphin a arpenté les tranchées situées à quelques centaines de pas seulement des bouches à feu adverses.

« Il voulait tout voir, écrit Vauban. Non content de cela, il fallut accommoder un endroit par où il pût regarder par-dessus la tranchée à son aise. Je lui en fis un et il s'éleva, moi le tenant par le pan de son justaucorps pour le retirer quand il en serait temps. »

Il sent, en poursuivant la lecture, que l'inquiétude peu à peu efface la fierté.

A-t-on idée de rester trois ou quatre heures dans la tranchée la plus exposée, là où, dit Vauban, le canon est dangereux ?

« Monseigneur le dauphin a été aux grandes attaques, un coup de canon donna si près de lui que M. de Beauvillier, le marquis d'Huxelles et moi qui marchions devant lui en eûmes le tintouin un quart d'heure, ce qui n'arrive jamais que quand on se trouve dans le vent du boulet ; jugez du reste. »

Le dauphin sous le feu du canon ! La succession de France mise en péril ! Louis dicte :

«Le roi demande présentement à Monseigneur qu'il ne désire plus qu'il aille à la tranchée et qu'ayant fait à présent tout ce qui était nécessaire pour sa propre gloire, il ne veut plus qu'il songe à autre chose qu'à achever de s'instruire.»

Il ne peut plus chasser. L'idée de la mort, la sienne, celle de son fils. Il pense à ses autres enfants, aux bâtards qu'il a légitimés mais auxquels il doit assurer une position, qui unira tous ceux qui sont de son sang.

Il pense au duc du Maine et à Mlle de Blois, les enfants qu'il a eus d'Athénaïs de Montespan. Mlle de Blois pourrait épouser le duc de Chartres, le fils de Monsieur et de la Palatine, et le duc du Maine, leur fille.

Il veut voir les mignons de Monsieur, le chevalier de Lorraine et le marquis d'Effiat.

Il leur annonce qu'il a décidé de les désigner comme membres de l'ordre du Saint-Esprit.

Il perçoit leur étonnement, leur satisfaction. Ils savent que le roi n'aime pas les sodomites et ils s'interrogent sur les raisons de cette distinction.

Il dit simplement qu'il souhaite que le duc du Maine et Mlle de Blois épousent les enfants de Monsieur et de Madame.

Le chevalier de Lorraine et le marquis d'Effiat s'inclinent cérémonieusement. Ils ne seront pas ingrats.

Et il est apaisé à l'idée que ses enfants prendront rang parmi la famille d'Orléans.

Il a le sentiment d'avoir accompli son devoir, effacé la bâtardise née du double adultère.

Et puis cette lettre de la princesse Palatine, qui le fait trembler de colère.

«Depuis quelque temps j'ai beaucoup d'ennuis, écrit la princesse Palatine. On m'a dit en confidence les vraies raisons pour lesquelles le roi traite si bien le chevalier de

Lorraine et le marquis d'Effiat ; c'est parce qu'ils ont promis d'amener Monsieur à le prier très humblement de vouloir bien marier les enfants de la Montespan avec les miens, savoir ma fille avec ce boiteux de duc du Maine et mon fils avec Mlle de Blois.

« La Maintenon dans cette circonstance est tout à fait pour la Montespan car c'est elle qui a élevé les bâtards ; et elle aime ce méchant boiteux comme si c'était son propre enfant. »

Il ferme les yeux.

Chacun de ces mots est un poison.

Mais il doit continuer à lire pour ne pas oublier qu'autour de lui, à la Cour, grouillent les serpents.

Il se souvient qu'on avait accusé le chevalier de Lorraine et le marquis d'Effiat d'avoir empoisonné Henriette d'Angleterre, la première épouse de Monsieur. Et Athénaïs de Montespan avait peut-être dévoilé son corps au cours des messes noires, sa poitrine servant d'autel à des prêtres voués au culte de Satan.

Le mal est partout et c'est une guerre sans fin qu'il doit mener contre lui.

Les hérétiques sont ses suppôts et ce sont eux qui, au cœur du royaume, et à Londres, à Amsterdam, au Hanovre ou dans le lointain Brandebourg, attisent la haine contre lui.

Il vient d'apprendre que, comme il l'avait craint, Guillaume d'Orange a débarqué en Angleterre, que Jacques II, incapable de résister, a fui son royaume, et qu'il vogue sans doute vers la France.

La guerre est bien là, qu'il faut conduire de manière impitoyable, avec autant de détermination qu'on en a mis à combattre les huguenots.

Il faut mener hors des frontières la politique des dragonnades.

Qu'on le fasse à Philippsburg, et dans toutes les villes du Palatinat que l'on va assiéger, conquérir.

Et peu importe les sentiments et les protestations d'Élisabeth Charlotte, la Palatine.

Que peut-il attendre d'elle ou de qui que ce soit, sinon la haine et l'ingratitude ?

Dieu seul est magnanime. C'est lui seul qu'il faut prier. Il est le Seigneur du monde.

En lui seul on peut avoir confiance.

Et peut-être en ceux qui se proclament ses serviteurs, qui le prient comme le fait Françoise de Maintenon.

Mais la princesse Palatine a gardé au fond d'elle-même le poison de l'hérésie.

Et c'est lui qu'elle déverse dans cette lettre dont il doit reprendre la lecture.

Elle écrit :

« Lors même que le duc du Maine au lieu d'être le fruit d'un double adultère serait un prince légitime, je n'en voudrais pas pour mon gendre, non plus que de sa sœur pour ma bru ; car il est affreusement laid, paralysé, et il joint encore à cela plusieurs autres mauvaises qualités : ainsi il est avare en diable et n'a pas un bon naturel. Par-dessus le marché ils sont l'un et l'autre comme je vous l'ai dit, bâtards d'un double adultère et enfants de la femme la plus méchante et la plus perdue que la terre puisse porter. Toutes les fois que je vois ces bâtards, cela me fait tourner le sang. »

Il prend une autre lettre. Et c'est la même haine contre lui, contre Françoise de Maintenon, « la vieille ordure du roi », ose écrire Élisabeth Charlotte. Elle ajoute :

« Les gens du peuple de Paris disent très haut que ce serait une honte si le roi donnait à ses bâtards des enfants légitimes de sa famille. »

Il ne doit pas se laisser emporter par la colère.

Chaque chose en son temps.

Il faut mener la guerre, et donc faire le siège des villes du Palatinat et d'abord de Mannheim.

Il ordonne que, lorsqu'elle sera conquise, on en rase la citadelle, et on en détruira les habitations de manière qu'il ne reste pas pierre sur pierre.

Mais, dit-il à Louvois, ces instructions doivent rester secrètes. Les souverains et leurs sujets doivent être comme frappés par la foudre.

Ils ont voulu combattre le roi de France, rompre la trêve, se liguer contre lui?

Ils ont oublié qu'on ne s'oppose pas impunément à Louis le Grand.

9.

Il s'arrête sur le seuil de la grande salle de la maison de Saint-Cyr où les jeunes pensionnaires vont donner, devant toute la Cour et le roi d'Angleterre Jacques II réfugié depuis quelques jours en France, une représentation d'*Esther*, la dernière pièce de Racine, écrite pour Mme de Maintenon.

D'un mouvement de tête, le roi invite Louvois à s'approcher. Il veut connaître la situation dans le Palatinat.

Il murmure, afin qu'aucun des courtisans qui se trouvent à quelques pas ne l'entende.

— Il faut, dit Louis, empêcher que les Allemands puissent se servir des villes et des forteresses. Il faut leur interdire d'entamer le Rhin.

Louvois sait ce que cela signifie : détruire les villes et leurs forteresses, mais aussi brûler les récoltes, égorger le bétail, punir les populations, les chasser, incendier leurs maisons.

Cela vaut pour Mannheim comme pour Worms, Spire, Kreuznach, Oppenheim, Heidelberg, et tous les villages. Il ne faut laisser que des ruines, des amoncellements de cendres, et tant pis si les monuments, les églises sont aussi rasés.

Louvois s'incline, approuve, indique que les destructions ont commencé, que les habitants ont fui et se sont réfugiés dans les forêts.

Louvois a reçu ce matin même une dépêche du marquis de Chamlay qui commande les troupes chargées d'occuper Mannheim.

Chamlay a écrit :

« Dès le lendemain de la prise de Mannheim, je mettrai les couteaux dedans et je ferai passer la charrue. »

Louis reste impassible.

C'est ainsi qu'il faut agir. Car le grand affrontement a commencé.

Guillaume d'Orange et son épouse Mary Stuart ont été couronnés roi et reine d'Angleterre, et ils ont aussitôt commencé la guerre, bombardé Saint-Malo, leur flotte pourchassant les bateaux français, car le stathouder des Provinces-Unies devenu Guillaume III d'Angleterre veut aussi détruire le commerce du royaume de France. Ses alliés l'empereur germanique et Frédéric Ier de Brandebourg sont tout aussi déterminés que lui. Ils sont prêts à user de tous les moyens pour l'emporter, alors qu'ils s'indignent de l'action des troupes royales dans le Palatinat.

Et naturellement les huguenots sont ceux qui hurlent le plus fort, qualifiant le roi de France de « fléau de Dieu », de « Turc », de « barbare », de « fou furieux ».

Dans un pamphlet intitulé *Soupirs de la France esclave*, et dont l'auteur est sans doute l'un de ces pasteurs obstinés et haineux, on peut lire :

« Les Français passaient autrefois pour une nation honnête, humaine, civile, d'un esprit opposé aux barbaries ; mais aujourd'hui un Français et un cannibale, c'est à peu près la même chose dans l'esprit des voisins. »

Louis est insensible à ces aboiements, et même aux supplications, aux plaintes de la princesse Palatine.

Chaque jour, dans ses lettres, elle se lamente, elle proteste.

Dans sa dernière missive, elle écrit :

« Une calamité affreuse et pitoyable s'est abattue sur le pauvre Palatinat. Ce qui me fait encore souffrir le plus, c'est qu'on s'est servi de mon nom pour précipiter les pauvres gens dans un malheur extrême et quand je proteste en pleurant, on m'en sait mauvais gré, on m'en fait des reproches. Dût-on m'ôter la vie, je ne puis cesser de regretter et de déplorer ce qui arrive. Je ressens une telle horreur de tout ce qu'on a fait sauter que toutes les nuits, à peine endormie, il me semble être à Heidelberg ou à Mannheim et voir toute la désolation. Je me réveille alors en sursaut et de deux heures je ne puis trouver le sommeil. Je me représente alors comment tout était de mon temps et dans quel état on l'a mis maintenant, puis en quel état je suis moi-même et je ne puis m'empêcher de pleurer à chaudes larmes. Ce qui me désole encore, c'est que le roi a précisément attendu pour précipiter tout dans la dernière misère que je l'eusse imploré en faveur de Heidelberg et de Mannheim. Et l'on trouve encore mauvais que je m'en afflige, mais vraiment c'est plus fort que moi... »

Il ne veut pas se laisser émouvoir. La Palatine est du parti de l'ennemi. Elle ajoute :

« Les troupes brandebourgeoises ont quelque peu épousseté les Français. Ce que j'en pense ne peut se confier à la plume, mais vous le devinerez sans peine. »

Il s'indigne quand il découvre dans une autre lettre qu'Élisabeth Charlotte est pleine d'indulgence pour Guillaume III d'Angleterre, auquel elle fut autrefois fiancée.

Elle se permet d'écrire :

« J'espère si le malheur voulait ici que le prince d'Orange (car il nous est interdit de dire le roi Guillaume) prenne sa vengeance, qu'il se rappellera notre ancien amour et qu'il ne me fera point de mal. »

Et c'est l'épouse de Monsieur, la belle-sœur du roi Louis le Grand, qui a de telles pensées !

Louis est d'autant plus révolté par ces propos qu'il vient de recevoir une dépêche de son ambassadeur à Madrid, le comte de Rebenac, qui lui annonce la mort de la reine d'Espagne, Marie-Louise d'Orléans, la fille issue du premier mariage de Monsieur, et qui meurt à vingt-sept ans, comme sa mère Henriette d'Angleterre, et de façon aussi inattendue, mystérieuse.

Elle retenait son époux Charles II, débile et impuissant, soumis aux pressions de l'empereur d'Allemagne qui voulait que l'Espagne s'engage résolument dans la guerre contre la France.

Rebenac, rentré quelques semaines plus tard à Paris, précise que Marie-Louise d'Orléans a peut-être été empoisonnée sur ordre du comte Mansfeld, l'émissaire de l'empereur germanique à Madrid, avec la complicité de la comtesse de Soissons, cette femme mêlée à l'affaire des Poisons et dont le roi se souvient si bien. Il l'avait aimée alors qu'elle n'était qu'Olympe Mancini, nièce du cardinal de Mazarin.

Rebenac ajoute que Marie-Louise d'Orléans est « morte à l'égard de Dieu comme une religieuse et à l'égard du monde comme une héroïne » ! Le poison aurait été mis dans une tourte d'anguilles ou bien dans des huîtres. Une des demoiselles de la reine a voulu en manger et un grand d'Espagne lui a arraché l'huître de la main, l'avertissant que si elle l'avalait elle serait malade.

On a ouvert le corps de la reine, dont les organes étaient rongés, et sa chair violette.

Et déjà, on annonçait le prochain mariage du roi d'Es-

pagne avec la fille de l'électeur palatin, et sœur de l'impéra-
trice d'Allemagne.

C'est cela, la guerre qu'on mène contre le roi de France !
Et on l'accuse d'être un barbare !

Il n'a fait que son devoir de Roi Très-Chrétien du royaume
de France.

Il a accueilli au château de Saint-Germain Jacques II
d'Angleterre, le catholique, chassé de son royaume par
Guillaume d'Orange, l'hérétique. Il lui a donné l'accolade et
lui a dit :

— Monsieur mon frère, que j'ai de joie de vous voir ici !
Je ne me sens pas de joie de vous voir en sécurité !

Il l'a aidé à organiser un débarquement en Irlande, et il
l'a soutenu lorsque Jacques II s'est trouvé, après quelques
jours, en difficulté, en lui envoyant un contingent de sept
mille hommes commandés par le comte de Lauzun.

Il l'a accueilli à nouveau, après l'échec de cette tentative.

Et il a dû faire face aux troupes espagnoles et allemandes
dans les Pays-Bas et les pays rhénans. Mayence est tombé.
Et les coffres se sont vidés parce que la guerre est une grande
dévoreuse d'or et d'argent.

Il en veut à Louvois de n'avoir pas su conduire cette
guerre.

Il écoute le frère de Colbert, Colbert de Croissy, et le marquis de Torcy, le fils de ce dernier, et Seignelay, le fils de
Colbert.

Ce sont eux qui ont eu l'idée, pour combattre la disette
d'argent, de condamner le luxe de la vaisselle et des objets
en métaux précieux. Mais c'est lui qui a décidé d'envoyer à
la Monnaie toute son argenterie, afin qu'on la fonde et
qu'avec le métal ainsi obtenu on frappe des pièces d'or et
d'argent pour remplir les coffres, payer la guerre, maintenir
le commerce.

Un roi doit être prêt aux sacrifices pour la gloire de son
royaume.

Maintenant, il assiste à la représentation d'*Esther*.

Les personnages de Racine, l'impérieuse Vasthi, l'épouse du roi Assuérus, et la noble, la douce Esther, dont la piété attire le roi, malgré les manigances du ministre Aman, lui rappellent l'une Athénaïs de Montespan, l'autre Françoise de Maintenon, et Aman, c'est Louvois!

Quant à Assuérus, c'est lui, Louis le Grand!

Il perçoit l'émotion des jeunes actrices.

Il sourit de leurs maladresses. Il est sensible à leur beauté, à leur virginité rougissante. Et il entend les murmures désapprobateurs de quelques prêtres, qui s'inquiètent pour ces jeunes pensionnaires, exposées aux regards et aux désirs des courtisans.

Mais il aime cette pièce et il le dit, faisant taire les critiques et suscitant ainsi l'enthousiasme de toute la Cour, qui félicite Racine.

Le soir on soupe au Grand Trianon, ce bâtiment dont il a surveillé la construction, demandant à l'architecte Hardouin-Mansart d'utiliser des marbres roses, de ne pas élever d'étage, de se contenter de deux corps de logis, reliés par un péristyle.

Il a voulu qu'ainsi la beauté naisse non pas de l'or, des boiseries et des statues, mais seulement du jeu de la pierre et du marbre.

Il est satisfait.

Il a à ses côtés Mme de Maintenon, le roi Jacques II et la reine d'Angleterre, ces vaincus qu'il protège.

Et lorsqu'il lit les dernières pages de la Palatine, il reste indifférent.

Et pourtant, Élisabeth Charlotte, à son habitude, exprime avec violence ses ressentiments, sa haine pour Françoise de Maintenon.

«La vieille guenille, écrit-elle, s'est donnée devant le roi d'Angleterre pour tellement pieuse et humble que la reine la prenait pour une sainte... Mais bien que je ne sois plus jeune, la vieille conne est plus âgée que moi, j'espère donc que j'aurai avant ma fin le plaisir de voir crever la vieille diablesse. »

Il se sent au-dessus de ces querelles, de ces passions médiocres. Il est le roi. Rien, hormis la mort, ne peut et ne doit l'atteindre.

10.

Il s'avance vers le lit où est couchée Marie-Anne de Bavière.

Et au fur et à mesure qu'il s'approche de la dauphine, il sent cette odeur écœurante, douceâtre et putride qui est celle de la mort.

Il se tourne vers le dauphin qui se tient derrière lui à trois pas. Mais son fils paraît absent, comme s'il refusait de voir que la mort est à l'œuvre, que sa femme agonise.

Il se souvient des propos de la princesse Palatine, lus dans l'une de ses innombrables et insupportables lettres, que pourtant il ne se lasse pas de parcourir, comme si c'était seulement à travers elles qu'il pouvait voir ce qui se cache derrière les décors de la Cour et les visages.

La princesse Palatine, qui rencontrait presque chaque jour Marie-Anne de Bavière, Allemande comme elle, avait à plusieurs reprises fait état de la mauvaise santé de la dauphine, jamais remise de l'accouchement de son dernier fils, le duc de Berry. Elle vivait loin de la Cour, blessée par les aventures galantes de son mari, ne trouvant quelque plaisir que dans les concerts qu'elle organisait, conviant chez elle les violons du roi.

La princesse Palatine a écrit :

« On tue la dauphine à force de déboires. On fait tout ce qu'on peut pour me réduire au même état ; mais je suis une noix plus dure que Marie-Anne de Bavière. Avant que les vieilles femmes m'auront bouffée, elles pourraient bien perdre quelques dents, car bien qu'on cherche à me chagriner en tout, et que le roi me traite très mal du fait de la méchanceté et des mauvais offices de la vieille sorcière, je prends sitôt mon parti et vais mon chemin et je prends grand soin de ma santé pour la faire enrager. »

Louis n'avait pas évoqué avec le dauphin l'état de sa femme.

Il le regrette.

Peut-être aurait-il dû exiger de son fils qu'il traitât autrement la dauphine. Peut-être a-t-il été retenu par le souvenir de ce qu'il avait lui-même infligé à la reine Marie-Thérèse.

Et il n'a pas mesuré la gravité de la maladie de la dauphine.

On disait « langueur ». Aucun médecin n'avait prévu que la fin fût si proche.

Il était donc parti pour Marly où, avec Françoise de Maintenon et les quelques dizaines de courtisans privilégiés qu'il avait conviés, il avait séjourné trois jours.

Et puis cette dépêche. La dauphine avait été saignée et d'un abcès s'était écoulée une grande quantité de pus.

Il est rentré en hâte à Versailles.

Il a entendu Bossuet administrer les derniers sacrements.

Il est minuit, ce 19 avril 1690. Puis, dans la matinée du 20, la dauphine a commencé à murmurer, à faire comprendre qu'elle voulait parler à son mari, Monseigneur le dauphin, à ses fils, les ducs de Bourgogne, d'Anjou et de Berry.

Elle a recommandé ce dernier à la princesse Palatine et il a entendu les derniers mots qu'elle a prononcés à son amie :

— Je prouverai aujourd'hui que je n'étais pas folle quand je me plaignais et disais que j'étais malade.

Elle a béni ses trois fils, et dit au duc de Berry :

— Berry, tu sais que je t'ai tendrement aimé, mais tu me coûtes bien cher.

Louis s'est approché du lit.

Elle murmure quelques mots. Elle a toujours été, dit-elle, respectueuse de Sa Majesté. Elle lui demande de veiller sur ses trois fils. Il entend dans cette voix voilée le souffle rauque de la mort. Il voit que Monseigneur le dauphin s'éloigne, comme s'il ne voulait pas assister à la mort de sa femme.

Le duc de Bourgogne pleure. Louis le réconforte. Il apprécie ce petit-fils.

Il lui a donné pour gouverneur le duc de Beauvillier – l'époux d'une fille de Colbert –, et celui-ci a choisi pour précepteur Fénelon, un évêque aux allures de grand seigneur, qui a évangélisé les hérétiques.

Fénelon est, dit-on, l'ami d'une certaine Mme G˙˙yon, une étrange mystique, auteur d'un opuscule, *Moyen court de faire oraison*, dont se sont entichées les dames de la Cour, et même Françoise de Maintenon, qui fait grand cas de Fénelon et lui a demandé de prêcher à Saint-Cyr, devant les jeunes pensionnaires.

Louis se méfie de cet évêque, qui est pourtant bon précepteur, et le duc de Bourgogne semble avec lui apprendre ce que doit savoir un roi.

Et il peut l'être bientôt, tant la mort frappe de manière inattendue qui bon lui semble.

Il la voit s'emparant du corps de Marie-Anne de Bavière, le secouant, lui tordant les bras, lui raidissant les jambes, révulsant les yeux et secouant la tête de soubresauts.

Puis, après une dernière convulsion et un cri étouffé, c'est le silence et l'immobilité de la pierre.

— Mme la dauphine est retournée à Dieu, dit une voix.

Louis s'agenouille au pied du lit et commence à prier.

Il entend les sanglots d'Élisabeth Charlotte.

Il l'a reçue il y a peu.

Elle était à la fois respectueuse et indignée, soumise et prête, disait-elle, à ne pas céder.

Il l'avait écoutée, avec d'abord de l'irritation, puis de la lassitude.

Elle a dit que Monsieur avait décidé de nommer pour gouverneur de leur fils Philippe d'Orléans, duc de Chartres, ce marquis d'Effiat, maintenant membre de l'ordre du Saint-Esprit et l'on savait pourquoi. Mais Effiat avait beau porter le grand cordon, la cape de velours noir doublée de satin orange, le mantelet tissé d'argent et le collier d'or soutenant la croix, composé de lys et des armes du roi, il n'en restait pas moins adonné aux débauches de la pire espèce.

— S'il devient gouverneur de mon fils, il lui apprendra ce qui est le plus horrible au monde. Effiat, c'est le plus grand sodomite de France, qui a toujours sa chambre au Palais-Royal pleine de putains et de jeunes garçons.

Louis l'avait d'un geste interrompue.

Il n'admettait pas ce ton. Mais en même temps, il l'avait rassurée. Il n'avait pas donné son consentement pour cette nomination. Il avait même depuis un an empêché Monsieur son frère d'annoncer son choix.

La princesse Palatine s'est confondue en remerciements, a exprimé sa gratitude, sa fidélité.

Il l'a toisée.

C'était elle qui venait d'écrire à propos de Françoise de Maintenon :

« Je ne crois pas qu'on puisse trouver au monde plus méchant diable qu'elle avec toute sa dévotion et son hypocrisie, tous les malheurs viennent de cette vieille conne ! »

Il ne pouvait pas condamner publiquement Élisabeth Charlotte. Il devait respecter Madame, épouse de son frère.

Mais il l'avait privée des deux mille pistoles d'étrennes qu'il donnait chaque année à chacun des membres de la famille royale.

Tout cela, dans cette pièce où la mort s'est emparée de Marie-Anne de Bavière, lui paraît si dérisoire.

Il lui semble que ces mois qui viennent de s'écouler, que cette année 1690 ne sont pleins que de cette mort, de celle de Seignelay aussi, car le fils de Colbert, ce ministre efficace, a été emporté sans que rien annonçât qu'il serait frappé par la faucheuse noire, la souveraine de toutes les vies.

Pourtant, les victoires du maréchal de Luxembourg contre les troupes espagnoles, allemandes, hollandaises à Fleurus, celles des flottes de Tourville dans la Manche contre les navires anglo-hollandais, puis des navires de Duquesne au large de Madras contre les navires anglais, ou bien celles des troupes de Catinat, victorieuses en Piémont, l'avaient comblé.

On avait tapissé la nef de Notre-Dame des drapeaux pris par Luxembourg et Catinat à l'ennemi.

Louis avait assisté au *Te Deum* célébrant ces victoires.

Il avait dit, après le succès des soixante-quinze vaisseaux de Tourville sur la flotte ennemie :

— Je me trouve à présent le maître de la Manche, après avoir battu les Anglais qui se vantaient depuis plusieurs siècles d'en être les maîtres, fortifiés de tous les vaisseaux de Hollande.

Mais que restait-il de ces victoires, à l'instant ? Face à la mort ?

Il fallait les remporter, pour la gloire du roi et donc celle du royaume, pour ne pas être un souverain humilié et déchu, comme l'était Jacques II, vaincu en Irlande, à la bataille de la Boyne, et contraint de vivre en exil, laissant son royaume à l'hérétique Guillaume III d'Orange.

Il a donc fait ce qu'il devait.

Il ne sera pas un Jacques II que le remords dévore, qui quitte souvent le château de Saint-Germain où il est hébergé pour la cellule d'un monastère, tant le roi d'Angleterre est sûr que sa défaite et sa chute sont le châtiment que lui a infligé Dieu pour ses péchés.

Louis est toujours agenouillé au pied du lit de la dauphine.

Les murmures de ceux qui prient sont souvent recouverts par le bruit de l'averse qui martèle avec force. Il en est ainsi depuis le début de cette année 1690, balayée par un vent glacial, des pluies incessantes. Les cultures, et d'abord celle du blé, vont en souffrir.

La disette peut venir, comment acheter du grain pour le distribuer aux plus démunis alors que les coffres sont vides, et que la création et la vente de nouveaux offices ne les remplissent pas, aussi insuffisantes que l'avait été la fonte de ces joyaux d'argent, de vermeil et d'or, cette vaisselle qui comptait tant de chefs-d'œuvre, et dont on n'a tiré que quelques milliers de pièces, vite disparues ?

Dieu veut-il le punir ?

Louis prie. Il a péché au cours de sa vie, plus que Jacques II, plus que Monseigneur le dauphin, et cette pauvre dauphine, mais Dieu le sait, il a combattu et réduit l'hérésie dans le royaume.

Il mène désormais cette vie de piété dont la princesse Palatine se moque, et qui est pourtant la seule manière de demander le pardon au Seigneur de ses fautes, et d'abord le double adultère.

Et il a choisi ce nouveau chemin grâce à Françoise de Maintenon, dont il est le seul à savoir ce qu'il lui doit.

Il prie encore, et les larmes lui viennent aux yeux en se souvenant des derniers instants de la dauphine, avant les convulsions, quand elle a avoué à Bossuet qu'elle ressentait une terreur extrême de se savoir si près de la mort.

Elle a voulu que Bossuet, à haute voix, dise qu'elle pardonnait à tous ceux qui l'avaient offensée, et qu'au cas où elle aurait causé du chagrin à qui que ce fût, elle en demandait pardon.

Mais Dieu n'avait pas retenu le bras de la faucheuse.

C'est lui le Souverain Seigneur, celui qui décide du moment.

Louis se lève, regarde le visage exsangue de la dauphine, si blanc qu'on dirait déjà celui d'un gisant de pierre.

Il sort de la pièce.

Il aperçoit le dauphin qui dans l'antichambre attend, son visage n'exprimant aucune émotion.

Louis s'approche de son fils.

— Vous voyez ce que deviennent les grandeurs de ce monde, dit-il. Nous viendrons comme cela vous et moi.

11.

Il met le pied à l'étrier et aussitôt les douleurs percent ses talons, pénètrent ses cuisses et ses reins.

Mais il veut chevaucher jusqu'à la tranchée en dépit de l'avis des médecins. Ce ne sont ni la goutte ni les boulets de l'armée ennemie assiégée dans la ville de Mons qui vont l'arrêter.

Il veut vaincre la maladie et les troupes espagnoles et hollandaises.

Il veut être encore et toujours Louis le Grand.

C'est ainsi qu'il oubliera la souffrance et la mort.

Il s'avance, accompagné par Vauban et Louvois, jusqu'à se trouver en face de la batterie ennemie.

Il toise avec mépris les courtisans qui l'adjurent de ne pas rester à découvert. Il veut s'exposer au contraire.

La seule manière de vivre quand on est roi, c'est d'être grand.

Tout à coup, le canon tonne. Des boulets tombent à quelques pas. Des hommes sont renversés par le souffle, recouverts par la terre qui a jailli. Certains ne se relèvent pas.

Il reste immobile.

S'il meurt à cet instant, à la tête de son armée, dirigeant le siège de Mons, il sera pour toujours couronné par la gloire.

Il tourne la tête.

Il veut voir les visages de ses trois fils. Monseigneur le dauphin, son successeur légitime, et puis le comte du Maine et le comte de Toulouse, nés de ses amours avec Mme de Montespan.

Il lui semble que le comte du Maine est pâle, mais le comte de Toulouse, qui n'a que treize ans, s'est levé sur ses étriers.

Il aime l'expression de défi de cet enfant.

Près de lui se tiennent Monsieur frère du roi et son fils Philippe, duc de Chartres, qui lui aussi paraît exalté par le danger.

Louis l'observe. Il songe toujours à unir sa famille légitime à ses enfants qui sont bâtards, peut-être, mais de sang royal. Il faudra que la princesse Palatine, hostile à cette union, accepte que son fils bien-aimé, ce duc de Chartres, épouse Mlle de Blois, fille d'Athénaïs de Montespan, sans doute, mais surtout fille du roi.

Les coups de canon se succèdent. Des gerbes de terre, d'éclats de pierre et de métal giclent de toutes parts. Un cheval, du sang couvrant son pelage roux, s'abat, meurt après quelques soubresauts !

Louis entend la voix frêle mais joyeuse du comte de Toulouse. Son fils lance :

— Quoi, un coup de canon, ce n'est que cela ?

Allons, ses fils sont de bonne trempe ! Dans leurs veines, c'est bien le sang de Louis le Grand qui coule.

Il écoute les courtisans qui l'encensent pour son courage de Roi Très-Chrétien.

— Le soleil a-t-il vu quelque chose de plus fier et de plus hardi que ce siège de Mons ? demande l'un.

Il partage ce sentiment. Il n'a jamais dirigé une armée aussi nombreuse qui combat non seulement pour la grandeur du royaume et de son roi, mais encore pour le triomphe de la vraie religion.

Il regrette de ne pas avoir, comme il l'a toujours fait dans le passé, convié les dames de la Cour à venir assister au siège.

Françoise de Maintenon lui manque. C'est dans les yeux des femmes qu'on lit le mieux sa gloire.

Il éprouve le besoin d'écrire à Françoise dont il sait qu'elle prie pour lui.

« Il est une vérité, lui confie-t-il, qui me plaît trop pour me lasser de vous la dire : c'est que je vous chéris toujours et que je vous considère à un point que je ne puis vous exprimer ; et qu'enfin, quelque amitié que vous ayez pour moi, j'en ai encore plus pour vous, étant de tout mon cœur tout à fait à vous. »

Il en veut à Louvois. C'est ce ministre orgueilleux qui lui a conseillé de ne pas inviter la Cour et les dames à rejoindre l'armée devant Mons.

Louvois l'irrite avec ses manières brusques, ses prétentions.

On l'encense plus qu'il ne faut. Un ministre doit rester un serviteur et ne point être trop ambitieux.

Or il a l'impression que Louvois dissimule sa volonté d'agir à sa guise, d'imposer au roi ses choix.

Il fait écrire ses louanges :

> *De ce ministre habile, infatigable et sage,*
> *Que le plus grand des rois de sa main a formé*
> *Que ni difficulté ni travail ne rebute*
> *Et qui, soit qu'il conseille, ou soit qu'il exécute*
> *De l'esprit de Louis est toujours animé.*

Est-ce bien sûr ?

Louis se souvient que c'est Louvois qui a tenté, à plusieurs reprises, de lui forcer la main, d'aller plus loin que son roi.

Et l'esprit d'un roi ne se donne pas à un serviteur.

C'est Louvois qui a outrepassé les ordres dans le Palatinat, lui qui, méthodiquement, a organisé la destruction de plus de villes qu'il n'était nécessaire, faisant placer dans toutes les cités des centaines de mines afin de transformer le Palatinat en désert.

Louvois a eu l'audace de dire :

— J'ai bien senti, Sire, que le scrupule est la seule raison qui vous a retenu de consentir à une chose aussi nécessaire que brûler Trèves. J'ai cru vous rendre service en vous en délivrant et en m'en chargeant moi-même. Pour cela, sans avoir voulu vous en reparler, j'ai dépêché un courrier avec l'ordre de brûler Trèves dès son arrivée.

Au souvenir de ces propos, la colère emporte à nouveau Louis.

Il revit la scène.

Il s'était précipité sur Louvois, le menaçant avec les pincettes de la cheminée, et il avait crié :

— Louvois, dépêchez un courrier à cette heure avec un contrordre et qu'il arrive à temps, et sachez que votre tête en répond si on brûle une seule maison de Trèves.

Mme de Maintenon s'était interposée, avait retenu le bras du roi, au moment où il allait frapper Louvois.

— Ah ! Sire, qu'allez-vous faire ?

Comment pourrait-il pardonner à Louvois d'avoir voulu ainsi décider seul, et d'avoir suscité cette colère qui brisait l'impassibilité et la maîtrise de soi, les attributs nécessaires du roi ?

A-t-il oublié, Louvois, le sort de Nicolas Fouquet ? Un jour la gloire et le lendemain le cachot d'une forteresse.

Et comment, alors que les caisses du royaume sont vides, que la disette se répand, accepter que ce ministre ait accumulé une fortune de dix millions de livres, en bonnes et belles terres dans la baronnie de Meudon, les seigneuries en Champagne et le duché de Bourgogne? Et il faut y ajouter les grandes sommes d'argent comptant mises en rentes sous des noms d'emprunt, et les bénéfices nés du maniement de l'argent requis pour le département de la Guerre, celui des Bâtiments et des Jardins.

Un roi doit savoir mettre les fers à un ministre. Et il a trop tardé avec Louvois qui n'aime pas Mme de Maintenon.

N'avait-il pas, à genoux et en larmes, supplié que le roi ne l'épouse pas, avant d'accepter d'être témoin du mariage?

Louis pense à cela, en passant en revue un peloton de cavalerie.

Il ordonne que cette troupe change d'emplacement, s'avance au plus près des tranchées.

Quelques heures plus tard, il retrouve le peloton à la même place. Il s'étonne auprès du capitaine. L'officier répond que M. de Louvois lui a donné l'ordre de ne pas bouger.

— Mais ne lui avez-vous pas dit que c'était moi qui vous avais demandé de changer de position?

— Oui, Sire.

Louis contient sa colère.

Il se tourne vers sa suite.

— N'est-ce pas là le métier de Louvois? Il se croit un grand homme de guerre et savoir tout.

Il est temps de rabaisser l'orgueil de M. de Louvois.

Il ne veut plus rien tolérer de lui.

Or, maintenant que Mons est tombé, Louvois parle encore plus haut, comme si au Conseil des ministres personne, pas même le roi, ne pouvait s'opposer à lui. Il est le ministre de la Guerre victorieux, celui qui a organisé, rassemblé l'armée qui à Mons a battu Guillaume III d'Orange et d'Angleterre et a fait capituler la ville.

Louis ne peut plus se contenir. Le moment est venu. Il lance :

— Vous paierez ces ordres donnés de votre tête.

Il sait que ces mots creusent entre Louvois et lui un abîme parce que tous les ministres les ont entendus, et qu'un roi ne peut reculer.

Il observe Louvois dont le visage s'est empourpré.

Le silence est pesant, les ministres, les yeux baissés, le corps recroquevillé, se terrent. Louis a l'impression qu'il est seul en face de Louvois.

Celui-ci se lève, jette ses papiers.

— S'il en est ainsi, dit-il d'une voix sourde, enrouée, je ne veux plus m'occuper des affaires.

Il quitte le Conseil.

L'abîme entre eux ne pourra plus être comblé.

Mais il faut savoir attendre.

Louis reste silencieux quand, le 16 juillet 1691, Louvois entre dans la chambre de Mme de Maintenon pour, comme de coutume, présenter les dossiers en cours.

Louis l'écoute. La voix du ministre est voilée, le visage cramoisi. La sueur inonde son front.

Louvois parfois bute sur un mot, se reprend, jette un regard vers Mme de Maintenon, balbutie, passe ses doigts autour de son cou.

Louis l'observe. Cet homme est condamné. Sa superbe a disparu.

Il le renvoie afin qu'il se repose.

Louvois sort à reculons, trébuche.

Il est quatre heures. Il faut attendre.

Et tout à coup des murmures, un brouhaha.

Le premier valet de chambre qui annonce que M. de Louvois s'est fait saigner, au bras droit puis au bras gauche, que les médecins l'ont purgé, lui ont appliqué des ventouses, puis lui ont fait boire de l'eau apoplectique, mais que ces « eaux divines et générales » n'ont servi de rien, ni les autres remèdes.

M. de Louvois est mort sans recevoir les sacrements, de « male mort ».

Louis ne bouge pas. Dieu a choisi.

Il reçoit les courtisans.

Il dit au maréchal de Luxembourg :

— Je ne puis qu'avec déplaisir vous donner part du décès inopinément arrivé du marquis de Louvois.

Puis il sort, marchant d'un pas encore plus lent, alors qu'il se sent leste, délivré.

On l'entoure cérémonieusement, on l'observe avec avidité.

— Je suis bien persuadé de la part que vous prendrez à la perte que j'ai faite, dit-il. Je ne doute point qu'étant aussi zélé pour mon service, vous ne soyez fâché de la mort d'un homme qui me servait bien.

Il sort dans le jardin. Le crépuscule est rouge.

Il ne désire pas aller vers les fontaines comme il le fait chaque jour. Il va et vient le long de la balustrade de l'Orangeraie, d'où l'on voit le logement de la surintendance où Louvois vient de mourir.

Dieu l'a défait d'un homme qu'il ne pouvait plus souffrir.

Il voit s'approcher Monsieur son frère, qui dit :

— Je vous fais mon compliment, Sire, pour la grande perte que vous venez de faire.

Il fixe Monsieur.

— Moi ? Pas du tout. Si Louvois ne fût mort promptement, vous l'auriez vu à la Bastille avant deux jours.

Il est satisfait de la stupéfaction et de l'effroi qu'il lit sur le visage de son frère.

Un roi doit surprendre et savoir inspirer la crainte.

Il annonce qu'il a accepté que le corps de Louvois, comme sa famille le souhaite, soit inhumé dans l'église de l'hôtel des Invalides.

Il nommera le fils de Louvois, le marquis de Barbezieux, au Conseil, et Monseigneur le dauphin assistera à la réunion des ministres.

Mais il ne tolérera plus qu'un de ces ministres dispose d'un pouvoir et d'une fortune aussi considérables que ceux qu'avait acquis Louvois. Et avant lui, Nicolas Fouquet ou Colbert.

Le pouvoir est au roi. Et ce sont des commis qui exécuteront les ordres.

Il veut que cette mort de Louvois, comme l'avait été la mort de Mazarin, marque le commencement d'une nouvelle période de son règne. Il devra tenir entre ses mains toutes les rênes du pouvoir, et ne jamais lâcher l'une d'elles.

Il dit, à un proche de Jacques II qui arrive au château de Saint-Germain et s'inquiète de la disparition de Louvois :

— Dites au roi d'Angleterre que j'ai perdu un bon ministre mais que ses affaires et les miennes n'en iront pas plus mal pour cela.

Il est sûr qu'elles iront mieux parce qu'il les conduira seul.

Mais il veut d'abord qu'il n'y ait pas de doute sur cette mort, et il devine les rumeurs qui, une fois de plus, se répandent dans tout le château.

On dit que Louvois a été victime des empoisonneurs qu'il avait autrefois pourchassés, ou bien que cette « horrible mort », sans que Louvois ait pu penser au salut de son âme, cette mort païenne, avait été décidée, préparée, par Mme de Maintenon, son ennemie. Elle lui avait fait administrer du poison, peut-être placé dans la cruche d'eau fraîche que Louvois avait toujours à portée de main, parce qu'il était souvent fiévreux.

Il ordonne qu'on procède à une autopsie et les médecins concluent à une apoplexie.

Mais il suffit de lire les copies des lettres de la princesse Palatine pour savoir que rien ne pourra dissiper les soupçons.

Élisabeth Charlotte écrit :

« Tous les médecins et barbiers qui l'ont ouvert disent et ont signé qu'il est mort d'un horrible poison. En moins d'un quart d'heure et il était bien portant et mort. Je l'avais même rencontré une demi-heure avant sa mort et lui avais parlé. Il avait bonne mine et une si belle couleur que je lui dis qu'il paraissait que l'eau de Forges lui avait fait du bien. Il voulait me raccompagner par civilité dans ma chambre, mais je lui dis que le roi l'attendait, et ne voulus le lui permettre. Si je l'avais laissé aller, il serait mort dans ma chambre, ce qui eût été un spectacle affreux.

« Puisqu'il devait mourir, j'aurais souhaité que cela eût pu arriver il y a trois ans, ce qui aurait bien arrangé le pauvre Palatinat. »

Cette Élisabeth Charlotte se dresse toujours devant lui comme un obstacle. Elle use des mots comme d'un poison.

Il lit encore :

« Pour ma part j'aurais mieux aimé qu'une vieille conne fût crevée que lui, car elle va être à présent plus puissante que jamais et sa méchanceté se manifestera de plus en plus. Parce qu'elle me hait terriblement, elle s'acharnera tant sur moi que sur d'autres... Je crois qu'un médecin a fait le coup pour plaire à une vieille femme que M. de Louvois a vivement contrariée. »

C'est le roi que Mme la Palatine contrarie.

Il faudra bien qu'elle plie.

Personne ne peut, personne ne doit résister à la volonté du roi.

12.

C'est aujourd'hui, mercredi 9 janvier 1692, que Louis a décidé d'imposer sa volonté à Monsieur son frère, à la princesse Palatine et à leur fils Philippe d'Orléans, duc de Chartres.

Il vient de faire entrer dans ses appartements Monsieur, puis le duc de Chartres.

Monsieur a déjà accepté, baissant la tête.

Voilà des mois que ses mignons s'emploient à le convaincre qu'il doit accepter le mariage de son fils et de Mlle de Blois, la bâtarde de Montespan et du roi. Ils ont été éloquents. Ils ont ainsi respecté les clauses de l'accord : le cordon de l'ordre du Saint-Esprit en échange de cette pression quotidienne sur Monsieur.

Louis fixe le duc de Chartres qui détourne le regard.

Celui-là obéira sans même résister. Il faut simplement lui donner des raisons de capituler.

Louis parle.

Le duc est en âge de se marier, dit-il. Une alliance avec une princesse étrangère est impossible, puisque le royaume de France se bat contre tous les souverains d'Europe. Mais le roi veut lui prouver son affection et sa sollicitude en lui offrant d'épouser Mlle de Blois, sa propre fille. Le pape donnera son accord à cette union entre enfants issus de la même famille royale.

— C'est à vous de choisir, conclut Louis.

Il ne quitte pas Philippe d'Orléans des yeux. Le jeune homme paraît perdu, il se tourne vers son père. Mais Monsieur ne dit mot.

— Votre Majesté est le maître de mon destin, dit-il enfin, et je m'en remettrai au consentement de mes parents.

— Cela est bien à vous, mais dès que vous y consentez et vous le faites, et j'en suis fort aise, votre père et votre mère ne s'y opposeront pas.

Louis se tourne vers Monsieur.

— N'est-il pas vrai, mon frère ?

Monsieur opine, avec des mots confus, presque inaudibles.

— Il n'est donc plus question que de Madame, ajoute Louis.

Il n'imagine même pas que la princesse Palatine puisse ne pas céder. Les femmes, fussent-elles reines, doivent se soumettre. Et il n'a que trop attendu, laissant la Palatine écrire, se confier, proclamer partout et à tous qu'elle n'accepterait jamais que son fils épousât Mlle de Blois, et sa fille le duc du Maine.

Il ne l'a pas fait taire. Il lui a même concédé qu'il n'exigerait pas l'union du duc du Maine et de la fille d'Élisabeth Charlotte. Mais, aujourd'hui même, il veut obtenir l'accord de la Palatine pour le mariage du duc de Chartres et de Mlle de Blois.

Ce n'est pas pour satisfaire les ambitions d'Athénaïs de Montespan. Voilà longtemps qu'il lui a retiré l'éducation de Mlle de Blois. Et quand Athénaïs l'a menacé de quitter la Cour, de se retirer au couvent des filles de Saint-Joseph, manière pour elle de faire pression sur le roi, il a accepté aussitôt, exigeant qu'elle abandonne son appartement au château, qu'il a attribué au duc du Maine.

Et celui-ci a jeté par les fenêtres les meubles de sa mère tant il avait hâte d'emménager !

Mais c'est ainsi qu'il faut parfois se conduire avec les femmes. Et il lui est arrivé de rabrouer Mme de Maintenon, qui pourtant se tient en retrait quand les ministres viennent exposer leurs projets, et prend bien garde d'intervenir.

Il n'en va pas de même avec la Palatine, cette Allemande qui se sert de sa plume comme d'une épée, et de ses phrases comme d'un poison.

Le roi la fait entrer à huit heures ce 9 janvier 1692 dans son cabinet.

Elle a l'air courroucée et accablée, hésitant entre la fureur et le désespoir.

— Monsieur et son fils, dit-il d'une voix qu'il veut calme, presque douce, sont d'accord pour le mariage du duc de Chartres avec Mlle de Blois, j'attends votre avis.

Élisabeth Charlotte s'incline, recule d'un pas.

— Quand Votre Majesté et Monsieur me parlez en maîtres, comme vous faites, je ne peux qu'obéir, dit-elle.

Et aussitôt, elle esquisse une révérence et quitte le cabinet.

Il l'imagine, comme une lionne à qui l'on arrache ses petits, se répandant dans les galeries du château, montrant à tous sa colère, son dépit et son désespoir.

Il ne s'est pas trompé. Elle se comporte ainsi au souper du roi, ne regardant pas son fils pourtant assis à côté d'elle, ne pouvant étouffer les sanglots qui la secouent.

Il est sensible à la sincérité de cette femme, qui ne sait rien dissimuler.

Il lui vient à l'esprit cette épitaphe que Charles Perrault a composée pour Louvois. On l'a dite et redite à la Cour, mais qui l'a vraiment entendue ?

Charles Perrault a écrit :

Louvois plus haut que lui ne voyait que son maître
Dans le sein des grandeurs des biens et des plaisirs
Un trait fatal et prompt borne enfin ses désirs
Et ne lui laisse pas le temps de se connaître !
Hélas, aux grands emplois, à quoi sert de courir ?
Pour veiller sur soi-même, heureux qui s'en délivre !
Qui n'a pas le temps de bien vivre
Trouve malaisément le temps de bien mourir.

Il a compris cela, mais il a des devoirs de roi.

Il doit penser à l'avenir de la famille royale, et il doit la réunir, imposer donc ce mariage au fils de la Palatine.

Il veut lui marquer qu'il l'estime, et mesure sa peine.

Il lui fait, à la fin du souper, une longue et basse révérence. Mais lorsqu'il se redresse, elle lui a déjà tourné le dos, et elle a fait un pas vers la porte.

Il veut oublier cette impertinence.

Un roi doit aussi être magnanime, surtout quand il obtient ce qu'il veut. Et les fiançailles et le mariage se préparent, même si la Palatine ne cesse de rechigner. Elle a giflé le duc de Chartres à toute volée. Et son fils, qui a affronté le canon à Mons, n'a pu retenir ses larmes, comme un enfant justement châtié !

Elle ne cesse de critiquer Mlle de Blois, d'insister sur sa laideur, son absence de sourcils, sa tête dodelinante comme celle d'un oiseau malade.

Elle va jusqu'à dire : « Si je pouvais donner mon sang pour empêcher ce mariage, je le ferais. »

Mais quand le roi veut, il faut courber l'échine.

Il l'accueille ainsi que Monsieur, les fiancés, les membres de la famille royale et les Grands de la Cour, dans le salon de ses appartements, où il s'habille en velours noir brodé avec des boutons de diamant. Il a veillé lui-même à ce que la robe de Mlle de Blois soit d'une richesse éblouissante.

Elle l'est, faite d'une étoffe d'or, garnie de diamants et de rubis, et il regarde sa fille et le duc de Chartres avec le sentiment du devoir accompli. Et cette conviction ne le quitte ni lors de la cérémonie de mariage le 18 février 1692, ni pendant le souper où cent cinquante plats suivis par des desserts sont servis, ni pour le grand bal qui se donne au Palais-Royal dont il a fait don à Monsieur et au duc de Chartres.

Il a ignoré la princesse Palatine.

Qu'elle pleure ou tempête, peu importe !

Et qu'Athénaïs de Montespan, la mère pourtant de Mlle de Blois, sanglote seule dans le couvent des filles de Saint-Joseph, n'ayant pas été invitée au mariage de sa fille, n'a pas plus d'importance.

L'intérêt du roi et du royaume, celui de la famille royale doivent seuls être pris en compte.

Et c'est le roi qui décide de ce qui doit être accompli.

Le mariage est conclu et Louis peut maintenant quitter Versailles pour se rendre au camp de Givry, passer en revue cent vingt mille hommes alignés sur quatre rangs et défilant une journée entière.

Il est sûr que c'est le plus grand spectacle qu'on ait vu depuis plusieurs siècles, et Racine, son historiographe, qui se tient près de lui, murmure que même les Romains n'ont pas organisé de telles parades.

Louis, malgré les douleurs qui, après plusieurs heures passées en selle, lui dévorent les jambes et le dos, a l'impression que cela faisait des années qu'il ne ressentait pas une telle énergie, comme si de voir briller les épées et les mousquets, d'entendre les tambours, les trompettes et les cymbales, lui donnait un regain de jeunesse.

Il prend la tête de cette armée, mais il veut que Mme de Maintenon, les dames de la Cour et la famille royale l'accompagnent jusqu'à cette forteresse de Namur, assiégée et dont la reddition doit, après la capitulation de Mons, établir la supériorité du royaume de France sur les puissances coalisées contre lui.

En arpentant les tranchées, en restant en première ligne, il sent bien que sa présence enthousiasme les troupes. Les compagnies de mousquetaires s'élancent à l'assaut de la forteresse, escaladent les rochers, conquièrent des bastions avancés.

Mais il sent aussi que sous cette pluie d'averse qui semble devenir chaque jour plus froide, plus rageuse, et noyer toute la région sous des trombes d'eau, la maladie s'insinue en lui. Il ne peut plus monter à cheval tant les douleurs de la goutte sont vives.

Il veut rester sur les lieux des combats, mais les médecins le supplient de bien vouloir s'installer dans l'une de ces maisons grises de Dinant, cette ville proche de Namur, où la Cour séjourne.

La goutte ne desserre pas ses mâchoires. Il reste alité, lisant les dépêches qui annoncent de mauvaises nouvelles.

L'armée des Impériaux est entrée en Dauphiné. Elle a pris Embrun et Gap. Ses soldats volent et violent, saccagent et détruisent les habitations.

Tout est Palatinat à la guerre.

Et il y a aussi cette défaite navale, Tourville battu à La Hougue, au large du Cotentin.

Il faut s'y résoudre : la mer est dominée par les Anglais et les Hollandais et on ne peut contre eux mener que la guerre de course.

Il décide d'accorder aux corsaires Jean Bart, Duguay-Trouin, des croix de Saint-Louis et même des lettres de noblesse.

Namur est tombé.

Il part rejoindre Versailles, alors que la pluie barre l'horizon. On oublie que devrait commencer, avec l'été, la saison des moissons. Mais que récolter, après des mois de gel et de pluie ? Les pousses de blé percent à peine la terre alors qu'on devrait déjà couper les épis ! Le temps est extravagant, dangereux, et le sol tremble, dans les Flandres.

Il donne des ordres aux intendants pour qu'on fasse, dans les provinces les plus touchées par les intempéries, le gel, le pourrissement des blés par les pluies, des distributions de grain.

Mais comment les payer ? Comment approvisionner les villes où les pauvres sont affamés ?

Il apprend qu'à Paris, place Maubert, des soldats des gardes-françaises ont pillé les boulangeries.

Il faut sévir.

Un roi, quel que soit l'état de son royaume, ne peut accepter que le désordre s'y installe.

Pour l'exemple, on doit punir ces soldats pillards.

Et pourtant, ce sont des gardes-françaises qui, quelques jours plus tard, à Steinkerque, alors que l'armée royale est bien inférieure en nombre aux troupes de Guillaume d'Orange, remportent la victoire.

Le maréchal de Luxembourg a culbuté les compagnies de Guillaume III, qui ont laissé douze mille morts sur le champ de bataille.

Louis est fier d'apprendre que le duc de Chartres a chargé, l'épée à la main, et que, blessé au bras, il a continué de conduire l'assaut. Et les jeunes nobles ont fait preuve d'une égale bravoure, se lançant dans la bataille sans même avoir le temps de nouer leurs cravates de dentelle, qu'ils se contentent d'enrouler autour de leur cou.

Et il voit que toutes les dames de la Cour les imitent, adoptant cette mode des « cravates à la Steinkerque ».

Il a le sentiment que tout le royaume est rassemblé autour de son roi.

Il donne l'ordre qu'on expose dans le chœur de la chapelle du château les drapeaux pris à l'ennemi.

C'est la cause de Dieu que le roi de France défend.

13.

Il est debout devant l'une des fenêtres de la chambre de Mme de Maintenon.

Il regarde le ciel.

La pluie vient de cesser mais, au-delà de l'Orangerie, vers la forêt, en direction de Marly, l'averse comme un rideau épais ferme encore l'horizon. Les nuages sont si bas qu'ils enveloppent la cime des arbres. Et c'est ainsi depuis des mois. Quand le soleil paraît pour à peine quelques heures, après des jours de pénombre, il semble affaibli et presque éteint.

Dieu veut-il punir le royaume de France, en le privant de ses moissons?

Louis a lu les rapports des intendants qui évoquent des dizaines, des centaines de milliers de victimes de la faim et des épidémies. Car les paysans affamés mangent ce qu'ils trouvent, des entrailles de bestiaux que les bouchers viennent d'abattre. Ils font leur pain avec du son, de la terre, des déchets de toute sorte.

Combien de morts? Deux millions?

Louis se tourne.

Il va, en boitant, vers la cheminée. Ses douleurs sont plus vives, comme si le froid et l'humidité qui imprègnent les tissus et les murs désagrégeaient ses os. Il a mal jusqu'au bout de ses doigts, qui se recroquevillent comme des branches rabougries.

Il croise le regard de Françoise de Maintenon, qui comme à son habitude brode. Il devine son inquiétude.

Le lieutenant général de police, La Reynie, a laissé sur la table le rapport qu'il a commenté.

Les grands fours à pain que l'on a installés dans la cour du Louvre ne suffisent plus, a-t-il dit. Les pauvres par milliers se pressent chaque jour, de l'aube à la nuit, pour obtenir, à prix réduit, une miche. On se bouscule, on s'invective, on se bat. La distribution a lieu au Louvre, mais aussi aux Tuileries, à la Bastille, au Luxembourg, dans la rue d'Enfer. Les curés tentent de calmer les impatiences. Ils ont organisé plusieurs processions, pour demander à Dieu la clémence, le retour du beau temps, la fin de cet hiver qui envahit toutes les saisons, et ce, depuis près d'une année déjà.

La voix de La Reynie tremblait. Il a ajouté :

— Tous les marchés ont été aujourd'hui si difficiles qu'il est, ce me semble, impossible d'empêcher qu'il n'arrive quelque grand désordre, si les choses subsistent encore un peu de temps sur le même pied ; car le concours et l'état du peuple qui paraît dans tous les marchés sont tels qu'il n'est plus au pouvoir des officiers et de tous ceux qui concourent à maintenir la sûreté de répondre qu'elle ne sera point troublée.

Il s'est tu longuement, puis, détachant chaque mot, il a repris : « La multitude renouvelle ses menaces, et on y entend dire sans qu'il soit possible d'y remédier qu'il faut aller piller et saccager les riches. »

Louis n'a pas commenté. Un roi doit souvent rester silencieux et demeurer impassible.

Mais il sait que les mêmes scènes se déroulent dans la plupart des provinces, de Beauvais à Chartres, de Rouen à Dijon, de Saint-Malo à Albi.

La mort partout, les chiens et les chats errants traqués comme gibier. Les orties, les herbes folles, cueillies comme toutes les baies que la pluie n'a pas pourries. Et les convois de blé, les greniers et les boulangeries attaqués, pillés.

Au moment où La Reynie s'est incliné avant de se retirer, Mme de Maintenon s'est levée.

— Quant à la misère, a-t-elle dit, nous ne l'ignorons pas ici et Sa Majesté voudrait de tout son cœur la soulager, mais qui peut commander aux éléments, aux cieux, sinon Dieu ? Nous le prions.

Mais est-ce que les prières rempliront les caisses ? Or c'est avec de l'or qu'on achète le blé. Et encore faut-il pouvoir le transporter.

Louis ne bouge pas. Il a l'impression que tout mouvement lui est impossible, comme si ses épaules, ses coudes, ses genoux et ses chevilles étaient prêts à se briser s'il tentait de se lever, de marcher.

Il est comme un arbre que la pluie et le gel ont gangrené.

Il murmure :

— Nous sommes pressés de tous côtés.

La guerre dévore l'argent. On a multiplié et vendu les fonctions jusque-là attribuées par élection. Les maires et les échevins doivent maintenant acheter leurs charges qui deviennent héréditaires. On a augmenté tous les impôts.

Il le sait : cela a davantage étranglé les sujets du royaume que desserré le garrot qui étrangle l'État.

Il faudrait la paix. Et il a envoyé le comte d'Avaux à Stockholm et l'abbé Morel à Bruxelles, pour ouvrir des négociations secrètes avec Guillaume III d'Orange, les princes allemands et l'empereur germanique, mais ces hérétiques veulent arracher au royaume toutes les villes réunies, les territoires annexés, le ramener dans les frontières de 1659, quand lui, Louis le Grand, ne gouvernait pas encore et que le cardinal de Mazarin décidait en souverain, signait la paix des Pyrénées.

Comment peuvent-ils imaginer que Louis le Grand va renoncer à ce que son règne a apporté au royaume ?

Il faut donc continuer la guerre et la gagner, ne pas se soucier de ces pamphlets que les imprimeurs d'Amsterdam, de Londres ou de Bruxelles répandent dans toute l'Europe, qualifiant le roi de France d'Antéchrist ou de Nabuchodonosor.

Il va leur rappeler qui il est.

Il part une nouvelle fois pour l'armée de Flandre, en compagnie du dauphin, des maréchaux de Luxembourg, de Villeroy et de Joyeuse.

Il ordonne au général de Catinat d'attaquer au Piémont. À Tourville de concentrer la flotte en Méditerranée. Et d'armer quelques navires pour aller jusqu'au Spitzberg, détruire les baleiniers hollandais.

Catinat à La Marsale défait les Impériaux, et Tourville au large de Lagos envoie par le fond plus de cent navires d'un convoi anglo-hollandais. Quant à la flotte partie pour le Grand Nord, elle coule un tiers des baleiniers hollandais.

« Sa Majesté, dicte Louis, est très satisfaite de ce que les officiers et les équipages ont fait en cette occasion, et elle s'en souviendra quand il y aura lieu de leur faire plaisir. »

Cependant, il sait que la victoire ou la défaite se jouera sur terre.

Il chevauche vers les Flandres, mais il se soucie des bords

du Rhin. Il envoie dépêche sur dépêche aux armées qui sont entrées à nouveau dans le Palatinat.

« J'ordonne à mon cousin, le maréchal duc de Lorges qui commande mes troupes en Allemagne, de se rendre maître de Heidelberg, qu'il exécute mes commandements au plus tôt, qu'il ouvre la tranchée, qu'il force la ville, qu'il obtienne la capitulation du château. »

Il n'est ni ému ni troublé, il n'éprouve aucun regret quand des officiers, hésitants, lui rapportent que Heidelberg a été à nouveau incendiée, que les soldats se sont répandus dans la ville, qu'ils ont pillé, violé, massacré, enfermé les survivants dans la cathédrale, à laquelle ils ont mis le feu, ne rouvrant les portes qu'au moment où les cloches fondaient.

Ils ont alors profané les tombes des électeurs palatins, tranché la tête des cadavres qu'ils ont traînés dans les rues de la ville.

Et il s'agissait des corps du père et du frère de la princesse Palatine.

Comment Élisabeth Charlotte ne se lamenterait-elle pas, et ne condamnerait-elle pas « l'horrible cruauté qu'on a faite en dernier lieu à Heidelberg » ? Mais elle n'est pas en charge d'un royaume qui doit faire la guerre et qui doit vaincre.

Louis ordonne de célébrer un *Te Deum* à Notre-Dame, de frapper une médaille, qui représentera Heidelberg détruite par le feu : *Rex dixit et factum.*

Et il proclame qu'il veut « rendre grâces à Dieu et lui demander qu'il Lui plaise, pour mettre le comble à Ses faveurs, de donner à mes peuples une paix solide, que je regarde comme le prix glorieux de mes pénibles entreprises ».

Car il est déjà las de la guerre.

Il lui semble que si elle continue d'apporter beaucoup de gloire, elle ne donne plus de grands avantages.

Et puis il y a ce corps de moins en moins agile, ces chevauchées de plus en plus douloureuses, cette pluie aussi qui
ne cesse pas, cette grisaille qui enveloppe tout, s'infiltre dans
les chairs et corrompt les os. Et Mme de Maintenon, qui
soupire quand elle découvre la rusticité, l'inconfort de ces
maisons de Flandre où elle doit attendre le roi.

Surtout, il est devenu, depuis la mort de Louvois, celui
dont tout dépend, qui décide, et dont les ministres attendent les ordres. Il n'y a plus personne entre lui et eux. Plus
de Colbert, plus de Louvois.

Il a le sentiment que l'intérêt de l'État lui commande de
retourner à Versailles, de quitter l'armée.

Il le dit au maréchal de Luxembourg aussitôt après avoir
appris la chute et la destruction de Heidelberg, et il est
surpris par le désarroi que manifeste le maréchal, qui s'agenouille devant lui, qui lui dit que toute l'armée sera saisie de
surprise et de désespoir, que le départ du roi intervient au
moment où il suffirait d'attaquer Guillaume III pour le
vaincre.

— Sire, vous ne pouvez pas faire cela et quitter l'armée
maintenant, répète le maréchal de Luxembourg, toujours à
genoux.

Un roi ne cède pas.

Il relève Luxembourg, le charge d'attaquer les troupes de
Guillaume III et de le vaincre.

Le jour même, il part pour Versailles et près de lui
Mme de Maintenon répète ce qu'il a dit : « C'est l'intérêt de
l'État, Sire. »

Il reste songeur : c'est un moment important de son règne.

Il sait qu'il ne commandera plus jamais aux armées sur le
champ de bataille, que d'autres – Monseigneur le dauphin,
le duc de Chartres – auront la gloire des armes, comme il
l'a eue jadis.

Il reçoit, à la fin du mois de juillet, les dépêches du maréchal de Luxembourg annonçant la victoire de Neerwinden.

«Vos ennemis ont fait des merveilles, écrit Luxembourg, vos troupes encore mieux. Pour moi, Sire, je n'ai d'autre mérite que d'avoir exécuté vos ordres. Vous m'aviez dit d'attaquer une ville et de livrer bataille, j'ai pris l'une et j'ai gagné l'autre.»

Les victoires se succèdent : Villeroy prend Huy en Flandre, puis plus tard Charleroi. Les Anglais qui attaquent Saint-Malo, lançant contre la ville un navire transformé en brûlot, en machine infernale, sont repoussés. Et il apprend qu'à Neerwinden le duc de Chartres s'est montré d'une bravoure extrême, menant sous le feu des canons, à cinq reprises, la cavalerie à l'assaut.

Il est fier de celui qui est à la fois son neveu et son gendre, l'époux de Mlle de Blois.

«On chante vos louanges partout, lui écrit-il, et je sens une grande joie de la justice qu'on vous rend. Continuez avec application à vous instruire mais ne hasardez pas toujours, ce que vous avez fait en cette rencontre.»

Il doit mettre en garde le duc de Chartres, ou ses fils, Monseigneur le dauphin, le duc du Maine ou le comte de Toulouse. Ils ont la fougue de la jeunesse. Peut-être Maine est-il le plus timoré, mais les autres semblent ne pas se soucier de la mort.

Or elle est là, aux aguets, il le sait.

Il est entré une nouvelle fois dans l'une de ces chambres que l'on a plongée dans la pénombre, dont on a tiré les rideaux et laissé seulement, au pied du lit, deux grands candélabres, pour à peine éclairer le visage de l'agonisante.

C'est cette fois la Grande Mademoiselle.

108

Il a conduit la famille royale dans ce palais du Luxembourg où, en ce début du mois d'avril 1693 froid et pluvieux, la Grande Mademoiselle, qui jadis, au temps de la Fronde, avait fait tirer le canon de la Bastille contre les troupes royales, se meurt.

Il se souvient que cette cousine avait rêvé d'épouser Monsieur, puis qu'elle avait été emportée par sa passion pour le duc de Lauzun. Mais tout ce qu'elle a vécu n'est plus que vague souvenir.

Elle lègue ses biens à Monsieur, et il se félicite de lui avoir autrefois arraché de belles propriétés pour le duc du Maine.

Tout cela lui semble vain, alors qu'on célèbre ces funérailles de la Grande Mademoiselle.

Tout à coup, une explosion suivie d'une puanteur écœurante envahit l'église. L'assistance s'affole, s'enfuit, cependant qu'il ne bouge pas. Les dames, peu à peu, reviennent dans l'église, où l'on répand du parfum. Les médecins expliquent que l'urne contenant les entrailles de la Grande Mademoiselle a explosé, parce que les viscères ont été mal vidés, mal embaumés, et que la putréfaction a fait son office, libérant des gaz.

Voilà ce que devient la vie d'une duchesse.

Le roi est resté à sa place, respirant cette odeur de mort qu'il sait déjà reconnaître.

La Grande Mademoiselle avait soixante-trois ans. Il en a cinquante-cinq.

Combien d'années encore Dieu décidera-t-il de le laisser vivre ?

Il le prie. Il le sert. Il finit tous les soirs la journée par le salut : Dieu est partout et honoré partout.

Il veut que l'on sache que la guerre qu'il mène est au service de Dieu, qu'elle a pour but de conduire à la paix.

Il veut qu'on dise, comme le fait Thomas Corneille dans le livret de l'opéra *Médée*, dont la première a lieu à Versailles, le 4 décembre 1693 : « Louis est triomphant, tout cède à sa puissance. »

Mais il préfère la conclusion qui condamne les ennemis :

> *Ils ne cherchent à triompher*
> *Qu'afin de prolonger la guerre*
> *Louis combat pour l'étouffer*
> *Et rendre calme la terre.*

L'Église le sait, l'Église le proclame, et Dieu le sait donc.

Il assiste dans la chapelle de Versailles, en cette fin d'année 1693, à la célébration de l'avent.

— Je dois, dit dans son prêche le père Bourdaloue, bénir le ciel quand je vois, Sire, dans votre personne, un roi conquérant et le plus conquérant des rois...

« Je dois, en présence de cet auditoire chrétien, poursuit Bourdaloue, rendre à Dieu de solennelles actions de grâces, quand je vois dans Votre Majesté un monarque victorieux et invincible dont tout le zèle est de pacifier l'Europe et qui par là est sur la terre l'image visible de Celui dont le caractère est d'être tout ensemble, selon l'Écriture, le Dieu des armées, et le Dieu de la paix.

TROISIÈME PARTIE

1694-1700

14.

Louis serre les accoudoirs de son fauteuil si fort qu'il éprouve une vive douleur dans les avant-bras et que ses ongles s'enfoncent dans le tissu rouge du siège.

Il ne peut détacher ses yeux de cette lettre posée devant lui sur la table. Elle comporte plusieurs pages qu'il a parcourues, et il a l'impression que chaque mot était une flamme qui lui brûlait les joues.

Il s'est tourné vers Mme de Maintenon.

Elle a balbutié qu'elle ne connaissait pas l'auteur de cette lettre qu'on a remise pour le roi, mais qui n'est pas signée.

Il a cru d'abord qu'il s'agissait de l'un de ces pamphlets, comme il en reçoit tant, qu'on imprime à Amsterdam ou à La Haye, et que les librairies reproduisent dans le royaume. Et parfois ils sont d'abord imprimés en France et contrefaits dans les Provinces-Unies.

Le dernier qu'il a lu exprimait les plaintes des gentilshommes.

« On n'a plus d'égard au rang qu'ils ont toujours tenu dans la monarchie », écrivait-on avant d'ajouter qu'on les faisait « s'épuiser à la guerre et que leurs services étaient mal récompensés », que les intendants et les financiers « n'avaient que la ruine des gentilshommes pour objet ».

Il y avait aussi ces ouvrages vantant la réussite des Hollandais, ou des Anglais, qui avaient créé des banques et qui avaient compris que «la richesse d'un royaume consiste en son terroir et en son commerce» et non dans les conquêtes de territoires.

Vauban lui-même s'était mis de la partie, écrivant un *Projet de capitation*, un nouvel impôt par tête. Vauban s'en prenait aux impôts injustes mal répartis, trop lourds. Il avait justifié son ouvrage en notant : «La pauvreté ayant souvent excité ma compassion m'a donné lieu d'en rechercher la cause.»

Ces textes l'ont irrité.

On ose faire la leçon au roi, comme s'il ne connaissait pas les maux du royaume, et ne cherchait pas les remèdes pour l'en guérir.

Il ne se passe pas de jour qu'un intendant, un lieutenant général, ainsi La Reynie à Paris, ou Pierre de Boisguilbert à Rouen, ne lui parle de la disette qui frappe les provinces et les villes, des épidémies ou des rébellions que la rareté, le prix du grain suscitent.

Il sait tout cela.

Mais un roi ne doit pas se complaire dans la compassion ou dans la contemplation des malheurs de ses sujets. Dieu décidera du retour d'un temps propice aux cultures. Lui seul a le pouvoir de faire cesser les pluies et le froid afin que les moissons soient grasses.

Louis a donc voulu écarter ces écrits et agir en roi. Il a anobli Jean Bart qui, dans la Manche, avec quelques navires corsaires, réussit à protéger des attaques anglaises les convois chargés de blé, acheté au loin.

Il s'est réjoui – et il l'a fait savoir aux officiers – que les troupes de marine aient repoussé un débarquement anglais à Camaret, non loin de Brest. Les navires ennemis ont été incendiés, les soldats tués ou faits prisonniers.

Voilà d'utiles actions.

Il a lu le récit de ces batailles à Mme de Maintenon, et il lui a dit :

— Je sens une grande joie que vous allez partager avec moi.

Et comment s'attarderait-il à ces lamentations sous le poids des impôts quand il craint que la mort ne s'approche à nouveau pour frapper près de lui !

Il a vu s'avancer son médecin, Fagon, dont le visage grave et soucieux l'a inquiété.

Il l'a interrogé du regard.

Fagon a murmuré, comme s'il ne voulait pas que Mme de Maintenon l'entende, que Mme la princesse Palatine a eu une forte poussée de fièvre, des maux de tête, des nausées, un dévoiement et un grand mal de cœur.

Fagon s'est interrompu, s'est penché et a ajouté encore plus bas :

— On craint la petite vérole.

Louis a pensé à la dernière copie de lettre de la Palatine, où elle notait : « Je suis toujours ce que j'ai été ma vie durant, la France ne m'a pas polie, je suis arrivée trop tard. »

Elle parlait cru comme à son habitude. Avec une vigueur joyeuse, elle évoquait les « pets tonitruants » qu'elle échangeait avec Monsieur, en s'esclaffant. Le duc de Chartres, ce courageux cavalier de Neerwinden, avait lancé après avoir entendu les pets de sa mère et de son père : « S'il ne tient qu'à cela, j'en ai autant envie que Monsieur et Madame. » Et son pet avait été le plus sonore.

Elle avait conclu sa lettre en écrivant :

« Ce sont des conversations princières. Si des curieux ouvrent mes lettres, j'offre cet encens en étrennes au premier qui ouvre et lit cette lettre avant vous, ma tante. »

Elle savait que le cabinet noir copiait et traduisait ses missives. Louis n'avait pu s'empêcher d'estimer cette femme dont si souvent les manières et les propos l'irritaient.

— La petite vérole, répète le médecin.

La rumeur de cette maladie qui enfonce ses griffes dans le corps, et le plus souvent l'épuise et le tue, s'est répandue.

On ne joue pas avec elle.

Il faut que toute la famille royale quitte Versailles, pour ne pas respirer ce «mauvais air» chargé des miasmes de la petite vérole.

Il donne des ordres. Le dauphin et sa famille, ses domestiques iront au château de Noisy-le-Sec. Les autres s'installeront à Saint-Cloud. Et lui rejoindra Marly, avec Mme de Maintenon et quelques courtisans.

La princesse Palatine ne mourra pas, refusant de suivre les conseils des médecins, se soignant à sa guise, buvant de l'eau glacée, changeant de linge quatre fois par jour, le corps couvert par les boutons de la variole qui heureusement sèchent vite.

Louis est rassuré, la mort a reculé.

Mais il revoit Élisabeth Charlotte, le visage grêlé. En outre, elle a en quelques semaines grossi. Elle dit, sur un ton provocant :

— J'ai toujours été laide, et je le suis devenue plus encore. Je suis carrée comme un dé. Ma peau est d'un rouge tacheté de jaune, je commence à grisonner, mon front et mes yeux tout ridés, mon nez toujours aussi de travers mais très brodé par la variole ainsi que mes deux joues. J'ai les joues plates, un double menton, les dents gâtées. Voyez ma jolie figure !

Il ne la contredit pas. Il baisse les yeux. Tout ce qu'elle dit, il pourrait le reprendre à son compte, même s'il n'a pas été atteint par la petite vérole.

Il est accablé.

Et cette lettre anonyme maintenant qui met ses joues en feu.

Il doit la lire, même si chaque mot perce ses chairs comme un bouton purulent.

« Vos peuples, lui écrit-on, que Vous devriez aimer comme Vos enfants et qui ont été jusqu'ici si passionnés pour Vous, meurent de faim.

« La culture des terres est presque abandonnée ; les villes et la campagne se dépeuplent, tous les métiers languissent, et ne nourrissent plus les ouvriers. Tout commerce est anéanti.

« Par conséquent, Vous avez détruit la moitié des forces réelles du dedans de Votre État pour faire et pour défendre de vaines conquêtes au-dehors.

« La France entière n'est plus qu'un grand hôpital désolé et sans provisions.

« Les magistrats sont avilis et épuisés. La noblesse dont tout le bien est en décret ne vit que des lettres d'État. »

Louis s'interrompt.

Il a l'impression que l'on écrase sa poitrine. Il est sûr que Mme de Maintenon l'observe. Il tourne vivement la tête et il saisit son regard inquiet et apeuré.

Elle connaît l'auteur de cette missive.

Il recommence à lire :

« Pendant que Vos peuples manquent de pain, Vous ne voulez pas voir l'extrémité où Vous êtes réduit.

« Vous craignez d'ouvrir les yeux, Vous craignez qu'on Vous les ouvre.

« Vous craignez d'être réduit à rabattre quelque chose de Votre gloire. Cette gloire qui endurcit Votre cœur Vous est plus chère que la justice, que Votre propre repos, que la conservation de Vos peuples qui périssent chaque jour des maladies causées par la famine, enfin que Votre salut éternel. »

Il étouffe de colère et il est aussi triste que si la mort avait emporté l'un des siens.

Et peut-être même est-il plus désespéré encore.

La lettre continue. L'auteur s'indigne des «louanges outrées qui vont jusqu'à l'idolâtrie» qu'on adresse au roi. Du mal fait par les guerres de conquête : «Votre nom est odieux et toute la nation française insupportable à nos voisins.»

«Le peuple même qui Vous a tant aimé commence à perdre l'amitié, la confiance, et même le respect.

«Vos victoires et Vos conquêtes ne le réjouissent plus; il est plein d'aigreur et de désespoir. La sédition s'allume peu à peu de toutes parts.

«Votre Conseil n'a ni force ni vigueur pour le bien.

«Du moins Mme de Maintenon et Votre ministre, le duc de Beauvillier, devraient-ils se servir de Votre confiance en eux pour Vous détromper. Mais leur faiblesse et leur timidité les déshonorent et scandalisent tout le monde.

«Voilà, Sire, l'état où Vous êtes. Vous vivez comme ayant un bandeau fatal sur les yeux.»

Il veut se lever, mais son corps lui semble si lourd qu'au contraire il se tasse dans le fauteuil, les mains crispées sur les accoudoirs, les ongles griffant le tissu rouge.

15.

N'est-il donc plus que cela ?

Un roi qu'on ose défier !

Un vieil homme qui tousse et qui à chaque quinte a l'impression que sa gorge s'enflamme, que son corps va se briser et son ventre se déchirer.

Et il est contraint, pour la dix-huitième fois ce jour, de s'asseoir sur la chaise percée, de laisser s'écouler ces « sérosités écumantes, ces matières en bouse de vache, huileuses et fort ardentes, pleines de morceaux d'artichaut non mâchés, de petits pois verts », et que commentent les médecins.

Il songe à la princesse Palatine qui, à peine remise, trempe sa plume dans les excréments, pour raconter aux cours allemandes qu'« à Fontainebleau il est impossible de s'installer sur sa chaise percée sans qu'il y passe des hommes, des femmes, des filles, des garçons, des abbés et des suisses ».

Elle s'exclame, enviant sa correspondante, une duchesse d'Allemagne :

« Vous êtes bienheureuse d'aller chier quand vous voulez, chiez donc tout votre chien de soûl. »

Lui doit se soulager devant les gentilshommes de la chambre qui ont payé soixante mille écus pour acheter ce brevet et ce privilège.

Mais les actes du roi, même les plus quotidiens, les plus communs, sont sacrés.

Et ce n'est pas le regard des autres qui le gêne, mais ce que lui-même voit de lui – son corps s'affaisse, s'alourdit. Les rides profondes cernent sa bouche.

Il ne peut empêcher ces écoulements du nez et de la bouche. Il subit des fluxions, des furoncles qui encombrent ses oreilles, durcissent sur sa nuque, puis suppurent.

Et la goutte l'empêche de monter à cheval, et le tient prisonnier de son fauteuil.

C'est comme s'il était à la merci de ces lettres, de ces écrits, qui chaque jour se renouvellent.

On le critique, mais on l'insulte aussi.

Il est outragé quand paraît cet ouvrage, *L'Ombre de M. Scarron*, qui révèle son mariage avec Mme de Maintenon et la rend responsable de la guerre qui accable le royaume et dont on ne voit plus la fin.

Il ordonne qu'on se saisisse de l'imprimeur, du libraire, qu'on les livre aux bourreaux afin qu'on les torture et les pende en place de Grève !

Mais il sait bien que le danger pour l'État ne peut venir de ces médiocres pamphlétaires.

Il reprend la lettre anonyme. Voilà une autre encre ! Un autre style ! Ceux d'un Grand, capable d'animer une conjuration, un frondeur de haute lignée qui a l'audace d'écrire, revenant précisément au temps et au ton de la Fronde :

« Vous êtes né, Sire, avec un cœur droit et équitable, mais ceux qui vous ont élevé ne vous ont donné pour science de gouverner que la défiance, la jalousie, l'éloignement de la vertu, la crainte de tout mérite éclatant, le goût des hommes souples et rampants, la hauteur et l'attention à votre seul intérêt. Depuis environ trente ans, vos principaux ministres

120

ont ébranlé et renversé toutes les anciennes maximes de l'État. [...] On n'a plus parlé que du roi et de son plaisir...»

Et cette autre phrase qui lui tord le ventre :

«En voilà assez, Sire, pour reconnaître que vous avez passé votre vie entière hors du chemin de la vérité et de la justice, et par conséquent hors de celui de l'Évangile.»

Celui qui écrit ainsi n'est pas le modeste prêtre qu'il prétend être, mais un Grand, qui veut l'atteindre au cœur en contestant tout ce qu'il a fait depuis qu'il gouverne, et en niant qu'il ait été comme l'avait dit le père Bourdaloue en chaire «sur la terre l'image visible de celui qui est le Dieu des armées et le Dieu de la paix».

Il interroge à nouveau Mme de Maintenon, il la devine, anxieuse, affolée même.

L'auteur est peut-être ce François de Salignac de La Mothe Fénelon, dont Françoise de Maintenon s'est entichée, qu'elle a introduit auprès des pensionnaires de Saint-Cyr, recommandé à Bossuet.

Il s'en veut d'avoir désigné ce Fénelon comme précepteur du duc de Bourgogne, son premier petit-fils, l'héritier de France.

Il a le sentiment que, de manière insidieuse, on l'a trompé, qu'on s'est servi de Françoise de Maintenon, séduite par cet «amour pur» que vantait Mme Guyon, l'amie de Fénelon.

Et cette bonne dame, à la poitrine généreuse, aux émois mystiques, a même su tromper la vigilance de Bossuet. Et voici ce Fénelon archevêque de Cambrai et maître à penser des pensionnaires de la maison de Saint-Cyr.

Louis s'emporte, s'indigne. Et même s'il ne peut être sûr que Fénelon soit l'auteur de cette lettre anonyme, qui reprend toutes les accusations des ennemis du royaume, ceux d'Amsterdam, de Londres, de Bruxelles, de Genève, de Heidelberg ou de Berlin, il veut sévir, faire condamner les écrits de Mme Guyon comme hérétiques, et il décide qu'elle sera emprisonnée à Vincennes.

Quant à Fénelon, archevêque de Cambrai, et de ce fait duc et prince de l'Empire, il n'est pas possible de le poursuivre, mais il doit rester sous surveillance. Et il faut briser l'influence que son esprit frondeur et hostile exerce sur le duc de Bourgogne.

Le roi doit veiller sur ceux qui lui succéderont.

Mais qui seront-ils ?

Il lui semble que la mort rôde, qu'elle a déjà posé ses griffes sur les corps. Monsieur son frère, son cadet d'un an à peine, avec son ventre rebondi, son nez allongé, semble hanté par l'idée qu'il doit se dépêcher de jouir pour prendre la mort de vitesse.

Monsieur ne le dissimule pas.

Louis l'écoute dire d'une voix provocante que la fin de la fête approche, qu'il ne doit rien épargner, que ceux qui lui survivront se débrouilleront comme ils pourront. Il le voit perdre des sommes considérables aux tables de jeu, s'entourer de nouveaux mignons, plus beaux et plus jeunes, apparaître toujours dans des vêtements extravagants.

Louis s'approche de la princesse Palatine qui regarde Monsieur son époux se conduire comme une femme parée de dentelles et de colliers.

Elle aussi, visage grêlée, n'est plus qu'une vieille grosse qui dit d'elle-même qu'elle a «un derrière effroyable, un ventre, des hanches et des épaules énormes, la gorge et la poitrine très plates».

Louis la dévisage. Elle lance, provocante :

— À vrai dire, je suis une figure affreuse, mais j'ai le bonheur de ne pas m'en soucier.

Elle montre Monsieur, assis à une table de jeu.

— La fatalité veut, dit-elle, que les gens qui savent bien qu'ils n'ont plus que peu de temps à vivre le passent à se rendre malheureux eux-mêmes et les autres. Il faut qu'ils suivent une autre voie que celle de l'intelligence.

Il ne veut pas s'abandonner à cette fatalité de la débauche qui entraîne son frère, à cet égoïsme qui ne se soucie ni des autres ni de son âme.

Lui est le roi, il a des devoirs vis-à-vis du royaume et de ses enfants. Il veut que les bâtards légitimés, le duc du Maine et le comte de Toulouse mais aussi le duc de Vendôme, l'arrière-petit-fils d'Henri IV, viennent immédiatement, pour la succession, après les princes du sang.

Il sait, par les espions qui arpentent les galeries de Versailles, que la Fronde gronde, après cette mesure, parmi les ducs, que le jeune duc de Saint-Simon, dressé sur ses ergots, se dit ulcéré de cette violation des lois fondamentales du royaume, de cette humiliation infligée à la grande noblesse.

Et nombreux sont ceux qui s'indignent aussi du nouvel impôt, de la capitation, qui frappe chaque chef de famille, fût-il prince ou duc.

« Cette *capitatio*, se répandant généralement sur tous, sera peu à charge de chaque particulier », dit Louis dans sa déclaration royale. Les princes et les ducs sont aussi des sujets du royaume. Et l'État ne doit plus s'en remettre aux financiers, aux usuriers, habiles en affaires extraordinaires, et cherchant d'abord à s'enrichir à l'occasion de ces maniements d'argent.

Cela doit changer, parce que la guerre est de plus en plus coûteuse. Louis voudrait la conclure, mais les ennemis désirent le dépouiller de toute sa gloire, refouler le royaume dans ses anciennes frontières. Et il sent bien qu'ils espèrent qu'il sera affaibli par les critiques qui, à la Cour même, l'assaillent.

Guillaume III compte autant sur Fénelon que sur la flotte anglaise qui bombarde Saint-Malo, Dunkerque, Calais, ou sur les troupes qui s'emparent de Namur.

Il faut répondre, bombarder Bruxelles durant trois jours, afin que la ville, écrasée sous trois mille bombes et mille deux cents boulets rougis au feu, s'embrase.

Mais cette vengeance ne suffit pas. Louis s'impatiente.

Il sent que l'armée n'a plus le même allant.

Le maréchal de Luxembourg vient de mourir. Philippe, duc de Chartres, est trop jeune encore pour commander les armées. De plus, durant l'été 1695, il est terrassé par de fortes fièvres et Louis s'inquiète.

Il ne comprend pas la tactique suivie par le maréchal de Villeroi, le successeur de Luxembourg.

Villeroi a d'abord prétendu qu'une partie des troupes de Guillaume III, commandées par le prince de Vaudémont, étaient à sa merci, qu'il était sûr de les surprendre et de les vaincre.

Puis c'est le silence, rompu par une dépêche que Louis reçoit à Marly :

« La diligence dont M. de Vaudémont a usé dans sa retraite l'a sauvé de mes espérances que j'avais crues certaines. »

Il devine que Villeroi ne lui donne pas les vraies raisons de sa déception.

Il veut interroger le duc du Maine, qui commande l'aile gauche des troupes de Villeroi, celles précisément qui devaient faire mouvement pour attaquer Vaudémont.

Maine est devant lui, pâle, le visage agité de tics, le corps disgracieux, passant d'un pied sur l'autre, boitant, l'épaule basse.

Louis le presse de questions et le duc du Maine balbutie. Son fils a eu peur d'attaquer Vaudémont.

Louis le congédie sans un mot, le regardant s'éloigner, songeant avec amertume aux espoirs qu'il a placés dans ce fils d'Athénaïs de Montespan et dont Mme de Maintenon a surveillé l'éducation.

Il pense à Philippe, duc de Chartres, le fils de Monsieur, qui s'est distingué dans toutes les batailles, et dont chacun se plaît à souligner les dons multiples.

Il éprouve un sentiment de solitude. Le destin d'un grand roi est-il d'être seul, de ne susciter que l'admiration, la jalousie ou la crainte ?

Il ne peut ainsi faire confiance à personne, qu'il s'agisse de ses fils ou même de Françoise de Maintenon. N'a-t-elle pas cru aux propositions hérétiques de Mme Guyon ? N'a-t-elle pas été l'alliée de Fénelon ?

Il est seul. Il doit se défier de tous.

Il s'assoit à table pour le dîner.

Les courtisans debout en face de lui le regardent. Les valets s'affairent.

Il suit des yeux l'un d'eux, et le voit dérober un biscuit et l'enfouir dans sa poche. Il se lève sans réfléchir et la douleur qu'il ressent à ce mouvement brusque le précipite en avant.

Il commence à frapper le valet avec sa canne, hurlant, le couvrant d'injures, jusqu'à ce que la canne se brise sur les épaules de l'homme qui trébuche, s'enfuit.

Louis regarde les courtisans. Il lit l'étonnement et la peur qui figent leurs visages.

Jamais ils ne l'ont vu ainsi.

Il faut qu'il sorte grandi de cet instant de faiblesse. Il se rassied et, impassible à nouveau, il reprend son dîner. Il engloutit avec avidité, sans les mâcher, des petits pois et des artichauts, puis des asperges et des salades, enfin des fraises, des pâtes de fruits et des biscuits au miel.

Il boit de longues rasades de vin de Bourgogne, que les médecins lui ont dit préférable au champagne.

Il ne faut pas que les courtisans puissent connaître les raisons de sa subite colère, de sa perte de cette maîtrise de soi dont il a fait sa loi.

Ils doivent seulement se souvenir que le roi, qui respecte scrupuleusement l'étiquette, est aussi un souverain imprévisible.

Étonner, dérouter, surprendre : ce sont là les méthodes d'un grand roi.

16.

Il voit le valet qui s'approche, se penche. Il l'entend qui chuchote que Madame attend dans l'antichambre, qu'elle espère être reçue par le roi.

Louis hésite, regarde ses fils, le duc du Maine, le comte de Toulouse, le dauphin, puis Monsieur. Il se tourne vers Mme de Maintenon. Puis sans répondre au valet, il reprend la conversation là où il l'a interrompue.

— Le titre et la source de la noblesse, dit-il, sont un présent du roi, qui sait récompenser au choix les services importants que les sujets rendent à leur patrie.

Il a donc décidé d'anoblir, moyennant finance, cinq cents personnes parmi les plus distinguées du royaume. Et par ailleurs, il fera rechercher les usurpateurs des titres de noblesse. Et il ordonnera ainsi la création d'un armorial où seront recensées toutes les armoiries portées dans le royaume, et l'enregistrement des armes et blasons sera obligatoire et payant.

— Le roi est le seul juge des qualités et titres des sujets, ajoute-t-il.

Il soupire. La goutte, comme des brodequins, lui broie les chevilles, les genoux, les coudes.

Il sait qu'il ne pourrait pas se lever et marcher sans aide. Et il y a aussi ce furoncle qui suppure, lui donne l'impression que dans son cou et sa nuque un sang brûlant bouillonne.

Il ajoute, parce qu'il faut que ses fils et son frère comprennent les raisons des mesures qu'il vient de leur exposer, et se persuadent qu'il n'agit pas pour humilier les vieilles et nobles lignées :

— La guerre assèche les finances du royaume. Je dois trouver de nouvelles sources. Le Conseil, Monseigneur le dauphin le sait, a décidé de publier ces édits sur l'anoblissement et l'armorial.

Il reste un moment silencieux, puis il dit :

— Il nous faut la paix. J'ai envoyé le comte de Tessé à Turin, pour négocier secrètement avec le duc Victor-Amédée de Savoie.

Monsieur fait un pas en avant, approuve bruyamment. Sa fille Anne-Marie d'Orléans est l'épouse du duc.

— Elle est demeurée française comme si elle n'avait jamais passé les Alpes, dit Monsieur, et elle a élevé sa fille, Marie-Adélaïde de Savoie, dans l'amour du royaume de France et de Votre Majesté. Vous êtes son oncle, Sire.

Louis hoche la tête. Marie-Adélaïde de Savoie n'a même pas treize ans, murmure-t-il.

Il regarde Monseigneur le dauphin.

— Votre fils, le duc de Bourgogne, en a près de quatorze.

Il lève la main pour que personne ne parle, ne dise qu'on pourrait en effet marier Marie-Adélaïde de Savoie avec le duc de Bourgogne, et ainsi, grâce à cette union, cet appât, conclure la paix avec la Savoie, la détacher des Impériaux, de l'Angleterre et des Provinces-Unies.

Il garde un instant le bras en l'air et ce geste suffit à déclencher une douleur qui lui paralyse toute l'épaule gauche.

Il repose son bras et, baissant un peu la tête, indique que l'entretien est terminé. Mais au moment où Monsieur s'apprête à sortir, il le retient.

Il entend la voix de Mme la Palatine.

Elle doit être ulcérée de ne pas avoir été reçue. Il sait ce qu'elle va écrire, dire. Il a lu l'une de ses lettres, où elle se plaint comme à son habitude.

«Je suis à nouveau en disgrâce sans l'avoir mérité, a-t-elle écrit. On me traite ici d'une façon bien impolie : on me fait attendre tous les jours à la porte du roi avant de me laisser entrer. On me renvoie même souvent, quoique dans ce moment-là tous les bâtards du roi et Monsieur lui-même se trouvent dans la chambre. Si j'arrive jusqu'au roi, Mme Conne s'en va...»

Il se refuse à évoquer ces propos injurieux avec son frère.

Il ne veut pas que naisse l'un de ces conflits entre membres de la famille royale dont l'écho s'amplifie dans tout le royaume et jusque dans les cours étrangères. Car Élisabeth Charlotte n'est pas femme à se taire, à pleurer en silence. Elle remplirait ses lettres du récit de l'incident et de son indignation.

Il doit parler à Monsieur d'une autre lettre, plus inquiétante et que, grâce au cabinet noir du lieutenant général de police, on lui a remise.

— Votre fils, mon neveu, le duc de Chartres, commence-t-il.

Il montre la lettre. Elle est du marquis de Feuquières, un méchant homme qui se plaît au mal pour le mal, qui autrefois a été compromis, dans cette affaire...

Louis murmure.

Il évoque l'affaire des Poisons. La Chambre ardente. Il ne cite pas le nom d'Athénaïs de Montespan.

Cette lettre du marquis de Feuquières est adressée à l'une de ces sorcières qui vendent poudres, drogues, philtres d'amour.

Le lieutenant général de police a trouvé chez elle une lettre de Feuquières. Le marquis y rappelle la liaison que le duc de Chartres entretient avec une fille de cabaretier devenue l'une de ces jeunes danseuses de l'Opéra qui se vendent au plus offrant. Le duc de Chartres l'a logée, comme une duchesse.

— Il aurait fait, selon Feuquières, un « infâme achat », chez la sorcière.

Louis voit le visage de son frère se décomposer. Il le rassure. Le lieutenant général de police a retiré la lettre avant que les juges n'en prennent connaissance.

— C'est votre fils, répète Louis, c'est mon neveu. C'est un prince de sang royal.

Monsieur baisse la tête, balbutie.

— Peut-être, dit Louis, le duc de Chartres voulait-il, lui qui est curieux de tout, de la guerre et des femmes, d'alchimie et de musique, apprendre le métier de sorcier ?

Il interrompt d'un mouvement de tête les propos indignés de son frère qui jure qu'il va sermonner son fils, le punir.

— La sorcière, dit Louis, est entre les mains de la justice. Elle sera brûlée vive. Si je n'avais retiré cette lettre, le duc de Chartres...

Il fait un effort pour se lever, et il grimace tant la douleur est vive.

Son frère l'assure de son amour, de son dévouement, de sa gratitude. Louis se rassied. Il ne peut porter son corps.

— J'ai de l'amitié et de l'estime pour le duc de Chartres, dit-il. J'ai confiance en lui.

Il hausse le ton.

— Il ne doit pas hanter de telles canailles. Il doit choisir la vertu et non la débauche.

Il fixe son frère, qui baisse la tête et s'éloigne, marchant pesamment, ses dentelles de femme couvrant son habit.

Louis se souvient qu'il avait écrit pour le dauphin, quand il se préoccupait de lui enseigner le métier de roi : « Les rois sont souvent obligés à faire des choses contre leur inclination. Il faut qu'ils châtient souvent et perdent des gens à qui naturellement ils veulent du bien. L'intérêt de l'État doit marcher le premier. »

Il sait que son frère n'entendra pas la leçon qu'il vient de lui donner et ne se réformera pas.

Et qu'il ne le condamnera pas, puisque le sang royal coule dans ses veines. Et qu'il est sacré.

17.

Louis a voulu qu'on tire un feu d'artifice somptueux afin que les gerbes multicolores illuminent le ciel de Paris, et que tous les sujets de la capitale puissent voir se dessiner dans la nuit la silhouette d'Alexandre tranchant le nœud gordien.

Car la paix est enfin signée avec le duc Victor-Amédée de Savoie.

L'alliance du duché avec Guillaume III d'Orange et les Impériaux est rompue.

On a restitué à la Savoie Casal et Pignerol, mais il fallait ce premier traité pour que d'autres soient enfin conclus et que cette guerre se termine.

Et maintenant, Louis est assis dans ce carrosse aux côtés de Monsieur et ils roulent vers Montargis, en ce dimanche 4 novembre 1696, pour y rencontrer Marie-Adélaïde de Savoie, qui doit épouser le duc de Bourgogne.

Les deux héritiers sont si jeunes qu'il faudra attendre plus d'un an pour que le mariage soit célébré, mais Marie-Adélaïde va vivre à la cour de France.

Mme de Maintenon veillera à son éducation, et cette fille d'à peine treize ans lui a déjà envoyé plusieurs lettres, qui ont ému Louis.

L'écriture est enfantine, la spontanéité et la candeur, l'enthousiasme s'y expriment simplement :

« Maman m'a chargée de vous faire mille amitiés de sa part et de vous demander la vôtre pour moi. Apprenez-moi bien, je vous prie, tout ce qu'il faut faire pour plaire au roi », a-t-elle écrit.

Il est impatient de la voir.

Il s'étonne même d'éprouver de la joie, de la gaieté, alors que depuis des mois il ne rit plus, qu'il lui semble qu'autour de lui et en lui, la mort guette.

Il est six heures du soir.

Il aperçoit les porteurs de torches qui entourent le carrosse de Marie-Adélaïde de Savoie. Il a l'impression que son corps est devenu léger. Il descend. Il voit cette petite fille joyeuse qui l'embrasse. Et Monsieur, qui est derrière lui, se précipite, se jette à son cou, l'embrasse aussi.

Il lui rappelle que le duc de Bourgogne ne l'a pas encore saluée. Mais il parle avec indulgence. Monsieur est le grand-père de Marie-Adélaïde de Savoie et lui, le grand-père du duc de Bourgogne.

Le soir il ne peut s'endormir, ému, gai. Il a le sentiment que cette petite fille qui sera duchesse de Bourgogne, et un jour reine de France, a la vivacité d'un soleil levant.

Il veut partager sa joie. Il écrit à Mme de Maintenon :

« À six heures et demie, approchant les flambeaux de son visage, je l'ai considérée de toutes manières pour vous mander ce qu'il m'en semble. Elle a la meilleure grâce et la plus belle taille que j'aie jamais vues, habillée à peindre et coiffée de même, des yeux vifs et très beaux, des paupières noires et admirables, le teint fort uni, blanc et rouge, les plus beaux cheveux noirs que l'on puisse voir. Elle est maigre comme il convient à son âge, la bouche fort vermeille, les lèvres grosses, les dents blanches, longues et très mal plantées, les mains bien faites... »

Il s'interrompt. Il veut assister au souper et au coucher de Marie-Adélaïde de Savoie.

Puis il reprend la plume :

« À dix heures. Plus je vois la princesse, plus je suis satisfait. Je l'ai vue déshabiller ; elle a la taille très belle, on peut dire parfaite, et une modestie qui vous plaira. Tout s'est bien passé à l'égard de mon frère. Il est fort chagrin. Il dit qu'il est malade. Nous partirons demain. Je suis très content. »

À Nemours, le lendemain, il voit courir vers le carrosse le duc de Bourgogne venu à leur rencontre avec son gouverneur, le duc de Beauvillier.

Il fait monter son petit-fils dans le carrosse, et il observe les deux jeunes gens, qu'il a fait asseoir de chaque côté de lui.

L'avenir de la famille royale, le destin du royaume sont là, vivants.

La mort recule donc.

Il a l'impression, dans les semaines qui suivent, que Marie-Adélaïde lui donne une part de sa gaieté et de sa jeunesse.

Il a cinquante-huit ans. Elle en a treize.

Il n'a jamais connu la compagnie d'une petite fille. Il remercie Dieu de lui avoir donné cette joie, cette enfant vive et curieuse.

Il veut la voir à chaque instant de la journée.

Il lui fait visiter les jardins, le château. Il la conduit à Marly. Il la fait entrer dans le cabinet où sont exposés ses collections, ses tableaux, ses sculptures. Il veut même qu'elle soit là, près de lui, quand le Conseil se réunit.

Il aime qu'elle vienne se blottir contre lui, qu'elle s'installe sur ses genoux, puis qu'elle coure et qu'elle embrasse Françoise de Maintenon.

Il ne se lasse pas de la regarder jouer avec ses poupées.

Il sait qu'à la Cour, on dit qu'«il n'a rien d'autre en tête que cette enfant».

Il devine que Monsieur est irrité. Son épouse, la Palatine, a perdu le premier rang qu'elle occupait depuis la mort de la dauphine.

Elle est amère. Élisabeth Charlotte écrit :

«Cette fillette est bien italienne et politique comme si elle avait trente ans. Il y a ici un envoyé de sa cour qui est premier écuyer de sa mère et qu'elle connaît donc bien. Mais elle fait semblant de ne point le connaître, le regarde à peine et ne lui adresse pas la parole, de peur que le roi ne le lui reproche et n'aille croire qu'elle est toujours attachée à sa patrie. Cela ne me plaît pas, car un bon naturel et caractère ne doit point cacher ses propres sentiments et rougir d'aimer ses parents et sa patrie.»

Il n'éprouve aucune colère contre Élisabeth Charlotte. Il a de la compassion pour elle. Elle est grêlée, si grosse, si laide, si vieille déjà, qu'il lui pardonne sa rancœur, sa jalousie.

Il écoute Marie-Adélaïde chanter, et cela suffit pour qu'il se sente heureux.

Elle est la preuve de la bienveillance de Dieu pour le royaume de France.

18.

Il rit et il s'en étonne.

Les grimaces de Marie-Adélaïde de Savoie, ses cabrioles dans la chambre de Mme de Maintenon, sa curiosité, ses élans de tendresse, son avidité aussi, la manière dont, à table, elle lui arrache parfois un fruit confit, une écorce d'orange enrobée de sucre glacé ou bien une pâte de groseille, le distraient un instant, effacent un peu de cette anxiété qu'il réussit à cacher mais qui l'oppresse.

Il lui semble qu'il vit dans une pénombre inquiétante, et que seule Marie-Adélaïde, cette enfant bientôt épouse du duc de Bourgogne, rappelle qu'il existe une lumière joyeuse.

Mais son rire s'estompe vite.

Il n'ignore pas cette misère qui colle au royaume comme une gale, une peste.

Les sujets, tous les sujets, des miséreux aux ducs et aux princes, protestent contre le poids des impôts, la cherté des offices, et pour les plus pauvres se rebellent contre la hausse du prix du pain.

Mais Dieu, s'il a voulu qu'une petite princesse vienne éclairer les jours de Versailles, de Fontainebleau ou de Marly, n'a pas fait cesser le dérèglement des saisons.

Les pluies torrentielles noient les champs, pourrissent les blés en herbe, font déborder les cours d'eau, inondent

136

villes et villages, emportent les ponts. Et les vents en bourrasques déracinent les arbres et arrachent les toits.

Il prie, mais il reçoit des libelles qui l'accusent d'être – on ose lui écrire cela ! – « un niais pour tout ce qui touche à la religion », parce qu'il n'aurait jamais lu quoi que ce soit concernant l'Église, « se contentant de croire bonnement ce qu'on lui débite là-dessus ».

On lui reproche plus durement encore de ne pas aimer Dieu. « Vous ne Le craignez même que d'une crainte d'esclave. Votre religion ne consiste qu'en superstition, et en pratiques superficielles. »

Il sait bien d'où viennent ces critiques, ces calomnies et ces rumeurs.

Il y a les huguenots qui n'ont pas renoncé à leur hérésie.

Il y a ces disciples de Mme Guyon, qui professent un « pur amour de Dieu » sans les œuvres et les prières.

Et enfin il y a tous ceux qui haïssent Françoise de Maintenon.

À la Cour même, il sait bien qu'on accuse son épouse d'hypocrisie, de volonté de gouverner le roi à sa guise, au mieux de ses intérêts et de ceux des prêtres qui l'entourent.

On murmure qu'elle s'est emparée de l'éducation de Marie-Adélaïde de Savoie pour accentuer son emprise sur le roi qui s'est entiché de cette petite. Et Mme de Maintenon se sert d'elle comme d'une poupée avec laquelle elle tient le roi.

Ce sont ces propos-là qui le blessent le plus. Et le lieutenant général de police lui apprend que les comédiens-italiens jouent dans leur théâtre de Paris une pièce intitulée *La Fausse Prude* et que le public s'y presse, et qu'après trois représentations seulement le succès risque de devenir triomphe.

Il ordonne qu'on ferme aussitôt le théâtre, et qu'on chasse les comédiens-italiens du royaume.

Mais en dépit de la joie que Marie-Adélaïde lui offre, ce n'est que lorsqu'il reçoit les dépêches envoyées par les négociateurs qui tentent depuis plusieurs mois de conclure la paix avec Guillaume III d'Orange et d'Angleterre, l'Espagne et l'Empire, qu'il a enfin l'impression que l'obscurité se dissipe.

Le traité va être signé au château de Nieuwburg qui appartient aux princes d'Orange, non loin du village de Ryswick.

Cette paix, il sait qu'il la paie cher.

Il ne conserve d'important que Strasbourg et la partie ouest de l'île de Saint-Domingue. C'est bien peu pour près de dix années de guerre et de victoires, de réunions et d'annexions ! Il doit même reconnaître Guillaume III d'Orange comme roi d'Angleterre ! On peut donc être hérétique et souverain, se soumettre à un Parlement qui a le pouvoir de vous déclarer roi.

Il ressent cela comme une défaite dans cette paix qu'il doit pourtant présenter comme une victoire.

Il veut qu'on célèbre un *Te Deum* à Notre-Dame en ce 21 septembre 1697, puis le 30 octobre quand l'Empire à son tour conclut la paix.

On tire un grand feu de joie sur la place de l'Hôtel-de-Ville. Il passe en revue les gardes du corps et les mousquetaires. La foule se presse et cependant il lui semble qu'elle ne manifeste aucun enthousiasme.

Il sait que la princesse Palatine est allée, répétant dans les galeries et les salons de Versailles : « Il faut qu'il y ait un sort sur cette paix générale ; que nulle part on n'en reçoive la nouvelle avec joie quoi qu'on l'eût désirée si longtemps, car le peuple de Paris n'a pas voulu non plus s'en réjouir ; il a fallu pour ainsi dire l'y contraindre. »

Louis s'irrite de ces propos, de ces réserves.

La princesse Palatine dont il a défendu les droits,

obligeant l'électeur du Palatinat à lui verser des dédommagements, a essayé d'obtenir pour le margrave de Bade un traitement de faveur.

Il a refusé. Elle l'a harcelé, de plus en plus amère, comme si son âme, jadis légère, avait changé de la même manière que son corps.

Peut-être aussi ne supporte-t-elle plus que Monsieur dilapide sa fortune avec tel ou tel mignon – qu'il comble de faveurs – ou bien qu'il racole, au vu et au su de tous, les laquais dans les antichambres de son château de Saint-Cloud.

Mais il entend aussi les soupirs de Mme de Maintenon, qui elle aussi semble regretter cette paix, alors qu'elle y aspirait.

Maintenant, elle dit que c'est « une espèce de honte de restituer ce qui a coûté tant d'efforts et de sang ! ».

Il le sait !

Mais comment ne voient-ils pas, ceux qui sont insatisfaits du contenu du traité, qu'il fallait en finir avec cette guerre-là, en donnant un coup de lancette dans l'abcès, pour se débarrasser de cette maladie, la ligue d'Augsbourg, retrouver la vigueur, penser à une autre partie, celle qui depuis toujours préoccupe les rois de France : la lutte contre l'empereur germanique pour l'empêcher de contrôler l'Espagne, et de tenir ainsi la France entre les mâchoires germanique et espagnole.

Il pense ainsi à chaque instant à l'avenir du royaume et de sa dynastie. Il en a la charge.

Et il est fier et heureux de le voir s'incarner dans ces deux jeunes gens, Marie-Adélaïde de Savoie et le duc de Bourgogne qui, le samedi 7 décembre 1697, s'avancent dans la nef de l'ancienne chapelle de Versailles.

Il a exigé que cette cérémonie et les fêtes qui suivront étonnent par leur magnificence toutes les cours et tous les peuples d'Europe.

Il veut que les habits et les parures soient d'or, que diamants, rubis et émeraudes resplendissent sur les jaquettes et les robes.

Que les Grands s'endettent s'il le faut !

Il préside après la cérémonie religieuse le banquet où l'on sert plus de cent plats.

Puis toute la Cour assiste au plus grand feu d'artifice tiré à Versailles.

Enfin, il entre avec la famille royale dans la chambre où vont se coucher les deux jeunes mariés.

Mais le mariage ne doit être consommé que des mois plus tard.

— Je ne veux pas, dit Louis, que mon petit-fils baise le bout du doigt de sa femme jusqu'à ce qu'ils soient tout à fait ensemble.

Et ils sont trop verts encore pour l'être.

Il attend donc que le duc de Bourgogne se relève, se rhabille et retourne coucher chez lui.

Quatre jours plus tard, le mercredi 11 décembre, il s'avance, précédant le jeune couple dans la galerie des Glaces que les trois rangées de lustres, les centaines de bougies, les candélabres, les flambeaux illuminent d'un bout à l'autre.

On danse le menuet, puis vient le moment de la collation.

Il voit cette foule enrubannée, couverte d'or et de pierres, se précipiter, oubliant l'étiquette et le rang.

Il aperçoit son frère, bousculé, battu et foulé dans la presse des courtisans qui s'agglutinent aux portes pour pouvoir entrer.

Il avance lentement. Les valets qui l'entourent écartent durement la foule, qui parfois reflue et bouscule les valets.

Mais même ce désordre le satisfait.

Jamais la grande galerie de Versailles ne lui a paru si resplendissante.

Et le samedi 14 décembre, il y a autant de presse, une lumière encore plus vive, pour le second bal qu'il a décidé d'y donner.

Et le mardi 17, toute la Cour assiste à Trianon à la première représentation d'un opéra, *Apollon et Issé*, signé André Destouches.

Il lui semble que cette pastorale n'est pas inférieure aux pièces que composait Lully.

Qui osera dire, en cette fin d'année 1697, que Louis le Quatorzième n'est pas Louis le Grand, le Roi-Soleil ?

19.

Il fait lentement le tour de la vaste pièce.

Il s'arrête devant l'un des quatre grands miroirs qui se renvoient les images des trois lustres en bronze doré, des tables en marbre, des bronzes, de la pendule et de plusieurs chandeliers à plusieurs branches, des girandoles, placés sur des guéridons veinés d'or et d'ivoire.

Il se voit par ce jeu de miroirs sur toutes les faces.

Il lui suffit d'un regard à droite ou à gauche pour découvrir ses bajoues, les rides qui cernent sa bouche, ce nez de plus en plus aquilin, ce cou gonflé et ce ventre proéminent. Il voit même son dos voûté, et il imagine les replis de peau sous les boucles de sa perruque.

Il lui semble qu'il n'est plus ce roi altier, dominant de la tête et souvent des épaules tous ceux qui l'entouraient.

Le temps l'a tassé.

Il a soixante ans en cette année 1698.

Les serviteurs entrent, portant sur des plateaux dorés les carafes de vin et d'eau de source glacée, des pots de café et de thé, ces boissons qu'il a découvertes il y a peu et qu'il apprécie, malgré les remarques toujours critiques de la Palatine.

Elle n'aime, lui a-t-elle dit, ni le café, ni le thé, ni ce chocolat dont on fait grand cas à la Cour.

«Au thé je trouve un goût de foin et de paille pourrie, au café un goût de suie et de lupin, le chocolat je le trouve trop doux. Que Votre Majesté me pardonne, ça m'est toujours un nouveau sujet d'étonnement que tant de gens aiment le café; il a pourtant un goût horriblement désagréable. Je lui trouve une odeur d'haleine corrompue. Le défunt archevêque de Paris sentait comme ça. Qu'on me donne une bonne soupe à la bière...»

Il se penche sur les plateaux que les valets ont déposés sur les tables. Il a faim, comme à vingt ans.

Il commence à arracher des morceaux de viande de ces rôtis de veau de Gand, là il y a des chapons de Bruges, des perdrix rouges, des gélinottes des bois, des ortolans.

Puis, rassasié, il sort de la pièce, traverse une antichambre. Les officiers s'y pressent. Dans une grande salle voisine, on a dressé une estrade sur laquelle se trouve le fauteuil royal, placé au-dessous d'un dais, que surplombe son portrait.

Il salue les dames de la Cour qui debout sur l'estrade entourent le fauteuil. Il entend les tambours qui commencent à battre, rejoints par les trompettes. Et il imagine dans la brume de cette chaude journée les régiments qui se mettent en marche.

Il a voulu cette parade de soixante mille hommes dans la plaine non loin de Compiègne.

Il salue les ambassadeurs de toutes les puissances, les princes du sang, Monseigneur le dauphin et le duc de Bourgogne. Il a vu parmi les dames Marie-Adélaïde de Savoie son épouse. Plus loin se tient le roi Jacques II d'Angleterre.

Il faut montrer à tous les souverains que le royaume de France après la paix de Ryswick n'est pas une nation exsangue, à l'armée épuisée, aux caisses vides.

Et c'est pour que, dans leurs dépêches, les ambassadeurs racontent à leurs princes et à leurs rois ce qu'ils ont vu, qu'il a exigé du maréchal de Boufflers que cette parade, ces manœuvres pour l'instruction militaire du duc de Bourgogne étonnent par le spectacle grandiose qu'elles offrent.

Pour loger la Cour et les ambassadeurs, on a construit des maisons de bois, dressé d'immenses tentes dont l'intérieur est recouvert de toiles en satin blanc des Indes sur lesquelles les peintres ont composé des tableaux des batailles victorieuses.

Et, dominant toutes ces constructions, on a élevé la maison du roi, blanc et rouge comme si elle avait été construite en marbre et en briques alors qu'elle n'est qu'en bois peint.

Et le ballet des troupes a commencé. Il l'a contemplé à cheval, ou installé dans un fauteuil placé sur une éminence.

Les dames sont restées dans leur carrosse ou bien se sont assises autour du fauteuil, cependant que les troupes défilaient, donnaient l'assaut, creusaient des tranchées, se livraient à des simulacres de bataille, de siège ou de combat de corps à corps.

Il observe les ambassadeurs, il écoute leurs éloges.

Ils ont compris que le roi de France n'a pas conclu la paix par faiblesse. Que son armée reste la plus puissante. Que ses finances lui permettent de dépenser pour ces manœuvres de vingt-cinq jours près de quinze millions de livres. Et que rien, sinon sa propre décision, ne peut le faire céder.

Il a ainsi reconnu Guillaume III comme roi d'Angleterre, mais Jacques II est toujours son hôte, il ne l'abandonnera jamais.

On ne peut faire plier Louis le Grand.

Il faut qu'on le sache et il a voulu cette parade pour qu'on s'en persuade dans toutes les cours d'Europe.

Car il sait que le grand jeu dont l'issue décidera du sort du royaume d'Espagne va commencer.

Il lit les dépêches de son ambassadeur à Madrid, le marquis Henri d'Harcourt.

Celui-ci lui a fait parvenir un portrait du roi Charles II qui, dans son palais de l'Escorial, vit à trente-sept ans comme un vieillard accablé par la maladie, et qui sait qu'autour de son trône les souverains d'Europe attendent sa mort pour s'emparer ou se partager ses vingt-trois couronnes puisqu'il est sans héritier.

Louis a longuement regardé le visage émacié du roi d'Espagne.

Il a des droits sur ce royaume. La reine Marie-Thérèse était la demi-sœur de Charles II. Elle n'avait renoncé à ses droits que «moyennant» une dot qui n'a jamais été versée.

Il pense à cette succession, presque chaque jour. Il jauge ses petits-fils, les enfants du Grand Dauphin. Le duc de Bourgogne est destiné au trône de France. Mais l'un de ses frères, le duc d'Anjou ou le duc de Berry, pourrait régner à Madrid.

Il doit préparer cette succession, pour empêcher qu'à la mort de Charles II ce ne soit l'un des fils de l'empereur germanique Léopold, veuf de l'une des sœurs de Charles II, qui accède au trône. Et que, autour de Léopold, ne se reconstitue une ligue contre la France.

Il ne veut pas de la guerre. Il le dit à ceux qui, comme la princesse Palatine, s'inquiètent.

«Il ne faut pas être prophète pour deviner que si le roi d'Espagne meurt sans enfant, dit-elle, il s'élèvera une terrible guerre ; toutes les puissances prétendent à sa succession ; aucune d'elles ne voudra céder à une autre et il n'y aura que la guerre qui pourra décider.»

Il sait que la guerre est le grand juge, qu'il ne devra pas

s'y dérober si la grandeur du royaume et la gloire du roi sont remises en question.

Mais il répète à la princesse Palatine ou à Mme de Maintenon qu'il ne veut pas de l'affrontement.

Les sujets du royaume souffrent déjà. La misère les tenaille. Le froid intense, une nouvelle fois, comme si Dieu s'obstinait, réduit ou détruit les récoltes. Les augmentations du prix du grain, et donc du pain, serrent les plus pauvres à la gorge.

La guerre apporterait de nouvelles souffrances.

Il est donc prêt à négocier.

Il reçoit le comte de Portland, l'envoyé de Guillaume III d'Orange et d'Angleterre. Il comble d'honneurs et de cadeaux ce Bentick qui fut le favori du souverain. Il l'admet à la cérémonie du coucher, lui confie le bougeoir, distinction suprême.

Il s'endort avec peine et le sommeil, quand il le trouve, est vite brisé par des cauchemars, une sensation d'étouffement.

Il se lève. Il va jusqu'à la table où les valets ont déposé viandes, fruits et biscuits.

Il mange jusqu'à avoir la sensation que son ventre va se déchirer.

Il s'installe sur sa chaise percée.

Il a soixante ans. Cette affaire de la succession d'Espagne est sans doute la dernière grande affaire de son règne. L'un de ses descendants peut gouverner des Amériques à la Sicile. Ou bien ce peut être un héritier de Léopold de Habsbourg, et se reconstituerait alors ce que les rois de France n'ont jamais accepté : l'empire de Charles Quint.

La guerre s'imposerait. Et il veut l'éviter. Alors pourquoi pas le partage de la succession auquel est favorable, selon le comte de Portland, Guillaume III ?

Il le propose. L'Angleterre, qui n'est concernée que par

l'équilibre des puissances, mais n'a droit à aucune part de l'héritage espagnol, l'accepte.

Il se sent apaisé.

« L'avantage est moindre en apparence, écrit-il à Henri d'Harcourt, mais cet accord abaisse encore la puissance de la maison d'Autriche. »

Et puis c'est la réponse de l'ambassadeur de France. Charles II refuse de voir démembrer à sa mort l'empire d'Espagne et fait de son petit-neveu, le prince Joseph Ferdinand de Bavière, âgé de sept ans, son unique héritier.

Louis prie.

Quelle est la volonté de Dieu ? Donnera-t-il un signe ?

Il apprend quelques semaines plus tard que l'enfant désigné comme héritier de Charles II est mort, frappé par la petite vérole. Il faut revenir au partage. Un accord est esquissé, même si l'empereur proteste. Mais que pourrait Léopold contre l'entente de la France, des Provinces-Unies et de l'Angleterre ?

Dieu a-t-il choisi ?

Qui peut le savoir ?

Louis se tourne vers Mme de Maintenon. Elle est favorable au partage de la succession. Elle craint la guerre, et ses directeurs de conscience, ainsi Jodet, l'évêque de Chartres, pèsent en ce sens.

Mais doit-il faire confiance à ces gens d'Église qui se déchirent entre eux, se drapent dans leur robe rouge et se soucient plus de leurs rivalités et de leurs ambitions que de l'intérêt du royaume ?

Le pape tarde ainsi à condamner Fénelon, qui s'obstine en publiant un livre, *Les Aventures de Télémaque, fils d'Ulysse*, où chacun peut lire une critique d'un roi vaniteux, soucieux seulement de sa gloire et indifférent au sort de son royaume.

147

Et dans ce roi de Crète Idoménée, chacun reconnaît le roi de France.

Il faut saisir ce livre, qui déjà se répand dans toute l'Europe, après qu'on l'a réimprimé à La Haye.

Il en veut à Mme de Maintenon d'avoir si longtemps succombé aux séductions de Mme Guyon – qu'on l'emprisonne à la Bastille ! – et de Fénelon.

Il lui est toujours aussi profondément attaché, mais il se lasse de ses soupirs, de ses gémissements, et même de ses prières car il imagine les confidences qu'elle doit faire à ses confesseurs.

Ne lui reproche-t-elle pas de trop songer encore à se divertir, à faire répéter des danses dans son cabinet pour la plus grande joie de Marie-Adélaïde de Savoie, duchesse de Bourgogne, et de manquer les vêpres ?

Elle le juge, et un roi ne peut être jugé, même pas par une dévote !

Il reçoit une lettre de l'évêque de Chartres, ce Jodet qui veille sur la maison de Saint-Cyr et a, le premier, critiqué les idées de Mme Guyon et de Fénelon, et leur influence néfaste sur les jeunes pensionnaires de Saint-Cyr.

Jodet, écrit, soucieux de défendre Mme de Maintenon :

«Je serai bien sa caution, Sire, qu'on ne peut vous aimer plus tendrement ni plus respectueusement qu'elle vous aime. Elle ne vous trompera jamais si elle n'est elle-même trompée.

«Il paraît bien visiblement, Sire, que Dieu vous a voulu donner une aide semblable à vous, au milieu de cette troupe d'hommes intéressés et trompeurs qui vous font la cour, en vous accordant une femme qui ressemble à la femme forte de l'Écriture, occupée de la gloire et du salut de son époux et de toutes sortes de bonne œuvres. »

Peut-être.

Mais personne, hormis Dieu, ne peut faire la leçon à Louis le Grand.

20.

Il referme le livre du bout des doigts, avec la pointe des ongles, comme s'il craignait de se brûler à son contact.

Il le rouvre, retrouve aussitôt ces phrases qui, naturellement, le visent, et non le roi de Crète que Fénelon met en scène, et dont la critique doit servir de leçon à Télémaque !

Et Fénelon a été précepteur du duc de Bourgogne qui sera un jour, si Dieu le veut, roi de France !

Louis a le sentiment qu'il a été trompé par Mme de Maintenon, par l'Église, qui a tant tardé à condamner Mme Guyon et l'archevêque de Cambrai, le pape Innocent XII venant seulement de dénoncer les propositions avancées par Mme Guyon, et contraindre ainsi Fénelon à se rétracter.

Il eût fallu mettre ce livre à l'Index.

« Ces grands conquérants, a écrit Fénelon, qu'on nous dépeint avec tant de gloire, ressemblent à des fleuves débordés qui paraissent majestueux, mais qui ravagent toutes les fertiles campagnes qu'ils devraient seulement arroser ! »

Qui évoque-t-il sinon Louis le Grand ?

Et il récidive, écrivant encore : « N'oubliez jamais que les rois ne règnent point pour leur propre gloire mais pour le bien de leurs peuples. »

Louis a l'impression que sa bouche et tout son corps se remplissent d'une humeur amère.

Ceux qui le critiquent croient-ils qu'il ignore que la disette frappe encore de nombreuses provinces, l'Auvergne et le Limousin, le Périgord et le Quercy ou le Rouergue ? Louis a parcouru les enquêtes qu'à la demande du duc de Beauvillier les intendants ont conduites dans leurs provinces. Il sait donc ce qu'il en est du royaume de France, des pauvres ou des hérétiques.

Il s'emporte quand il apprend que dans certaines provinces, on a traîné sur des claies, et mis à pourrir avec les carcasses d'animaux, des cadavres de huguenots.

Et ailleurs, d'autres intendants favorisent les enlèvements d'enfants ou les violences contre les obstinés de l'hérésie.

Il le répète : « Sa Majesté ne veut point qu'on use d'aucune contrainte. »

Mais si l'unité de foi du royaume est en péril, si une poignée de huguenots, ici ou là, résistent ou se rebellent, alors il faudra arracher ces mauvaises graines, pour qu'elles ne soient pas semences d'hérésie.

Il doit agir ainsi, en souverain juste et mesuré, mais ne cédant point, soucieux de sa gloire et de la grandeur du royaume, parce que c'est ainsi qu'il peut apporter le bien à ses peuples !

Il ne l'oublie pas quand il pense à la succession d'Espagne.

Charles II va de plus en plus mal. Et tous les ambassadeurs du royaume de France dans toutes les capitales rapportent qu'il n'est pas un souverain qui ne se préoccupe de l'héritage espagnol.

Il pense sans cesse à cet immense empire.

Le soleil ne se couche jamais sur les possessions espagnoles. Outre l'Espagne et les pays espagnols, Charles II détient le Milanais, les Deux-Siciles, la Toscane, la Sardaigne, les colonies des Indes et celles d'Amérique.

Serait-il digne d'un roi de France s'il abandonnait à un

Habsbourg, allemand, Madrid, Cadix, Anvers, Naples et les richesses des Amériques et des Indes ?

Il est le fils d'infantes aînées d'Espagne, il a été l'époux de la sœur aînée de Charles II. Quant à l'empereur Léopold Ier, il n'a été le fils et l'époux que d'infantes cadettes.

Faut-il faire la guerre pour cet héritage, ou bien le partager ?

C'est cela qu'il veut à nouveau, et il arrive à conclure un nouvel accord de partage avec l'Angleterre et les Provinces-Unies.

Dira-t-on que le désir de gloire l'aveugle alors qu'il a choisi de limiter des droits et donc des ambitions légitimes ?

Mais s'il fallait, pour les faire respecter, s'engager dans la guerre, il est prêt à le faire.

Il faut attendre.

Il se rend souvent à Marly, où il a décidé que l'étiquette serait plus légère.

Il le précise chaque fois à ses invités.

— Messieurs, jamais on ne se couvre devant moi, mais aux promenades je veux que ceux qui me suivent ne s'enrhument point et n'aient aucune incommodité, même lorsqu'une princesse est présente. Mettez vos chapeaux, messieurs !

Il rit aux bals masqués qui se succèdent. Le duc de Chartres s'y déguise en personnage de la commedia dell'arte, grimace et se contorsionne.

Et le roi applaudit.

Il se sent plus léger, gai, quand il est ainsi entouré par les membres les plus jeunes de la famille royale.

Et lorsque l'un d'eux quitte la Cour, il ne peut dissimuler son émotion. Il pleure en accompagnant à son carrosse la duchesse d'Orléans – la fille de la Palatine et de

Monsieur – qui vient de se marier avec le duc de Lorraine et va rejoindre son époux à Nancy.

Il serre la main de Marie-Adélaïde de Savoie, duchesse de Bourgogne, elle aussi en larmes.

Il couvre la jeune duchesse de Lorraine de cadeaux somptueux et lui accorde une dot de neuf cent mille livres.

Un grand roi ne mesure pas sa générosité.

On lui rapporte que le duc de Saint-Simon a dit de lui :

«Jamais personne ne donna de meilleure grâce et n'augmenta par là le prix de ses bienfaits... Jamais homme ne fut si naturellement poli ni d'une politesse si fort mesurée... Jamais il n'a passé la moindre coiffe sans soulever son chapeau.»

Louis murmure :

— Cela s'appelle savoir vivre.

Il veut qu'on respecte l'étiquette, telle qu'il la fixe à Marly ou à Versailles. Et il est prêt à se soumettre aux règles de l'Église qui ne sont pour lui qu'une étiquette particulière. Il écoute le cardinal de Noailles, archevêque de Paris, qui veut que l'on retranche «trois jours gras» aux mascarades et aux bals.

Le cardinal puis Mme de Maintenon insistent :

— Ces trois jours-là retrancheraient bien des péchés, dit Mme de Maintenon.

Il accepte mais il ne comprend pas cette exigence. Faut-il se punir et cesser de rire ? Une part de lui résiste encore.

Il questionne :

— Un roi doit-il s'humilier ? Un roi doit-il se couvrir du sac et de la cendre pour obtenir le pardon de Dieu, ou la paix ?

Il rentre à Versailles.

Il va recevoir l'ambassadeur du Maroc, Abdalla Bin Aycha.

Il veut, dit-il au baron de Breteuil, chargé d'introduire les ambassadeurs et les princes étrangers, qu'on montre à cet ambassadeur la force de la garde du roi.

On rassemblera les gardes-françaises et les Suisses dans la première cour du château. Ils déposeront à terre leurs armes et leurs tambours, et les étendards seront ployés.

L'ambassadeur sera introduit dans la chambre royale, mais s'arrêtera au bord du tapis, au-dessous et tout contre la marche de l'estrade.

Il le reçoit assis, et se découvre un bref instant, puis écoute les compliments de l'émissaire du souverain du Maroc.

Cela suffit.

Un roi doit toujours se tenir à son rang. Et celui de Louis le Grand est le premier.

Il a cela en tête quand, le 9 novembre 1700, un valet lui remet la dépêche qu'un courrier vient, à bride abattue, d'apporter de Madrid.

QUATRIÈME PARTIE

1700-1704

21.

Il pose la dépêche devant lui, au centre de la table.

Est-ce enfin, ce matin du 9 novembre 1700, la mort de Charles II qu'elle annonce et les dispositions testamentaires arrêtées par le roi d'Espagne?

Il croise les bras comme pour s'emprisonner, s'empêcher de briser aussitôt les sceaux, de connaître la réponse à cette question qui depuis des mois le hante.

Et c'est pour cela, pour fuir cette incertitude, qu'il a voulu qu'à Marly ou à Versailles, presque chaque jour, on danse, on tire un feu d'artifice, on joue la comédie, on se déguise.

Mais chaque jour aussi, il a pensé à ce moment, quand il saura si Charles II a choisi un héritier pour son empire, et qu'il faudra décider d'accepter son testament ou bien d'appliquer les clauses de cet accord de partage de la succession d'Espagne conclu avec l'Angleterre et les Provinces-Unies.

Il n'est pas impatient.

Tant de dépêches sont arrivées déjà depuis le début de cette année 1700. Et il a si souvent cru que l'instant était venu de trancher, de faire le choix sans doute le plus grave qu'il ait eu à accomplir, celui qui pourrait ouvrir, en ce début du nouveau siècle, à nouveau les portes de la guerre.

Il y a quelques semaines, le 17 septembre, il a fait duc le marquis Henri d'Harcourt, parce que son ambassadeur à Madrid a agi avec efficacité et discrétion, versant de l'or à qui il fallait, s'entretenant plusieurs fois par jour avec le Premier ministre du roi, le cardinal Portocarrero, combattant l'influence du clan allemand, qui tente d'imposer pour héritier l'archiduc Charles de Habsbourg, le fils cadet de l'empereur germanique, Léopold Ier.

Il regarde l'un après l'autre les membres du Conseil des finances, réunis autour de lui.

Il fixe un instant Michel Chamillart, qu'il vient de nommer contrôleur général des Finances, ministre d'État, sur l'insistance de Mme de Maintenon.

Que pense-t-elle de la décision qu'il faudra prendre si d'Harcourt annonce la mort de Charles II ?

Il sait que Françoise de Maintenon est, comme toute dévote, sensible aux choix de l'Église. Et d'Harcourt a écrit, il y a quelques semaines, que le cardinal Portocarrero avait consulté le pape Innocent XII, et que celui-ci s'était prononcé pour la décision de Charles II de ne pas accepter le démembrement de son empire, et de choisir pour successeur un Bourbon, ou à défaut un Habsbourg, mais d'abord le Bourbon de France. Et peut-être l'arrivée à Paris d'un nouvel ambassadeur d'Espagne, Castel Dos Rios, qui s'est montré si déférent, si français, annonce-t-elle ce choix.

Il ouvre les bras, place ses mains de part et d'autre de la dépêche, fixe un long moment cette mer enveloppée de brume qu'est la forêt de Fontainebleau.

Dieu a voulu que ce soit ici, loin de Versailles, que la dépêche soit remise.

Et soit ouverte.

Il brise les sceaux. Il s'est tant contraint qu'il ne ressent d'abord, à lire la dépêche, aucune émotion.

158

Et pourtant, elle annonce la mort de Charles II qui, dans son testament, établi le 2 octobre 1700, a choisi pour héritier le duc d'Anjou, le second petit-fils du roi de France, à la condition qu'il s'engage à conserver la totalité de l'héritage et à renoncer à ses droits sur la couronne de France.

Si le duc d'Anjou, puis son frère le duc de Berry refusaient cet héritage, Charles II léguerait son empire à l'archiduc Charles de Habsbourg.

Louis lève les yeux.

Il dit seulement que le roi d'Espagne, son cousin et beau-frère, est mort le 1er novembre. Il décrète donc un deuil de cour. La chasse royale prévue est annulée. Les ministres sont convoqués à trois heures, dans les appartements de Mme de Maintenon.

Il ne bouge pas. D'un signe il commande aux valets de faire servir le dîner.

Il croise de nouveau les bras, comme pour contenir l'émotion qui enfin le submerge.

Ce jour du 9 novembre commence une autre histoire de son règne et du monde.

22.

Il est trois heures, ce 9 novembre 1700.

D'un signe, Louis invite son fils, Monseigneur le dauphin, puis le chancelier le comte de Pontchartrain, le duc de Beauvillier, le marquis Colbert de Torcy et Chamillart contrôleur général des Finances, à s'asseoir autour de lui.

Il se tourne vers Mme de Maintenon. Elle baisse aussitôt les yeux, se tasse, comme si elle voulait disparaître, se cacher afin qu'on l'oublie.

Mais il veut que tous, et même Françoise de Maintenon, s'expriment. Il le dit, puis il lit la dépêche. Il répète :

— Mon cousin et beau-frère est mort, et il a choisi pour héritier de son empire mon second petit-fils, le duc d'Anjou.

Il dévisage ceux qui l'entourent.

Le dauphin a les joues empourprées comme un cavalier qui toute la matinée a chassé le loup dans la forêt de Fontainebleau. Les autres tentent de dissimuler leur anxiété. Le chancelier est le plus pâle.

— Messieurs, j'attends votre choix, dit Louis. Le roi de France doit-il accepter le testament du roi d'Espagne ?

160

Il est étonné par la vigueur avec laquelle son fils parle, s'exprimant le premier, disant qu'il n'abandonnera jamais un seul pouce d'un héritage qui est celui de sa mère et qui revient à son fils Anjou, et qu'il faut donc accepter ce testament qui reconnaît la légitimité des droits de la reine Marie-Thérèse.

Il regarde Mme de Maintenon, qui hésite, puis, comme il ne la quitte pas des yeux, murmure que Monseigneur a raison, qu'il faut accepter ce testament.

Il interroge le duc de Beauvillier. Il le sait proche de Mme de Maintenon. C'est un de ceux qui soutenaient Fénelon, qui l'a même recommandé pour qu'il devienne le précepteur du duc de Bourgogne.

Beauvillier, d'un ton ferme, dit qu'il faut respecter le traité de partage, que l'acceptation du testament provoquera une guerre qui causera la ruine du royaume.

Louis le remercie d'une inclinaison de tête, pour la franchise avec laquelle il a exprimé ses convictions.

Un roi a besoin d'hommes qui savent le contredire.

Il écoute maintenant Chamillart et Torcy, l'un et l'autre favorables à l'acceptation du testament.

Torcy parle de commerce avec les Indes et les Amériques, qui sera désormais ouvert aux navires et aux marchands français, et le futur roi d'Espagne pourrait accorder à une compagnie française l'*asiento*, ce monopole de la traite négrière, le plus fructueux des commerces.

De toute façon, continue Colbert de Torcy, un roi de France peut-il accepter qu'un Habsbourg règne à Madrid ? Et ce serait le cas si l'on refusait le testament de Charles II. La guerre est donc, quel que soit le choix, inéluctable. Autant la faire avec l'Espagne pour alliée. Elle a des places fortes et des troupes.

Louis interrompt le marquis de Torcy afin que Pontchartrain s'exprime.

Il ne peut s'empêcher d'éprouver du mépris pour le

161

chancelier qui dit que le roi seul, plus éclairé que ses ministres, peut connaître et décider suivant ses lumières ce qui convient le mieux à sa gloire, à sa famille royale, au bien de son royaume et de ses sujets.

Louis laisse le silence s'établir, puis il dit :

— J'ai décidé.

Puis il précise qu'il faut garder secrète sa décision.

Il n'a pas encore prononcé les mots : « J'accepte le testament de Charles II. »

Il ne veut pas les dire.

Il se tourne vers le dauphin.

— Les droits de votre mère, dont les vôtres et ceux de vos fils, seront respectés, dit-il seulement.

Il attend d'avoir la copie du testament du roi pour annoncer officiellement qu'il l'accepte. Mais il sait que la Cour bruit de rumeurs, que dans une lettre à sa tante la princesse Palatine, toujours aux aguets, écrit :

« Hier tout le monde se disait à l'oreille : "N'en parlez pas mais le roi a accepté la couronne d'Espagne pour M. le duc d'Anjou." Je me tus quand j'entendis à la chasse le duc d'Anjou dans un chemin derrière moi, je m'arrêtai et dis : "Passez grand roi, que Votre Majesté passe." Je voudrais que vous ayez vu l'étonnement de ce brave enfant que j'étais au courant. Le duc d'Anjou a déjà tout à fait l'air d'un roi d'Espagne, il rit rarement et conserve toujours un air de gravité. »

Louis reçoit Colbert de Torcy, qui fait état de l'agitation que les rumeurs provoquent chez les ambassadeurs d'Angleterre, des Provinces-Unies et naturellement chez le représentant de l'empereur germanique.

— La couronne d'Espagne transférée dans la maison de France, ajoute Torcy, c'est l'un des plus grands événements qui soit arrivé depuis plusieurs siècles. Et, Votre Majesté ne l'ignore pas, le plus capable de renouveler incessamment une guerre générale.

Louis ne répond pas. Torcy le sait et l'a dit, dès le 9 novembre, le choix n'est pas entre la paix et la guerre, entre le partage de la succession et l'acceptation du testament, mais entre une guerre ou l'autre, l'une avec l'Espagne pour alliée et l'autre sans elle.

Il ne veut plus attendre pour annoncer son choix.

À Versailles, le 16 novembre 1700, Louis fait ouvrir les deux battants de la porte de son cabinet.

Les courtisans en foule se pressent pour entrer comme il les y invite. Il s'approche du duc d'Anjou qu'entourent ses deux frères, le duc de Bourgogne et le duc de Berry. Leur père, Monseigneur le dauphin, se tient à quelques pas.

Louis regarde son fils et ses petits-fils. Il est ému et fier.

Il dit, montrant le duc d'Anjou :

— Messieurs, voici le roi d'Espagne. La naissance l'appelait à cette couronne. Toute la nation l'a souhaité et me l'a demandé instamment, ce que je leur ai accordé avec plaisir : c'était l'ordre du ciel.

Il se tourne vers le duc d'Anjou.

— Vous êtes Philippe V d'Espagne, dit-il. Soyez bon Espagnol, c'est présentement votre premier devoir, mais souvenez-vous que vous êtes né français.

Il voit l'ambassadeur espagnol Castel Dos Rios qui s'agenouille en pleurant aux pieds de cet enfant, le duc d'Anjou – « mon petit-fils » –, Philippe V d'Espagne.

— Quelle joie, s'écrie Castel Dos Rios, il n'y a plus de Pyrénées ! Elles sont abîmées et nous ne sommes plus qu'un.

Louis entend les compliments des courtisans qui félicitent celui qu'ils appellent déjà Sa Majesté le roi d'Espagne.

Sait-il, cet enfant, ce que c'est que d'être roi ?

23.

Louis est assis dans son cabinet, les avant-bras posés sur les accoudoirs du fauteuil.

Il regarde droit devant lui, vers l'horizon où s'effilochent des nuages bas. Il semble ne pas voir le secrétaire assis en face de lui, et qui attend qu'il commence à dicter.

Il hésite encore.

Il a fait cela autrefois, il y a si longtemps, pour son fils, aujourd'hui père de ce duc d'Anjou qui est maintenant Philippe V d'Espagne.

Mais le dauphin n'écrira pas pour son fils des *Réflexions sur le métier de roi*, qu'il n'a pas exercé encore, et d'ailleurs quel roi sera-t-il, lui qui semble n'aimer que chasser le loup et qui paraît noyé dans la graisse et l'apathie ?

Alors, c'est à lui de parler à son petit-fils.

Il commence à dicter :

Instructions au duc d'Anjou

Il entend la plume crisser. Il ferme les yeux. Il a l'impression qu'il lit.

164

« 1 – Ne manquez à aucun de vos devoirs, surtout envers Dieu.

« 2 – Conservez-vous dans la pureté de votre éducation.

« 3 – Faites honorer Dieu partout où vous aurez du pouvoir ; procurez sa gloire ; donnez-en l'exemple ; c'est un des plus grands biens que les rois puissent faire.

« 4 – Déclarez-vous en toute occasion pour la vertu et contre le vice. »

Il s'interrompt.

Il a connu les liaisons sacrilèges, ce double adultère avec Athénaïs de Montespan, tant de femmes, Mlle de La Vallière et Mlle de Fontanges.

Il ne pourrait pas, le voudrait-il, se remémorer toutes les coiffes qu'il a saluées d'un coup de chapeau et les jupes qu'il a soulevées.

Il reprend.

« 5 – N'ayez jamais d'attachement pour personne.

« 6 – Aimez votre femme, vivez bien avec elle, demandez-en une à Dieu qui vous convienne. Je ne crois pas que vous deviez prendre une Autrichienne.

« 7 – Aimez les Espagnols et tous vos sujets attachés à vos couronnes et à votre personne ; ne préférez pas ceux qui vous flatteront le plus ; estimez ceux qui pour le bien hasarderont de vous déplaire : ce sont là vos véritables amis. »

Il a l'impression qu'en dictant sa vie défile, qu'il la voit comme dans un miroir, et qu'il peut, tel un spectateur, juger ce qu'il a fait, et exprimer ce qu'il aurait fallu, ce qu'il aurait dû être, et qu'il voudrait que le duc d'Anjou, Philippe V d'Espagne, soit.

« 8 – Faites le bonheur de vos sujets ; et, dans cette vue, n'ayez de guerre que lorsque vous y serez forcé et que vous en aurez bien considéré et bien pesé les raisons dans votre Conseil. »

Il s'arrête.

L'acceptation du testament, c'est la guerre assurée contre l'Empire.

Léopold Ier ne pourra pas accepter que l'Espagne échappe aux Habsbourg pour entrer dans la maison des Bourbons.

Mais les autres, l'Angleterre de Guillaume III, les Provinces-Unies que gouverne un certain Heinsius, un hérétique, s'allieront-elles à l'empereur, considérant que le roi de France les a trompées en signant avec elles des accords pour le partage de la succession d'Espagne et peut-être, en même temps, agissant à Madrid pour que Charles II lègue son empire au duc d'Anjou ?

Supporteront-elles que les marchands français soient favorisés par un roi d'Espagne qui n'oubliera pas qu'il est français ?

Les Anglais voulaient le monopole de la traite négrière. Mais la France le veut. Et Louis sait qu'il est actionnaire de la compagnie qui cherche à s'emparer de tout le commerce du « bois d'ébène ». L'Angleterre et les Provinces-Unies ont toujours défendu leur commerce avec leurs ongles et leurs crocs.

S'ils veulent la guerre, il faudra la faire et l'Espagne sera l'alliée du royaume de France.

Il reprend.

« 9 – Essayez de remettre vos finances ; veillez aux Indes et à vos flottes. Pensez au commerce ; vivez dans une grande union avec la France, rien n'étant si bon pour nos deux puissances que cette union à laquelle rien ne pourra résister.

« 10 – Si vous êtes contraint de faire la guerre, mettez-vous à la tête de vos armées.

« 11 – Songez à rétablir vos troupes partout, et commencez par celles de Flandre. »

Il voudrait tout dire, mais comment presser le suc de toute une vie, afin de le transmettre !

Alors il dit aussi bien « c'est à vous de décider » que « traitez bien vos domestiques mais ne leur donnez pas trop de familiarité et encore moins de créance », ou « ayez une cassette pour mettre ce que vous aurez de particulier dont vous aurez seul la clé », et « jetez quelque argent au peuple quand vous serez en Espagne et surtout en entrant dans Madrid ».

Il sent que sa gorge se serre quand il dicte :

« 27 – Aimez toujours vos parents ; souvenez-vous de la peine qu'ils ont à vous quitter ; conservez un grand commerce avec eux dans les grandes choses et dans les petites.

« 28 – N'oubliez jamais que vous êtes français. »

L'émotion le force à s'interrompre.

Il lui semble qu'il n'a pas dit l'essentiel.

Ce sera le trente-troisième point.

Il le dicte en parlant plus lentement encore :

« 33 – Je finis par un des plus importants avis que je puisse vous donner ; ne vous laissez pas gouverner ; soyez le maître ; n'ayez jamais de favoris ni de Premier ministre ;

écoutez, consultez votre Conseil, mais décidez. Dieu, qui vous a fait roi, vous donnera les lumières qui vous sont nécessaires tant que vous aurez de bonnes intentions. »

Il se tait, renvoie le secrétaire d'un mouvement de tête.

Il est las.

Il a l'impression qu'il vient d'offrir à son petit-fils toute sa vie, et qu'il ne lui reste plus que la tristesse de l'avoir déjà vécue.

24.

Il veut retenir ses larmes.

Il regarde le duc d'Anjou, Philippe V roi d'Espagne, qui est entouré de ses frères et de jeunes gentilshommes. Ils attendent dans les salons du château de Sceaux.

Il voit près d'eux le duc du Maine, qui vient d'acheter le château au fils de Colbert et qui pérore, claudiquant.

Louis détourne la tête.

Il a voulu que toute la famille royale accompagne le duc d'Anjou jusqu'à Sceaux. Au-delà, ses frères, les ducs de Bourgogne et de Berry, chevaucheront avec lui jusqu'à la frontière espagnole avec une escorte, et déjà une cour.

Mais c'est ici, dans ce château de Sceaux, ce 4 décembre 1700, que Louis doit se séparer de son petit-fils.

Et les larmes inondent ses yeux.

Il demande au duc d'Anjou de le rejoindre dans ce salon dont les valets referment les portes derrière eux.

Il voulait être seul avec lui pour ces adieux, et il ne peut parler.

Il lui remet ses *Instructions*, qu'il a dictées et dont il ne peut que lui dire qu'elles sont le fruit de toute sa vie de roi.

Il laisse le duc d'Anjou lui prendre les mains, les embrasser. Alors il le serre contre lui et tous deux pleurent.

Puis il ouvre les portes afin que la famille royale puisse entrer.

Il est surpris par la tristesse de Monseigneur le dauphin.

Il n'imaginait pas que son fils fût à ce point sensible et attaché au duc d'Anjou, qu'il embrasse en pleurant, et tous deux ne paraissent pas pouvoir se séparer.

Il ne voit, autour d'eux, que des visages couverts de larmes.

Mme la Palatine et Marie-Adélaïde de Bourgogne paraissent les plus touchées.

Et le duc d'Anjou sanglote.

Louis craint d'être lui aussi emporté par la tristesse alors qu'il a réussi à étancher ses larmes.

Il lance d'une voix forte :

— Qu'on aille voir si tout est prêt.

Il attend, la gorge nouée.

— Sire, tout est prêt, répond une voix.

Et près de lui il entend le duc d'Anjou, roi d'Espagne, qui murmure :

— Tant pis.

Il lui prend le bras, le conduit jusqu'au perron du château, et tout à coup il ne peut s'empêcher de pleurer.

Il cache son visage sous ses mains.

Le règne de Philippe V, roi d'Espagne, son petit-fils, commence.

Dieu l'a voulu ainsi.

Il monte dans son carrosse, seul.

Combien de temps Dieu le laissera-t-Il être encore Louis le Grand ?

25.

Il s'approche du tableau qu'il a fait placer dans le grand cabinet, là où il reçoit le Conseil, dans cette pièce qui se trouve à côté de sa chambre, au centre du château de Versailles.

Il est ému comme chaque fois qu'il regarde le portrait de son petit-fils. Il a félicité le peintre Hyacinthe Rigaud qui a saisi la jeunesse et la gravité du duc d'Anjou.

Il est fier et inquiet du duc qui lui a écrit pour lui raconter son entrée à Madrid.

« Mon peuple espagnol m'a acclamé, la Cour m'a réservé le meilleur accueil et tous les gentilshommes vous ont loué pour avoir accompli les volontés du roi défunt. »

Cette dépêche n'a pas dissipé son inquiétude.

La guerre est là qui vient.

Il ne la déclenchera pas, mais il agira au mieux des intérêts et de la grandeur du royaume dont il a la charge.

Il s'attarde longuement devant le tableau.

Il n'est plus seulement comptable devant Dieu du royaume de France mais aussi du royaume d'Espagne, puisque Dieu a voulu que ce soit son petit-fils, un roi d'à peine dix-sept ans, qui en soit le souverain.

Et Dieu savait que le duc d'Anjou ne pouvait régner qu'avec l'aide du roi de France.

Il doit donc veiller sur ce petit-fils, et les *Instructions* qu'il lui a remises ne suffiront pas à le protéger des ennemis qui se concertent.

Les Impériaux, Guillaume III, Heinsius à La Haye, préparent une grande alliance.

Et déjà, en Italie, les troupes impériales ont attaqué les régiments de Catinat.

Louis a donné l'ordre de ne pas livrer bataille, pas encore. Que Guillaume III ose déclarer la guerre !

Mais il est sûr qu'elle éclatera, et il ne doit céder sur rien.

Il a présenté au Parlement des lettres patentes, qui ont été approuvées et qui proclament que Philippe V conserve ses droits sur la couronne de France.

Il a répondu au duc de Beauvillier, qui regrettait qu'on ne respectât pas le testament de Charles II, qu'un roi de France était maître de choisir ses successeurs, et qu'il ne pouvait sans lâcheté et reniement priver son petit-fils de l'héritage que Dieu et le sang lui avaient attribué.

— C'est la guerre, a dit Beauvillier.

Comme si Guillaume III, Heinsius, Léopold Ier, et peut-être ce grand électeur du Brandebourg qui vient de se proclamer Frédéric Ier, roi de Prusse, avaient besoin de ce prétexte !

Il suffit aux Anglais et aux Hollandais de savoir que l'*asiento*, la traite négrière, a été attribué à la compagnie de Guinée, qui devra fournir quatre mille huit cents esclaves par an, pour qu'ils se liguent contre le royaume de France. Ils voulaient ce commerce-là et tous les autres.

Leur objectif est de briser les compagnies du royaume ! Et que le roi de France et celui d'Espagne soient parmi les bailleurs de fonds de la compagnie de Guinée leur est une raison de plus de s'opposer à la France et à l'Espagne.

172

— La guerre ruinera le royaume, a répété le duc de Beauvillier.

Louis a tenté de le rassurer.

Il vient de désigner, a-t-il dit, Michel Chamillart, contrôleur général des Finances, comme secrétaire d'État à la Guerre, et Chamillart sera à même ainsi de trouver les sommes nécessaires au paiement des soldes, à l'achat des armes, des munitions et des approvisionnements.

Chamillart projette de créer une monnaie en billets, qui pourrait suppléer le manque de pièces d'or ou d'argent. Louis a exigé qu'on donne à l'armée et à la flotte tout ce dont elles ont besoin. Et d'abord des hommes.

Il va promulguer une ordonnance pour que, dans tout le royaume, on lève une milice qui constituera une armée régulière venant appuyer les régiments réglés.

Il décide de faire occuper par les troupes les forteresses espagnoles de Flandre, et des renforts partent pour le Milanais. Il a désigné le maréchal de Boufflers pour commander toutes ses troupes, et il sera assisté par le duc du Maine, le comte de Toulouse – mes fils – et par le maréchal de Villeroi. Vauban, qui vient de publier un *Traité de défense des places*, sera à la tête du corps des ingénieurs.

— Qu'on déclare donc la guerre au roi de France et au roi d'Espagne, si on l'ose, a-t-il lancé.

Il quitte le grand cabinet à pas lents, car la goutte le tenaille toujours.

Il entre dans la chambre.

Il ne se lasse pas de cette pièce, où l'immense lit fait face à la ville de Versailles, et qui est le cœur du château.

C'est ici que chaque jour, au grand et au petit lever, et aux couchers, les courtisans viennent l'honorer selon une étiquette qu'il a fixée et à laquelle personne, même les princes du sang, même Monsieur son frère, ne peut se soustraire.

Il s'approche de la fenêtre.

Il regarde le char d'Apollon enveloppé de ses jets d'eau. Ce soir, le soleil dans sa course viendra éclairer ce Roi-Dieu, et le matin l'astre solaire illuminera la chambre.

Il est le Roi-Soleil et Louis le Grand.

Il contemple les jardins, les labyrinthes, les fontaines et les bassins.

Il a voulu tout cela. Il l'a fait surgir du néant.

Il n'y avait là que marais infestés et le modeste pavillon de chasse de son père.

Il voit désormais la ville neuve et, de l'autre côté du château, placé sur une éminence, le parc.

Il éprouve chaque fois qu'il redécouvre cet ordonnancement et ce monde qu'il a créé une joie plus forte que toutes celles que lui ont données les femmes et les victoires.

Il a été à la genèse d'un monde dont il occupe, dans cette chambre et ce grand cabinet, le centre.

Il jouit du plaisir superbe d'avoir forcé la nature.

L'huissier fait entrer Rigaud qui, après s'être incliné, dispose ses chevalets, suggère la pose.

Car Louis veut être peint. Philippe V lui a écrit pour lui demander un portrait de lui, qu'il placerait à l'Escorial.

Il a choisi Hyacinthe Rigaud qui a si bien réussi à représenter son petit-fils.

Mais il veut un portrait en pied, en costume de sacre.

Il s'appuiera sur le sceptre dont il se servira comme d'une canne, ce qui lui permettra de soutenir ce corps dont les os le font toujours souffrir.

Il veut avoir près de lui la couronne et la main de justice. Il portera le glaive et le riche et somptueux manteau du sacre.

Il se regarde dans le miroir pendant que Rigaud peint.

Il met son poing gauche sur sa hanche. Il écarte un peu le manteau, afin qu'on voie ses bas de soie moulant ses jambes dont les dames disaient qu'elles étaient les plus fines, les plus élégantes de tout le royaume.

Il esquisse un pas de danse, et reste ainsi le temps qu'il faut en se contemplant, en oubliant ses douleurs, en pensant que si le tableau ressemble à ce qu'il voit, il demandera à Rigaud d'en faire des copies qui seront envoyées dans toutes les villes du royaume et dans toutes les cours d'Europe.

Il sent, quand il se retrouve seul, que cette station debout, qui pourtant fut brève, Rigaud ayant fait une esquisse qu'il terminera dans son atelier, l'a fatigué.

Il s'irrite de ce corps qui devient un entrelacement de souffrances, d'inconvénients et de malaises.

Il n'a plus de dents. Les derniers chicots sont tombés ou ont été arrachés par ces chirurgiens qui agissent comme des bourreaux.

La goutte continue de le ronger et, même s'il monte à cheval, il ne peut plus chasser le cerf qu'en calèche !

Et il ne se passe pas de jour que les médecins qui l'examinent ne décident de le purger, ou même de le saigner.

Il tend son bras ou sa jambe à Fagon. Il voit son sang couler. Et quelquefois on lui en retire cinq palettes. Puis Fagon lui administre des drogues, des poudres, et convoque les chirurgiens qui incisent un furoncle ou un abcès.

Il subit en silence.

Un roi doit savoir accepter la maladie, cette guerre qui se livre dans le corps, et qu'on ne peut gagner.

Il regarde son portrait en pied, en costume de sacre, tel que Rigaud l'a achevé.

Il est comme il le désirait et de nombreuses copies déjà ont été entreprises. Certaines ont été envoyées aux intendants pour qu'ils les exposent dans leur demeure.

Mais quand il approche de la toile, il ne peut pas regarder longtemps son visage.

Ces bajoues, ces rides, ce cou ne le trompent pas. La

vieillesse est inscrite là, même si, quand il recule de quelques pas, la silhouette est majestueuse, altière.

Mais il ne s'illusionne pas. La mort est au travail. Elle rôde en compagnie de la maladie. Chacun est sa proie.

Le 19 mars, Monseigneur le dauphin, qui rentrait de sa quotidienne chasse au loup, a été frappé par une attaque d'apoplexie.

Louis s'est penché sur le corps paralysé de son fils. Il l'a cru mort. Puis la vie est revenue. Le dauphin s'est redressé. Fagon l'a saigné, le mettant en garde contre les débauches de la table et du lit auxquelles le dauphin s'adonne.

Louis est resté silencieux.

Il a eu le sentiment que Dieu venait de l'avertir, de lui rappeler qu'il pouvait le frapper dans ce qu'il avait de plus cher, ses fils, les membres de la famille royale, et, tout en le préservant lui, le roi, lui infliger les souffrances du deuil.

Et la mort s'abat. Elle emporte le petit-fils de quelques mois de Mme la Palatine.

Il semble à Louis, quand il voit Madame en sanglots, qu'elle est devenue une vieille femme, au corps difforme, aux cheveux blancs, aux chairs flétries.

Elle accuse le médecin d'avoir fait mourir l'enfant de sa fille, la duchesse de Lorraine.

— Il lui a donné en l'espace de douze heures, dit-elle, quatre lavements d'eau de chicorée avec de la rhubarbe, une poudre contre les convulsions, une grande quantité d'une forte eau de mélisse et des gouttes d'Angleterre. Il faut que cela ait étouffé le pauvre enfant.

Il reçoit peu après à Marly, pour le dîner, Monsieur son frère. Et il est saisi par son visage empourpré, son corps alourdi par les excès, le désarroi de son regard, ces brusques silences, puis ces colères qui l'empoignent.

Il l'écoute d'abord avec patience, fasciné par celui qui est son cadet et qui paraît si vieux et si usé.

Puis le ton monte. Monsieur se plaint que son fils, le duc de Chartres, qui s'est rendu illustre par sa bravoure sur les champs de bataille de Flandre, n'ait reçu aucun commandement, alors que le comte de Toulouse, le duc du Maine sont généraux.

Il faut répondre, dire que Chartres mène une vie dissolue.

Monsieur s'indigne. Il a accepté, dit-il, le mariage de son fils avec Mlle de Blois.

— En mariant mon fils à votre bâtarde, dit-il, vous lui avez promis des avantages qui ne sont jamais venus. Ce mariage ne lui a apporté que déshonneur.

— Ma fille a trop de patience avec votre fils, dit Louis.

Il parle haut. Son frère hurle.

Un huissier entre, indique que les courtisans rassemblés dans les salons voisins entendent les cris de Sa Majesté et de son frère.

Cette haine, ce ressentiment tout à coup, ces rancœurs accumulées par Monsieur durant toute une vie, Louis a l'impression qu'ils le salissent comme des vomissures.

Il faut que cela cesse. On n'insulte pas le roi, même lorsqu'on est son frère.

Il ouvre les portes du cabinet, il toise les courtisans qui vont assister au dîner.

Il regarde son frère qui, les yeux brillants de colère, avale les mets avec avidité, boit plus que de raison, s'étouffe presque en engloutissant les fruits, les confitures, les pâtisseries, se lève en titubant, comme s'il était ivre, s'incline à peine devant le roi, annonçant qu'il rentre dans son château de Saint-Cloud.

Louis a la certitude qu'entre eux, après cette dispute, les liens fraternels, maintenus tout au long de la vie, se sont rompus.

177

Il y a pensé toute la journée, puis lorsqu'après le souper il se retrouve seul dans sa chambre de Marly.

Et il n'est pas surpris quand il entend un bruit de voix qui s'amplifie, dans le château, et qu'un messager, arrivé de Saint-Cloud, lui annonce que Monsieur est au plus mal, qu'à la fin du souper Monsieur s'est effondré, victime d'une crise d'apoplexie. Les remèdes ont été impuissants à le soulager. Il agonise, et il est peut-être déjà mort, à cette heure.

Il faut se rendre au château de Saint-Cloud, affronter la mort qui achève d'envahir ce corps au visage empourpré, à la lèvre pendante, aux yeux révulsés, et qui tente encore de balbutier.

Il est trois heures du matin.

Madame, échevelée, pleure, répète que c'est le plus grand malheur du monde qui la frappe.

Les médecins sont à l'œuvre, penchés sur le mourant.

— La machine va disputer longtemps, dit Fagon.

Louis se rend à la chapelle du château, s'y agenouille.

C'est toute son enfance qui meurt avec son frère.

Qui se souviendra de ces années si lointaines ?

Il pleure quand, vers midi, ce 9 juin 1701, alors qu'il est rentré à Marly, on lui annonce que Monsieur, frère du roi, est mort.

Cette dispute entre eux, quelques heures avant l'agonie, c'était comme une confession violente, une sorte de cri, peut-être aussi comme la protestation devant la mort qui allait venir les séparer et devant l'injustice d'avoir lui, le cadet, à mourir le premier.

Cette mort, c'est comme si on arrachait à Louis une partie de son corps.

Il sanglote.

Mais il refuse de rester dans ses appartements ou bien de dîner seul en compagnie de Mme de Maintenon.

L'étiquette doit être respectée. Il dînera devant la Cour, comme à l'habitude. Il veut que la vie continue.

Il dit au duc de Bourgogne de proposer aux courtisans, après le souper, de jouer aux cartes. Il le fait. On ne doit pas s'ennuyer à Marly. Il faut accepter la mort sans jamais y soumettre la vie.

Mais il se sent amputé, et chaque jour la douleur est avivée par les actes qu'il doit accomplir.

Il faut assister à l'ouverture du testament, régler la vie de Mme la Palatine, favoriser sa réconciliation avec Mme de Maintenon, imposer à la duchesse de Bourgogne, Marie-Adélaïde de Savoie, la présence de Madame alors qu'elle hait la «vieille Allemande».

— Je veux, dit-il, que Madame soit de tout, elle est ici dans sa famille, et qu'ainsi il faut qu'elle vive comme les autres et qu'elle n'y soit pas retirée.

Elle demeurera donc dans ses appartements et ceux de Monsieur à Versailles. Il apprend qu'elle y a découvert les lettres que les mignons adressaient à son époux.

Elle se confie. Elle les a brûlées sans les lire, prétend-elle, mais elles étaient toutes parfumées des plus violentes senteurs. Certaines contenaient des poils de la maîtresse de ce mignon qui écrivait à Monsieur : «Voilà ce qui vient de cet endroit que vous aimez tant.»

Il veut que la mort efface tout cela. Et il veut que les cérémonies du deuil célèbrent avec faste celui qui était le plus proche du roi.

L'honorer et prier pour lui, c'est aussi le faire pour le roi.

Il veut que les courtisans viennent à son lever en grand manteau de deuil, que le corps de Monsieur soit transporté dans un char de triomphe drapé de noir, bordé d'hermine et surmonté d'un grand dais.

Le cœur de Monsieur est inhumé au Val-de-Grâce, et il veille à ce que les funérailles dans la basilique de Saint-Denis soient d'une pompe royale. Les ducs de Bourgogne, de Berry et d'Orléans conduisent le deuil.

Mais Monseigneur le dauphin a préféré chasser le loup dans la forêt de Saint-Germain.

Il ne le lui reproche pas.

La vie doit, après le passage de la mort, reprendre au plus vite tous ses droits.

Mais en cette année 1701, la mort s'obstine.

Il doit aller veiller au château de Saint-Germain Jacques II qui agonise, qui lui demande de reconnaître son fils Jacques III, roi d'Angleterre.

S'il le fait, c'est un prétexte de plus donné à Guillaume III et au Parlement anglais de déclarer la guerre, alors que quelques jours auparavant, à La Haye, la grande alliance contre le royaume de France préparée depuis des mois a été conclue.

Il réunit, à Versailles, dans le grand cabinet, le Conseil. Il écoute les ministres, qui estiment qu'il ne faut pas reconnaître Jacques III.

Mais ils n'ont pas entendu la voix de Jacques II mourant supplier qu'on fasse de son fils son successeur.

Ils n'ont pas reçu la veuve du roi qui, en sanglotant, a rappelé le souhait de son époux.

Ils n'ont pas écouté les prières de Mme de Maintenon en faveur de Jacques III, souverain catholique, que le Roi Très-Chrétien doit reconnaître, et Dieu se souviendra de ce qui est un acte de piété.

Louis dit, alors que les ministres debout s'apprêtent à sortir du grand cabinet, que Guillaume III est le roi de fait, avec

180

qui l'on doit négocier, mais tout montre qu'il s'y refuse, qu'il préfère la guerre, que les Impériaux ont déjà commencé en Italie, dans le Milanais, où le maréchal de Catinat a été battu. Et il faudra savoir pourquoi.

Il se tait un long moment, puis il ajoute :

— Mais Jacques III est le roi selon le droit et notre cœur, et nous devons le proclamer tel.

Il regarde les ministres baisser la tête et quitter le grand cabinet.

Michel Chamillart se retourne, s'apprête sans doute à parler, mais Louis le toise, et le contrôleur général des Finances et secrétaire d'État sort à son tour.

Louis l'a écrit à Philippe V, en conclusion des *Instructions* qu'il lui a données : «Ne vous laissez pas gouverner ; soyez le maître ; consultez votre Conseil, mais décidez.»

Et il a décidé. Et la guerre, inévitable, est là.

Mais son petit-fils, le duc d'Anjou, est roi d'Espagne, pour la plus grande gloire de la dynastie des Bourbons, en faveur de qui Dieu a choisi.

Et il vient de bénir le mariage de Philippe V avec Marie-Louise Gabrielle de Savoie, la sœur de Marie-Adélaïde, aussi belle et aussi vive qu'elle, dit-on.

Louis se promène en carrosse dans le parc de Versailles, malgré le froid de ce mois de décembre 1701.

Il a fait asseoir en face de lui Marie-Adélaïde, duchesse de Bourgogne, et Madame, la Palatine, la veuve de Monsieur.

Il regarde la duchesse, et c'est la vie triomphante qu'il voit, celle qu'il a vécue, qu'il voudrait vivre encore. Et il imagine le bonheur de ses petits-fils, le duc de Bourgogne et le duc d'Anjou, roi d'Espagne.

Puis il dévisage à la dérobée Madame, et c'est l'autre versant de la vie, celui sur lequel il se trouve, qu'il découvre.

Il voudrait l'oublier.

Mais à chaque cahot du carrosse, il ressent dans les jambes et le dos, jusqu'aux épaules, une vive douleur. Il a soixante-trois ans.

Alors il se souvient de la première phrase du testament de son frère : « La mort attaque également tous sans qu'ils y pensent. »

Et il prie.

26.

Il est assis dans le grand cabinet et il aperçoit au loin, sous le soleil d'hiver, cette lumière d'argent terni, les toits de la ville neuve de Versailles.

Il écoute Michel Chamillart qui, debout devant lui, évoque une nouvelle fois comment, à Crémone, quelques soldats impériaux se sont glissés dans la ville, ont capturé le maréchal de Villeroi, se sont retirés avec lui cependant que les régiments français repoussaient victorieusement l'attaque ennemie.

— Mais le maréchal de Villeroi est toujours leur prisonnier, conclut d'une voix étouffée Chamillart.

Louis a froid.

Il se tourne vers la cheminée. D'un tronc brisé jaillissent des flammes vives, et les braises sont comme des morceaux de métal fondu, qui passe du rouge à l'or.

Il invite d'un mouvement de la tête le contrôleur général des Finances, ministre de la Guerre, à poursuivre. Mais il sait que Chamillart tentera de lui dissimuler ce qui peut déplaire, la rumeur de la Cour et les articles des gazettes étrangères qui se moquent de ce pauvre Villeroi, maréchal de France prisonnier.

Il y a quelques jours, il a convoqué le maréchal de Catinat, battu lui aussi par les Impériaux dans le Milanais. Et Chamillart présent a dû reconnaître qu'il avait bien reçu les missives de Catinat, rendant compte des premières opérations de guerre contre les Impériaux, et les dépêches du maréchal de Boufflers faisant état des attaques des troupes des Provinces-Unies, en Flandre. Partout, la coalition, alors que la guerre n'est pas encore officiellement déclarée, est passée à l'offensive.

Chamillart a finalement avoué qu'il avait donné ces lettres des maréchaux à Mme de Maintenon.

Elle avait sans doute voulu éviter à Sa Majesté les désagréments de ces événements, qui seront effacés par les victoires éclatantes qui se préparent.

Il ne peut en vouloir à Françoise de Maintenon. Elle veut le protéger, et elle agit pour le bien.

Mais il doit tout savoir.

Il veut, en personne, traiter du règlement des armées. Et il veut, seul à seul avec Chamillart, puis le marquis de Chamlay, examiner les plans de bataille, décider des offensives, être ici, à Versailles, au cœur du royaume, le maître des opérations de guerre.

Il a la charge non seulement du sort du royaume de France mais aussi de celui d'Espagne.

Le duc d'Anjou, ce souverain de moins de vingt ans qui ne parle pas espagnol, et sa jeune épouse, Marie-Louise Gabrielle de Savoie, ont besoin de lui. Il n'est pas que le grand-père du duc d'Anjou, il doit être le tuteur de Philippe V.

Il veut que l'ambassadeur d'Harcourt agisse en vice-roi, et c'est avec lui qu'il communique. Et il n'ignore pas que Mme de Maintenon a choisi la *camarera mayor* qui va régenter la vie de la reine et du roi d'Espagne.

184

Il a vu cette princesse des Ursins, Marie-Anne de La Tré-moille, et il a été frappé par le regard brillant, l'allure altière, la poitrine provocante de cette femme fière, qui doit sur-veiller, conseiller le couple royal d'Espagne et renseigner Mme de Maintenon de tout ce qui survient en tout domaine à la cour d'Espagne.

Louis tend les mains vers les flammes, mais il lui semble qu'il ne réussira plus à réchauffer son corps.

Il ne grelotte pas, mais ses os sont de la glace dont il a l'impression qu'elle peut se briser, laissant son corps rempli de douleurs.

Et elles sont là. Il doit les contenir. Il doit vivre, gagner cette guerre qu'il mène, comme s'il était le roi de deux royaumes, les plus grands du monde.

Et c'est pour cette puissance, cette gloire, qu'on le hait, à Londres, à La Haye, à Vienne et même à Berlin.

La mort de Guillaume III n'a rien changé à cela. Au contraire, Louis a refusé que l'on porte le deuil de cet hérétique, de ce roi de Parlement, et toute l'Europe s'est indignée.

Et même à la Cour, certains gentilshommes ont murmuré qu'il fallait honorer la mémoire d'un souverain, que c'était là l'usage.

Mais ce Guillaume d'Orange n'était pas un roi légitime, seulement un roi de fait. Et la reine Anne Stuart qui lui a succédé, qui est pourtant la fille de Jacques II, a aussitôt déclaré : « On ne saurait trop encourager nos alliés à réduire la puissance exorbitante de la France. »

Il ne se passe pas de jour qu'on ne publie un pamphlet à Amsterdam, à La Haye ou à Londres, contre le « *french* tyran », despote ennemi des droits, et donc de la liberté des peuples.

Il sent cette haine autour de lui. Elle se cache sous les apparences de la dévotion qu'on lui porte.

Il le dit à Chamillart :

— Les gens qui insultent au malheur du maréchal de Villeroi, parce qu'il est prisonnier des Impériaux, s'en prennent à lui parce qu'on connaît l'amitié que j'ai pour lui. Villeroi souffre de la haine qu'on me porte.

Il est inquiet de la voir se répandre dans le royaume.

Il lit les rapports des intendants. Il a exigé de Chamillart qu'on les lui remette dès qu'ils parviennent à Versailles.

Il est seul dans le grand cabinet.

Il doit savoir.

Dans les campagnes, les jeunes paysans tentent par tous les moyens d'éviter l'enrôlement dans la milice.

Ils s'enfuient dans les forêts, se mutilent, se marient pour échapper à ceux qu'ils appellent les « vautours », les « vendeurs de chair humaine », qui les traquent comme du gibier, organisant des battues, encerclant des villages, se saisissant de tous les jeunes hommes, mariés ou pas. Il veut que ce recrutement se poursuive ! Il ne peut pas accepter le refus de servir le roi et le royaume.

Il est celui qui décide de ce qui est bon pour le royaume et ses sujets.

Ils doivent donc se soumettre aux règlements édictés.

La guerre dévore les hommes. C'est ainsi. Et il ne peut tolérer la rébellion. Elle est trahison.

Il dit à Chamillart qu'il faut que partout l'ordre règne. Et l'ennemi veut favoriser la révolte contre le roi.

Toute l'Europe exalte les hérétiques qui, dans les Cévennes, se sont organisés en bandes et bientôt en une véritable armée.

Ils ont commencé par assassiner un prêtre, l'abbé du Chayla, puis mis le feu aux églises, persécutant les catholiques.

Ces hérétiques doivent être réduits. Il n'y a plus de place dans le royaume pour une autre religion que celle du roi.

186

Comment, plus de quinze ans après la révocation de l'édit de Nantes, osent-ils encore se réunir pour écouter des « prêches » exaltés ?

Dans ces « assemblées du désert », les prédicateurs, qui ne sont parfois que des paysans, appellent à la révolte dans toutes les Cévennes. Il faut sévir.

Il charge le maréchal de Montrevel d'en finir avec cette guerre des « camisards ».

Il est hostile à l'idée qu'on pende deux camisards pour un meurtre. Mais il faut vaincre ces furieux, ces hérétiques, ces faux « enfants de Dieu », et, pour réduire cette armée et capturer son chef, ce Jean Cavalier qui réussit à tenir en échec plusieurs milliers d'hommes, soldats et partisans catholiques, s'il le faut, alors qu'on « rase » le pays des Cévennes, qu'on en chasse les habitants vers les villes, et que les combattants qui échapperont au mousquet, à la lame ou à la corde soient condamnés aux galères.

Comment un roi, en pleine guerre, pourrait-il tolérer que perdure une rébellion, dans le royaume, qui ne peut que favoriser l'ennemi, sinon être à son service ?

Car il lui suffit de lire ce qui s'imprime dans les Provinces-Unies, dans les terres d'Empire et naturellement en Angleterre, pour savoir que l'on espère que cette guerre des camisards sera la saignée qui épuisera le royaume de France.

Et il est lui, Louis le Grand, l'incarnation de ce royaume. C'est donc lui qu'on veut saigner, lui qu'on hait.

Il y a ce Heinsius, grand pensionnaire de Hollande, qui poursuit la politique de Guillaume III, qui a la détermination d'un hérétique, d'un calviniste, et dont Louis se souvient que Louvois l'avait menacé de la Bastille, alors qu'il représentait en France Guillaume d'Orange.

Cet homme-là le hait.

Et il y a pire.

187

Il pense, chaque fois qu'on parle du prince Eugène de Savoie qui, après s'être illustré au service de l'Empire contre les Turcs, combat victorieusement en Italie les troupes françaises, à Olympe Mancini dont il est le fils.

Cette femme-là, cette nièce de Mazarin qu'il a conquise, puis écartée, est depuis lors son ennemie. Il l'a chassée du royaume parce qu'elle était compromise dans l'affaire des Poisons. Et son fils a hérité de cette haine.

Il y a près de vingt ans à Versailles, Eugène de Savoie lui avait présenté une requête. Il sollicitait le commandement d'une compagnie. C'était parmi la foule des courtisans une voix, une silhouette, que Louis avait paru ne pas remarquer.

Maintenant, il dit à Chamillart :

— Personne n'a jamais osé me regarder avec autant d'insolence, comme un épervier jaugeant sa proie.

Et il y a plus avide que ce rapace, ce John Churchill, duc de Marlborough, inspirateur de la reine Anne d'Angleterre et qui a appris le métier des armes avec Turenne, qui lui aussi, comme Eugène de Savoie, a voulu servir dans l'armée royale, et que Louvois a jugé avec mépris.

De ces trois hommes-là, il ne peut attendre que de la haine, le désir de le vaincre et donc de l'humilier. Et ce sont eux qui suscitent, financent les pamphlets, les articles des gazettes qui représentent le roi de France sous les traits d'un tyran.

Il veut combattre ces calomnies.

Il écoute Colbert de Torcy, le secrétaire d'État aux Affaires étrangères, qui propose de répandre en Europe des lettres qui seraient imprimées à Bâle. Traduites en anglais, en allemand, en latin, elles diffuseraient les arguments du roi de France, sans paraître être l'expression de sa politique.

Il approuve cette « guerre couverte », mais il sait que la victoire naîtra seulement de la résistance et des succès des armées françaises et espagnoles.

188

Chaque jour, il reçoit dans ce grand cabinet, en même temps que Michel Chamillart, le marquis de Chamlay qui présente l'état des forces, la situation des fronts.

Louis écoute avec attention, note, comptes ses hommes, les mousquets, les canons.

Depuis qu'il est en fait le souverain de deux royaumes, et que la guerre est déclarée, il passe ses journées dans ce grand cabinet, distrait seulement par la course du soleil qui éclaire la pièce.

Et ce passage de la pénombre à la lumière, du gris argenté de l'hiver à l'éclat doré de l'été, puis à la rouille de l'automne, est comme accordé à la succession des batailles.

Français vaincus, puis vainqueurs, Anglais qui tentent de débarquer à Cadix et qui sont repoussés, et ces milliers de morts, et parmi eux le duc de Créqui, qui pourrissent des Flandres au Milanais.

Il reçoit Villars qui vient de remporter à Friedlingen, sur les troupes impériales du margrave de Bade, une victoire éclatante, les contraignant, avec des forces moins nombreuses, à reculer. Et les soldats ont acclamé Villars, aux cris de « Vive le Maréchal ! ».

— C'est d'ordinaire vers les dix heures du soir que Chamillart vient travailler avec moi, dit Louis.

Il lui semble qu'il réussit à chasser de son corps le froid, déjà si pénétrant dans cet automne 1702.

— Pendant plus de trois mois, reprend-il, il ne m'a appris que des choses désagréables. L'heure à laquelle il arrivait était marquée par des mouvements de mon sang. Vous m'avez tiré de cet état.

Il se tait, regarde le feu puis Villars.

— Comptez sur ma reconnaissance, conclut-il.

Villars sera maréchal de France, comme le criaient ses soldats.

Mais le froid revient.

L'ambassadeur d'Harcourt et la princesse des Ursins écrivent tous deux de Madrid qu'une flotte de galions, chargée d'or, arrivant d'Amérique était entrée dans la baie de Vigo.

Elle a été attaquée par une flotte anglaise, qui a fermé la baie, puis s'est emparée des forts protégeant le port où venaient de s'amarrer les galions.

On a débarqué une partie du trésor, mais il a fallu, pour éviter que les Anglais ne s'emparent du reste, incendier et voir couler les quinze galions et leur chargement.

Louis sait que l'or est le sang de la guerre.

Et quand il voit rentrer Chamillart dans le grand cabinet, il devine, à l'expression du contrôleur général des Finances, que cette mauvaise nouvelle venue d'Espagne ne sera pas la seule.

Dans les Cévennes, près d'Alès, dit Chamillart, les camisards de Jean Cavalier ont tendu une embuscade aux troupes de la garnison, qu'ils ont mises en déroute alors qu'ils étaient dix fois moins nombreux.

Louis se tait, puis se lève avec difficulté. La goutte veut le retenir prisonnier, comme un maréchal défait et capturé.

Il se redresse. Il va aller chasser, en calèche, malgré les douleurs et le froid. Il doit continuer à vivre en roi.

Il dit à Chamillart qu'il vient de décider que son petit-fils, le duc de Bourgogne, siégerait au Conseil des finances et au Conseil d'État, afin qu'il y écoute et s'y forme quelque temps sans opiner, mais après qu'il serait bien aise qu'il entrât en tout.

Pour combattre le froid et la mort, vaincre, donc, il fait confiance à la chaleur de la vie qui bat dans le sang de ses descendants.

27.

Il regarde Mme de Maintenon à la dérobée.

Elle porte une robe bleue qui serre son buste, en fait ressortir les formes. Un flot de dentelles noires cache le bas de son visage et son cou.

Le temps ne semble pas avoir de prise sur ses joues roses, lisses.

Est-il possible qu'elle ait deux ans de plus que lui, soixante-sept ans, donc?

Elle baisse la tête.

En ce début d'année 1703, il pense presque chaque jour qu'il atteindra, dans quelques mois, sa soixante-cinquième année.

Elle pèse sur lui.

On l'a encore saigné ce matin. Les tailleurs ont succédé aux médecins, pour mesurer son tour de taille, afin de lui couper de nouveaux vêtements adaptés à sa corpulence.

Mme de Maintenon, elle, ne change pas. Elle ne se plaint d'aucune maladie. On ne la purge pas, on ne la saigne pas, alors qu'il vient d'apprendre que Mme la Palatine, qui a tout juste cinquante ans, demeure alitée. Elle a depuis deux jours une fièvre continue qui a même eu un redoublement cette nuit.

Il a envoyé son médecin Fagon interroger les médecins qui la soignent, et ce dernier vient de lui faire le compte rendu de leur diagnostic : « Grand mal de gorge, elle perd beaucoup de sang par le derrière, en gros caillots, ce qu'on ne peut pas soupçonner d'être un effet des hémorroïdes. »

Elle ne veut pas qu'on la saigne et refuse de prendre des eaux ferrugineuses. Et elle ne se nourrit que d'un peu de pain.

Il lui rend visite, mais il ne s'attarde pas. Elle somnole, abattue, elle hier encore pleine d'une violente énergie.

Il questionne Fagon. Mais le médecin ne se prononce pas. Madame est forte, mais Madame peut mourir, dit-il. Il faut qu'elle accepte d'être soignée.

Il l'ordonne.

Il rentre dans son grand cabinet, inquiet.

La mort rôde. Il voudrait que le duc de Bourgogne et Marie-Adélaïde de Savoie lui donnent un arrière-petit-fils.

Autour du roi la vie doit bourgeonner.

Il a appris avec joie que le duc de Chartres, devenu depuis la mort de Monsieur, frère du roi, duc d'Orléans, vient d'avoir un fils, Louis !

Il s'agit de la branche cadette, mais il remercie Dieu.

Toute naissance de sang royal est une grâce.

Il regrette, à cet instant, d'avoir nommé le duc de Bourgogne généralissime de l'armée d'Allemagne. Son petit-fils, il l'a appris par Vauban qui en a fait rapport à Chamillart, a eu une conduite héroïque. Il s'est exposé durant le siège de Vieux-Brisach.

Et s'il était atteint par un boulet ou une balle ?

Est-ce que la prise d'une ville vaut la vie d'un petit-fils de Louis le Grand, qui peut un jour régner sur la France ?

Il va écrire à Vauban, pour l'élever à la dignité de maréchal de France, et en même temps lui commander de renvoyer à Versailles le duc de Bourgogne, d'ordre du roi.

Qu'il apprenne son métier de roi en assistant aux Conseils, plutôt que de braver l'ennemi et de risquer d'en mourir !

Il s'installe à sa table.

Les lettres, les rapports s'entassent. Il les ouvre, les parcourt.

Il doit vivre jusqu'à ce qu'il ait gagné cette guerre. Qui d'autre pourrait conduire le royaume ?

Le dauphin chasse le loup. Le duc de Bourgogne est courageux, mais que sait-il de la conduite des affaires ?

Louis lève les yeux, regarde le portrait de Philippe V.

Et ce petit-fils, serait-il capable de lui succéder, de gouverner à la fois l'Espagne et la France ?

Philippe V ne paraît même pas pouvoir faire régner l'ordre autour de lui à Madrid, tout en ayant l'ambition de régner seul.

Louis a appris que Philippe veut chasser le cardinal d'Estrées, le nouvel ambassadeur de France, chargé de le guider.

Sans doute a-t-il succombé aux charmes de la princesse des Ursins, qui veut écarter d'Estrées, être la seule à conseiller le roi. Et d'Estrées l'accuse de vouloir chasser les Français de l'entourage de Philippe V pour mieux le tenir sous sa coupe.

Louis interroge Mme de Maintenon, à laquelle la princesse des Ursins réaffirme dans chaque lettre sa fidélité.

Il dit qu'il choisit d'Estrées et Mme de Maintenon baisse la tête, murmure que la volonté de Sa Majesté doit l'emporter sur toutes les autres

Soit. Il écrit à Philippe V :

« Je choisis d'Estrées comme l'homme le plus consommé dans les affaires. Et au moment où vous avez le plus besoin de ses talents ; quand il est plus nécessaire de prendre de promptes résolutions pour votre sûreté et celle de votre royaume, vous faites voir en vous une malheureuse facilité à croire que, tout d'un coup, vous pouvez gouverner seul une monarchie que le plus habile de vos prédécesseurs aurait eu peine à conduire dans l'état où elle est présentement.

« Je vous aime trop tendrement pour vous abandonner.

« Vous me réduirez cependant à cette fâcheuse extrémité si je cesse d'être informé de ce qui se passe dans vos Conseils.

« Il n'est pas juste que mes sujets soient absolument ruinés pour soutenir l'Espagne malgré elle. »

Il se sent apaisé d'avoir ainsi tranché, averti Philippe V de sa décision, agi au mieux des intérêts du royaume qui, il n'a pas menti, souffre.

Louis a accepté que Chamillart crée un nouvel impôt, de un pour cent sur les ventes de biens immobiliers. Et le pays grogne. Mais peut-on faire la guerre sans finances abondantes ?

Et même avec ce nouveau prélèvement, elles ne le sont guère.

Et les hommes manquent aussi, malgré la levée de la milice, et parce qu'il faut distraire des milliers d'hommes, une armée, pour tenter de briser la révolte de ces camisards, de ces hérétiques qui dans les Cévennes continuent leur guerre.

Il lit les rapports de l'intendant Basville, du maréchal de Montrevel.

Ils lui écrivent que les camisards « ont élu des chefs parmi eux qui sont à la vérité d'une naissance abjecte, mais qui réparent ce défaut par beaucoup de courage et de capacité ».

Ils mènent une guerre d'embuscade. Même les femmes huguenotes ont pris les armes et crient « Tue ! Tue ! Vive l'épée de l'Éternel ! ».

Les condamnations aux galères, les pendaisons, les exé-
cutions de centaines de camisards, l'incendie des villages, et
même les défaites que leur inflige Montrevel, sa cruauté, ne
parviennent pas à les réduire.

Au contraire, ils deviennent féroces, brûlent et égorgent
les catholiques. Et des navires anglais viennent croiser
devant Sète, sans doute avec l'intention de leur porter
secours en débarquant des troupes hérétiques.

Un roi doit savoir être sans pitié.

Il faut étouffer, dit-il, cette prise d'armes, cette rébellion
qui est l'alliée des ennemis du royaume.

Il n'est pas surpris d'apprendre que parce qu'on imagine
le royaume affaibli, atteint par cette gangrène camisarde, des
souverains, d'abord rangés à ses côtés, l'abandonnent.

Le Portugal du roi Pierre II signe un traité avec l'Angleterre, et menace ainsi l'Espagne.

Il faut donc renoncer à imposer à Philippe V ce cardinal
d'Estrées dont la Cour espagnole ne veut pas. Car Philippe V, tout petit-fils du roi de France qu'il soit, peut, s'il
juge ses intérêts royaux mis en danger, changer de camp.
Les hommes sont ainsi. Et la princesse des Ursins peut
aussi avoir intérêt à cette rupture, enivrée par son goût du
pouvoir.

Louis hésite encore. Il n'aime pas céder. Mais un roi doit
savoir feindre et manœuvrer.

Il écrit à Philippe V :

« J'ai su les raisons que vous aviez eues de me demander
le rappel du cardinal d'Estrées. Je vous l'accorde. »

Mais quand il le peut, un roi doit frapper.

Il lit les dépêches des espions qui à Turin ont appris que
le duc de Savoie Victor-Amédée a commencé à négocier
avec l'empereur germanique.

Lui, le père de Marie-Adélaïde, duchesse de Bourgogne,

héritière du trône de France, lui, le père de Marie-Louise Gabrielle, épouse de Philippe V, reine d'Espagne.

Il ne sert à rien de mépriser cet homme. Il faut agir.

Louis ordonne que le duc de Vendôme désarme les soldats du duc de Savoie.

Il écrit à Victor-Amédée de Savoie :

« Mon cousin, puisque la religion, l'honneur, l'intérêt, les alliances et votre propre signature ne sont rien entre nous, j'envoie mon cousin le duc de Vendôme à la tête de mes armées pour vous expliquer mes intentions. Il ne vous donnera que vingt-quatre heures pour vous déterminer. »

Il ne se fait aucune illusion. L'empereur a offert au duc de Savoie une bonne partie de la plaine de Pô, et une pension plus élevée que celle que lui verse le royaume de France.

Tels sont les rapports entre les souverains.

Celui d'entre eux qui est le plus puissant rassemble autour de lui les autres. Et malheur au roi qui montre ses faiblesses.

Il ne sera jamais celui-là.

Quand Michel Chamillart lui apporte la nouvelle que le maréchal de Villars a vaincu les Impériaux à Höchstädt, une petite ville bavaroise sur les bords du Danube, Louis dissimule sa joie parce qu'il doit montrer au secrétaire d'État à la Guerre que cette victoire ne le surprend pas. Il doit montrer à tous qu'il est sûr de l'issue de cette guerre. Et que les victoires obtenues par les armées de Louis le Grand sont dans l'ordre des choses.

Il se rend auprès de Madame, dont Fagon a dit qu'elle se portait beaucoup mieux.

Il se sent joyeux, l'invite, si elle le peut, à le rejoindre à Fontainebleau où il a décidé de se rendre avec la Cour.

Elle le remercie.

Elle a une « bonne nature », dit-elle. « Je ne me suis jamais affaiblie à force de saignées excessives et de médicaments. Je supporte vaillamment les maladies. »

Un roi doit en faire de même avec les désagréments de la guerre. Et ne jamais se laisser abattre par la maladie ou la défaite.

Il doit continuer à faire son métier de roi.

Demain, dans la forêt de Fontainebleau, il chassera le cerf en calèche.

28.

Louis se tient debout, au pied du lit où la duchesse de Bourgogne, les jambes écartées et repliées, geint et halète depuis plusieurs heures déjà, entourée des médecins, des chirurgiens et des dames.

Il espère que la naissance de celui dont il n'imagine pas qu'il puisse ne pas être un mâle, son arrière-petit-fils, aura lieu avant la fin de cet après-midi du 25 juin 1704.

Il l'attend, comme toute la famille royale rassemblée dans la chambre de Marie-Adélaïde, duchesse de Bourgogne.

Mme de Maintenon est à la tête du lit, et serre la main de la duchesse.

Il voit le duc de Berry traverser la chambre, pour se rendre dans un cabinet voisin où s'est retiré le duc de Bourgogne, trop ému pour demeurer dans la chambre, à entendre et à voir son épouse en proie aux douleurs de l'accouchement.

L'attente se prolonge.

Louis s'appuie sur sa canne. Mais depuis le matin les douleurs se sont calmées, comme si l'espoir de voir naître un arrière-petit-fils les avait refoulées, et avec elles la fatigue et les préoccupations de ces derniers mois.

Il y a eu ces disputes de cour, l'hostilité renaissante, après leur réconciliation, entre Mme de Maintenon et Élisabeth Charlotte.

La Palatine confie à qui veut bien l'entendre – et à la Cour ils le veulent tous :

— Cette dame me haïra jusqu'à sa mort. Quelque bonne mine qu'elle puisse faire, je vois bien la fausseté au travers. Il y a trop longtemps que je la connais pour avoir pu m'y tromper.

Madame se plaint aussi de la duchesse de Bourgogne :

— Elle me hait d'une manière si atroce que ses traits s'altèrent rien qu'à me regarder, dit-elle, toujours en confidence !

Louis sait bien que la cour est un nid de jalousies et donc de haines et de rumeurs. Il y a vécu depuis l'enfance. Et il s'en méfie, s'en protégeant par le silence et l'impassibilité.

Il reçoit Mme la Palatine, après le souper.

Il s'efforce à l'écouter avec attention et courtoisie. Elle est la veuve de Monsieur. Il accepte qu'elle vive à Versailles. Il lui verse une pension. Il honore son fils, le duc d'Orléans, il se réjouit que le petit-fils de Madame, le duc de Chartres, soit un enfant robuste.

Mais il ne veut plus admettre Madame dans l'intimité de ses soirées. Il la renvoie, après l'avoir entendue.

Elle dit, déçue :

— En général, on me traite bien mais en particulier, on ne veut de moi nulle part...

«Le roi dès que j'ai fini de parler me renvoie, cela se fait certainement pour faire plaisir à la duchesse de Bourgogne.»

Il ne commente pas ces propos qu'on lui rapporte. Comment pourrait-il en ces temps de guerre accorder de l'importance à ces humeurs de veuve, à ces querelles de femmes ?

Il a appris que ce qu'il craignait depuis la trahison portugaise s'est réalisé.

Des troupes anglaises et hollandaises ont débarqué à Lisbonne, avec dans leurs bagages l'archiduc Charles de Habsbourg qui s'est proclamé Charles III d'Espagne, en prétendant que le testament de Charles II n'a pas été respecté et qu'il faut donc chasser le duc d'Anjou, Philippe V, Bourbon et souverain illégitime.

Les troupes débarquées marchent vers la frontière espagnole cependant que les navires anglais croisent devant Gibraltar et toujours le long des côtes françaises, de Sète à Montpellier. Leur intention est à l'évidence d'aider les camisards rebelles des Cévennes.

Elle n'en finit pas de pourrir, cette guerre d'embuscades où la cruauté répond à la férocité.

Louis sent qu'il faut changer de médecine. Celle appliquée par l'intendant Basville et le maréchal de Montrevel est impuissante à soigner cette plaie gangrenée et purulente, qui menace de s'étendre car les camisards de Jean Cavalier remportent des succès, et certains paysans et même des gentilshommes dans les provinces voisines rêvent de les imiter, de se rebeller contre les impôts, le pouvoir des intendants.

Il faut mettre fin à cela.

Il a convoqué le maréchal de Villars.

Il faut le flatter, lui dire :

— Des guerres plus considérables à conduire vous conviendraient mieux ; mais vous me rendrez un service bien important si vous pouvez arrêter une révolte qui peut devenir très dangereuse, surtout dans une conjoncture où faisant la guerre à toute l'Europe il est assez embarrassant d'en avoir une dans le cœur du royaume.

Car le désordre, il ne le cache pas à Villars, s'aggrave. Des «cadets de la croix» pourchassent les camisards, aux côtés des dragons.

L'Église bénit ces volontaires et leur promet l'indulgence pour les crimes et les viols qu'ils commettent.

Et cependant, malgré les incendies et les pendaisons, les troupes royales viennent d'être défaites.

Louis observe Villars qui paraît hésiter avant de relever un peu la tête et de dire :

— Si Votre Majesté le permet, j'agirai par des manières toutes différentes de celles que l'on emploie, et je tâcherai de terminer par la douceur des malheurs où la sévérité me paraît non seulement inutile mais totalement contraire.

Il est satisfait des propos de Villars. Il avait eu l'intuition que la répression ne réussirait pas seule à vaincre une rébellion conduite par des croyants exaltés, pour qui la mort au combat ou sous la torture est la preuve de la grâce du Christ.

— Je m'en rapporte à vous, dit-il, et croyez bien que je préfère la conservation de mes peuples à leur perte, que je crois certaine si cette malheureuse révolte continue.

Il va recevoir jour après jour les dépêches du maréchal de Villars.

Il l'approuve d'offrir aux huguenots qui voudraient cesser le combat un passeport pour quitter le royaume.

Louis contraint l'intendant Basville et le maréchal de Montrevel à se soumettre à l'autorité de Villars, et à accepter d'être présents dans le couvent des Franciscains de Nîmes, là où Villars a choisi de rencontrer, en lui garantissant sécurité et impunité, Jean Cavalier, afin de discuter des conditions de la reddition.

Et Cavalier accepte.

Et Louis est sûr désormais que la révolte va mourir.

Villars lui a tranché la tête en ralliant Cavalier à la paix.

Il y aura quelques soubresauts, quelques spasmes, mais la plaie se refermera.

Louis est prêt, s'il le faut, à recevoir, à Versailles ce Jean Cavalier.

Mais si quelques nouveaux chefs camisards veulent reprendre le flambeau de la révolte, qu'on soit sans pitié avec eux ! Qu'on les tue au combat ou qu'on les roue en place publique. Il ne faut pas permettre que des braises renaisse l'incendie.

Il décide de faire duc le maréchal de Villars.

Un roi doit savoir récompenser avec éclat ceux qui le servent bien !

Il pense que jusqu'à ce 25 juin, l'action du maréchal de Villars est la seule qui, au cours de ces premiers mois de l'année 1704, ait desserré cet étau d'inquiétude.

La guerre, les menaces qui pèsent sur les frontières, l'isolement du royaume, à l'exception de l'alliance avec la Bavière, les querelles qui à Madrid affaiblissent le pouvoir de Philippe V, la prise de Gibraltar par les Anglais n'ont cessé de le meurtrir.

Et puis il y a le temps qui fuit, soixante-six ans de vie, et la mort qui s'approche, réduit au silence ces grands prédicateurs, Bossuet, Bourdaloue, que personne ne peut égaler.

Mais tout à coup, ce cri, qui chasse les pensées moroses, ce corps maculé qui apparaît entre les chairs meurtries de la duchesse de Bourgogne. Et cette voix d'un chirurgien qui montre l'enfant, qui dit : « Votre Majesté, c'est un fils. »

Le duc de Berry court chercher son frère, cependant que l'on s'agenouille et sanglote, que l'on remercie Dieu.

Louis s'approche de la duchesse de Bourgogne, au visage couvert de sueur, aux traits creusés.

Il l'embrasse et ne peut retenir ses larmes. Marie-Adélaïde vient de lui donner sa plus grande joie.

Il remercie Dieu de cette grâce.

Il est bisaïeul. Il y a dans cette chambre son fils le Grand Dauphin, ses petits-fils le duc de Bourgogne et le duc de Berry, et ce nouveau-né, son arrière-petit-fils qui portera le titre de duc de Bretagne.

Il ne remerciera jamais assez Dieu de ce privilège que le ciel n'a accordé à aucun roi avant lui.

Il veut que, bientôt, des fêtes saluent la naissance de ce duc de Bretagne.

Il faut que des courriers annoncent dans toutes les provinces du royaume et dans toutes les cours d'Europe qu'un prince de sang royal est né, que la puissance du royaume de France se trouve ainsi renforcée.

Il prie, alors que le cardinal de Coislin ondoie l'enfant. Il annonce qu'il décerne à son arrière-petit-fils le cordon bleu de l'ordre du Saint-Esprit.

Cette naissance vaut toutes les victoires et efface toutes les défaites.

Il veut se souvenir le 21 août 1704 de cette pensée parce que Mme de Maintenon, d'une voix douce, vient de lui annoncer que, en Bavière, à Blenheim – et le village voisin est celui de Höchstädt, où Villars a, l'année précédente, remporté une victoire éclatante –, l'armée commandée par le maréchal de Tallard a été écrasée par les Impériaux.

Il s'éloigne de Mme de Maintenon.

Il n'a pas besoin de compassion. Il ne veut pas qu'on le ménage. Il veut connaître les faits, les raisons de cette déroute.

Le maréchal est prisonnier. Des soixante mille soldats français, plus de dix mille sont morts, vingt-six bataillons se sont rendus. Des centaines de gentilshommes, d'officiers sont prisonniers. Et des milliers d'autres soldats se sont enfuis, ont déserté.

Tous les canons ont été pris par les troupes du duc de Marlborough et celles du prince Eugène de Savoie, qui se sont ainsi emparés de cent soixante-douze étendards. Louis a le sentiment que cette bataille perdue est le commencement de grands maux qui vont frapper le royaume.

Alors qu'il parcourt, s'efforçant de demeurer impassible, la galerie du château de Versailles, ou bien qu'il reçoit les courtisans dans sa chambre, ou lors des réunions des Conseils dans le grand cabinet, il ne voit que des visages désolés, exprimant l'inquiétude.

Il sait que cet homme qui retient ses larmes a perdu son fils unique. Que cette dame éplorée ne sait pas ce qu'est devenu son fils, s'il est prisonnier ou blessé, mort au combat ou noyé en tentant de traverser le Danube.

Il ne doit rien ignorer de ces grands chagrins, de ces inquiétudes, et en même temps il doit soutenir ces malheurs-là avec fermeté, en montrant qu'il ne cède rien.

Mais il veut comprendre ce qui s'est passé, pourquoi Tallard et l'électeur de Bavière qui combattait à ses côtés se sont laissé surprendre.

Il ordonne qu'on ouvre les lettres que les prisonniers adressent à leurs familles.

Il apprend ainsi que le prince Eugène a invité les gentilshommes prisonniers à assister à un opéra, qui s'est ouvert par cinq chants à la gloire de Louis XIV.

Mais en même temps, le prince Eugène a confié aux officiers que leurs généraux et leurs maréchaux étaient incapables, qu'ils avaient accumulé des prodiges d'erreurs, qu'un enfant aurait pu les battre.

Il doit lire cela, et aussi cette lettre que Mme de Maintenon adresse à l'archevêque de Paris et dans laquelle elle écrit :

«Dieu soit loué de tout et veuillez apaiser Sa colère que

nous n'avons que trop méritée. Hélas! nous souffrons de grands maux et nous en méritons de plus grands encore. J'ai toujours appréhendé la punition du luxe et de l'ambition. »

Il médite longuement ces propos.

Il est vrai qu'il a souvent et longuement péché. Mais, de tous les souverains, n'est-il pas le Très-Chrétien? Celui qui a combattu les huguenots, et contre lequel se dressent les puissances hérétiques?

Lorsqu'il reçoit la nouvelle que la flotte franco-espagnole que commande son fils – ce bâtard qu'il a légitimé comte de Toulouse – a vaincu la flotte anglaise sur les côtes d'Espagne, à Velez Malaga, il sait que Dieu ne le condamne pas, même s'il veut lui rappeler que le plus grand des rois, le Très-Chrétien, doit aussi lui être soumis.

Il le sait.

Et c'est pourquoi il le prie. Et lui rend grâce, le 27 août, en organisant les fêtes qui célèbrent, par un feu d'artifice sur la Seine, la naissance du duc de Bretagne, son arrière-petit-fils.

Il n'oublie pas la défaite de Blenheim, ni les grands maux qu'elle annonce, et qu'il pressent.

Mais il croit en Dieu. Et en la vigueur éternelle du sang royal.

CINQUIÈME PARTIE

1705-1710

29.

Il s'approche du lit de l'enfant et se penche.

Il découvre le visage enflé et si empourpré du duc de Bretagne qu'il a un mouvement de recul.

Il lui semble qu'il voit une tache de sang sur les dentelles blanches.

Il est sûr que la mort est là, que c'est elle qui étouffe l'enfant, dont il entend à peine le souffle irrégulier et rauque. Et l'enfant tout à coup se raidit, son corps convulsionné.

Pourquoi Dieu reprend-il déjà la vie de ce premier arrière-petit-fils dont la naissance il y a seulement quelques mois avait été si douloureuse, et qui avait donné tant de joie et tant d'orgueil ?

Est-ce pour rappeler sa puissance que Dieu agit ainsi, qu'il reprend après avoir accordé ?

Louis regarde le père et la mère de l'enfant. Son fils a les yeux fixes, comme pour ne rien voir. Mais Marie-Adélaïde, la duchesse de Bourgogne, sanglote.

C'est elle qui, durant des heures, a geint et souffert pour donner la vie. Et celle-ci s'en va.

Louis tourne la tête, aperçoit son confesseur le père de La Chaise qui prie, les mains jointes, les yeux clos.

Il va vers lui, et prie à ses côtés, puis tout à coup s'interrompt.

— Mon père, commence-t-il, nous faisons bien des vœux pour la santé de cet enfant. Mais nous ne savons pas ce que nous faisons.

Il perçoit l'inquiétude et la surprise du père de La Chaise. Il répète :

— Oui, mon père, nous ne savons pas ce que nous faisons. Si cet enfant meurt, c'est un ange dans le ciel ; s'il vit, les grands princes sont si exposés à tant de tentations et tant de dangers pour leur salut qu'on a sujet d'en tout craindre.

Il reste un moment silencieux, observant le père de La Chaise qui se contente de répéter qu'il faut prier et se résigner, se soumettre à la volonté de Dieu, qu'on ne peut trop louer, qui connaît seul les raisons de sa décision.

— Que la volonté de Notre-Seigneur soit faite, murmure Louis.

Il a perdu son arrière-petit-fils.

Il ne se rebelle pas contre ce choix de Dieu. Il l'accepte. Chaque naissance porte en elle la mort, et Dieu décide de l'instant. Il faut que chacun à la Cour accepte le deuil du duc de Bretagne avec la fermeté que tout chrétien doit manifester quand la mort frappe.

Il sait ce qu'on murmure pourtant.

La princesse Palatine répète :

— Les docteurs ont tué le pauvre petit prince avec leur émétique et leurs saignées.

Le marquis de Sourches, grand prévôt de France, conseiller d'État, ajoute :

— Il ne s'agissait pas de lui donner tant de remèdes qui le firent mourir mais de lui donner des forces pour lui aider à pousser ses dents.

Tous ces commentaires, ces accusations lui paraissent vains.

Il se souvient du dernier chant de l'opéra *Atys*, de Lully et de Quinault, quand cette reine meurt, en pleine beauté, en pleine jeunesse :

Atys, au printemps de son âge
Périt comme une fleur
Qu'un soudain orage
Renverse et ravage.

Il est chrétien, il doit accepter ce « ravage ».

Il est le roi, et il doit avoir à l'égard de ses sujets la même souveraine liberté que celle dont Dieu dispose envers chaque homme.

Il peut lui aussi d'un geste donner. Et d'un autre prendre. C'est lui qui juge et dispose.

Il reçoit M. de Gassion, lieutenant des gardes du corps. Il lui accorde une pension.

— Je ne vous dois rien, dit-il à l'officier qui se confond en remerciements, mais je suis bien aise de vous distinguer par la grâce que je vous fais, étant très satisfait des services que vous m'avez rendus et persuadé que vous m'en rendrez encore de bons à l'avenir.

Il prie pour que Dieu l'éclaire dans les choix qu'à chaque instant il doit faire. Et parfois, il a l'impression qu'il erre dans un labyrinthe.

Il reçoit les lettres du duc de Gramont qu'il a nommé ambassadeur à Madrid auprès de Philippe V.

Rien n'est jamais réglé. Il avait cru trouver une issue, et maintenant il est à nouveau dans la même impasse. La princesse des Ursins, dont la jeune reine, Marie-Louise Gabrielle de Savoie, s'est entichée, se permet d'ouvrir la correspondance de l'ambassadeur, et de l'annoter !

Il exige qu'elle rentre aussitôt à Paris, il la reçoit, l'observe.

Et pendant ce temps-là, à Madrid, la reine tempête, complote, implore. Elle veut la princesse des Ursins auprès d'elle, c'est plus qu'une *camarera mayor* ou qu'une confidente, c'est mieux qu'une mère.

Elle rend à Philippe V la vie impossible.

Alors il faut reculer, écrire à l'ambassadeur Gramont :

«Mon cousin, depuis que j'ai parlé avec la princesse des Ursins j'ai jugé nécessaire de la renvoyer en Espagne.»

Est-ce le bon choix ?

La guerre ne laisse pas le temps de s'interroger.

Cependant qu'on se déchire à Madrid, autour de Philippe V, en intrigues de cour, les Anglais, auxquels on n'a pas réussi à reprendre Gibraltar, débarquent en Catalogne, s'emparent de Barcelone, et l'archiduc de Habsbourg, qui se proclame Charles III d'Espagne, pénètre dans la ville qui l'acclame !

Même si, dans le Piémont, le duc de Vendôme remporte à Cassano une victoire sur le prince Eugène de Savoie, et s'ouvre ainsi la route de Turin, la guerre est comme une maladie qui s'aggrave.

Même si, sur le Rhin, Villars empêche les Impériaux d'envahir l'Alsace, ce n'est là qu'une brève rémission.

Louis le sait.

Presque chaque jour, il reçoit le contrôleur général des Finances. Chamillart, d'une voix accablée, énumère la longue litanie des dépenses.

Il faut approvisionner les armées qui combattent en Italie et dans les Flandres. Il faut payer les soldes. Et alimenter aussi le Trésor espagnol, toujours vide.

Il faut acheter dans les pays étrangers des chevaux par milliers, et les payer en bonnes pièces d'or et d'argent.

Louis écoute.

Il faudrait en finir avec cette guerre, et peut-être la mort le 5 mai 1705 de l'empereur germanique Léopold Ier et l'accession au trône de son fils aîné Joseph Ier sont-elles l'occasion d'ouvrir des négociations.

Il décide de faire porter le deuil en violet de Léopold Ier, et toute la Cour l'imite. En même temps, il envoie des émissaires en Hollande, afin qu'ils commencent à évoquer l'idée d'une paix possible. Il s'interroge. À quelles conditions, cette paix ? Il n'acceptera pas que son petit-fils, Philippe V, soit chassé du trône d'Espagne.

Même s'il fallait que l'Empire espagnol soit démembré, si c'était là la concession nécessaire, il est prêt à l'examiner.

Il a froid.

Est-ce seulement parce que l'hiver de cette année 1705, après un été brûlant, est d'une rigueur extrême, que des chevaux meurent de froid, que d'autres doivent être abattus après s'être brisé les jambes sur le sol gelé ?

Ou bien est-ce aussi parce que la victoire lui paraît inaccessible, que reste l'obligation de céder, alors qu'il avait cru pouvoir imposer sa volonté et faire de son petit-fils le roi de tout l'Empire espagnol ?

Il est las.

Il lit toujours les lettres de la Palatine, dont on lui apporte tous les jours les copies.

Elle sait qu'on subtilise ses missives, et il a souvent l'impression qu'elle écrit certaines de ses lettres pour qu'il en prenne connaissance, et sache ainsi ce qu'elle pense.

« C'est une misère la façon dont on agit avec les lettres, note-t-elle. Du temps de M. de Louvois on les lisait comme maintenant mais au moins on vous les remettait au moment voulu. Mais depuis que ce petit crapaud de Colbert de Torcy a la poste dans son département, il vous agace horriblement avec les lettres... »

Louis en veut à la Palatine d'écrire pour telle ou telle duchesse ou princesse allemande ce qu'elle voit, de confier ce qu'elle éprouve.

Mais elle dit vrai, quand elle évoque la vie à Marly.

« On ne sait plus du tout qui on est, écrit-elle. Quand le roi se promène, tout le monde se couvre ; la duchesse de Bourgogne va-t-elle se promener, eh bien, elle donne le bras à une dame, et les autres marchent à côté. On ne voit donc plus qui elle est. Ici, à Marly, au salon, et à Trianon, dans la galerie, tous les hommes sont assis devant M. le dauphin et Mme la duchesse de Bourgogne ; quelques-uns même sont étendus tout de leur long sur les canapés. J'ai grand peine à m'habituer à cette confusion ; on ne se fait plus d'idée comme tout est présentement, cela ne ressemble plus du tout à une cour. »

Il regarde autour de lui en se souvenant de ces lignes. Ce n'est pas la « confusion » qu'il retient. Il a désiré qu'à Marly, les quelques privilégiés qui y étaient admis soient libérés de certaines des obligations et de la raideur de l'étiquette versaillaise.

Mais il voit le visage morose de son petit-fils le duc de Bourgogne, que son épouse Marie-Adélaïde de Savoie néglige. Elle semble avoir oublié la mort de son fils, le duc de Bretagne. Elle est toute à ses facéties, à sa gaieté, à son insolence, à ses impudeurs.

Elle relève ses robes et ses jupons, et les médecins lui administrent un lavement dans le salon de Mme de Maintenon, qui sourit, confie :

« Elle est charmante et ses défauts mêmes sont aimables, on l'aime plus qu'il ne faudrait, on le sent, et on ne peut s'en défendre. »

Louis le reconnaît. Marie-Adélaïde, duchesse de Bourgogne, est une flamme de joie, de jeunesse, au milieu de la grisaille, de ces soupers du roi où «l'on se croirait dans un réfectoire de religieuses».

Après, la passion du jeu rassemble les courtisans autour des tables. Ils oublient ainsi les deuils et les mauvaises nouvelles de la guerre.

Louis regarde son second petit-fils, le duc de Berry, qui joue gros, s'endette, s'enivre.

Ce spectacle lui est souffrance.

Il va rejoindre Mme de Maintenon, avec l'espoir que Marie-Adélaïde, duchesse de Bourgogne, viendra les distraire par l'un de ses éclats.

Car en dehors d'elle, « il n'y a plus à la Cour que tristesse, ennui et méfiance ».

Il se souvient de ce qu'écrit la princesse Palatine :

«De ma vie je n'ai vu la Cour plus triste qu'elle n'est à présent. Personne ne peut ouvrir la bouche et les mauvaises nouvelles arrivent à tout moment... On a maintenant bien besoin de consolation, car je n'ai jamais vu des temps plus malheureux depuis les trente-cinq ans que je suis en France...»

C'était en 1671. Les temps étaient pourtant troublés.

On murmurait qu'Henriette, duchesse d'Orléans, première épouse de Monsieur le frère du roi, qui venait de mourir, avait été empoisonnée par les favoris de son époux.

Il cherche à se souvenir, et c'est comme si passait devant lui la silhouette de Mlle Louise de La Vallière.

Il avait trente-trois ans, cette année-là. Il en a soixante-huit.

30.

Il est assis dans le grand cabinet, le buste penché en avant, les mains posées sur ses cuisses, le dos rond.

Il a l'impression que les soixante-huit années de sa vie l'écrasent, l'empêchent de se redresser, de regarder le contrôleur général des Finances qui se tient debout, en face de lui, dans la lumière du soleil couchant qui a envahi la pièce et inonde le parc, enveloppant d'or la statue d'Apollon qu'entourent les jets d'eau.

Il imagine le jaillissement et le scintillement des fontaines dans le crépuscule, ce bref instant, en ce début d'année 1706, alors que l'hiver impose sa loi grise et glacée.

Il est inquiet. Il voudrait effacer ce pressentiment qui l'habite. Mais l'intuition que cette année sera cruelle s'agrippe à son esprit, serre sa gorge et sa poitrine, réveille les douleurs qui brisent ses chevilles, sa nuque et ses épaules.

Les mauvaises nouvelles se sont accumulées.

Les Anglais tiennent toujours Gibraltar et Barcelone, et le blocus de ces deux places par la flotte française a dû être levé.

Une armée anglo-portugaise marche vers Madrid, et la population catalane l'acclame, salue Charles de Habsbourg, sous le nom de Charles III, roi d'Espagne.

Sur toutes les frontières du royaume, en Flandre, en Italie, les armées impériales et anglaises de Marlborough et d'Eugène de Savoie avancent et menacent.

Et en France même, de nouveaux chefs camisards veulent reprendre la lutte et reçoivent déjà de l'argent anglais et hollandais. Et les flottes ennemies croisent le long des côtes, prêtes à débarquer des troupes pour soutenir la rébellion.

Année cruelle.

D'un mouvement de tête, il invite le contrôleur général à parler.

Chamillart toussote, dit qu'il veut dresser l'état des finances des deux royaumes.

En Espagne, commence-t-il, Philippe V a décidé de réduire toutes ses dépenses, et d'employer tous ses revenus à bien entretenir ses troupes et à soutenir la guerre.

— Ce serait à moi, dit Louis, qui suis son grand-père, à lui donner des exemples, mais, en ce fait-là, je veux suivre les siens.

Il se redresse.

— Je veux, reprend-il, retrancher toutes les dépenses dont je pourrai me passer, afin d'être plus en état de continuer la guerre et tâcher de parvenir à une paix heureuse et glorieuse.

Il regarde à nouveau le parquet.

Il doit atteindre ce but, mais l'Angleterre et la Hollande refusent d'engager des négociations. Il faut donc se battre, les vaincre ou à tout le moins les repousser.

Il a été blessé d'avoir à accepter la proposition de Vauban qui suggérait de construire deux camps retranchés, à proximité de Dunkerque, pour s'opposer à une invasion anglaise.

Car telle est la situation.

217

Il n'y a plus d'argent, reprend Chamillart.

Les recettes des deux années à venir sont déjà engagées. On devra, précise-t-il, créer pour cinq millions de livres de nouveaux billets de cinq cents livres chacun, car toutes les ressources sont épuisées. Et le risque existe qu'un si grand nombre de billets ne prenne le dessus sur l'argent, et que les avantages de cette nouvelle monnaie ne soient vite remplacés par un désordre monétaire extrême.

Mais le moyen d'éviter cela ? demande Louis.

Comment sans ces nouveaux billets ne pas augmenter les impôts alors que les provinces sont déjà accablées, affligées par la gelée et la grêle, si bien que les peuples n'ont pu recueillir qu'une partie des fruits nécessaires à leur subsistance ?

— Il n'est d'autre issue que la paix, conclut-il, mais elle suppose des victoires.

Il attend chaque jour les dépêches qui viennent des armées.

Quand il sort du grand cabinet, il sent que les courtisans le guettent, avides de savoir s'il a reçu un courrier, d'Espagne, d'Italie ou de Flandre.

Il s'étonne du silence du maréchal de Villeroi. L'armée qu'il commande dans la région de Ramillies, non loin de Bruxelles, compte près de quatre-vingt mille hommes et défend toute la Flandre contre les troupes de Marlborough.

Ce silence de Villeroi inquiète Louis.

Un courrier enfin, mais la dépêche ne contient que quelques lignes imprécises qui entourent le mot de défaite, comme si Villeroi n'osait pas dire la vérité.

Louis la devine. Un maréchal victorieux aurait clamé son succès, en aurait été en personne le messager, pour recevoir des mains du roi ses louanges. Villeroi se dérobe. Villeroi doit être en difficulté.

Mais comment savoir ?

Louis décide d'envoyer Chamillart auprès de l'armée

de Flandre. Et maintenant il faut attendre le retour du contrôleur général des Finances, secrétaire d'État à la Guerre.

Mais lorsque Louis le voit, le doute n'est plus permis.

Le poids des années, de cette année 1706, lui écrase à nouveau les épaules, l'oblige à courber le dos, pendant que Chamillart parle de cette défaite de Ramillies, devenue déroute parce que Villeroi s'est affolé, après avoir laissé sur le champ de bataille plusieurs milliers de morts. Le maréchal n'a pas cherché à résister, et toutes les villes de Flandre, Bruxelles, Anvers, Gand, Ostende, Bruges, Louvain, Audenarde, sont tombées, et les Impériaux menacent Lille.

Et dans les Pays-Bas perdus, la population acclame «son souverain espagnol», Charles de Habsbourg, Charles III d'Espagne.

Louis entend ces murmures qui accablent Villeroi, et dont Mme de Maintenon se fait l'écho.

— On se déchaîne dans l'armée et dans Paris contre le maréchal, dit-elle.

Il ne veut pas se joindre à la meute. Villeroi est son vieux compagnon, dont il a pu souvent éprouver la fidélité.

Il ne veut pas le juger, le punir, et cependant cette défaite de Ramillies est une souffrance cruelle. Il faut qu'il demande à Villeroi de démissionner, mais le maréchal ne répond pas aux lettres qu'il lui adresse.

Il se présente enfin à Versailles, et Louis le dévisage longuement, lit sur les traits du maréchal le désarroi et l'orgueil de celui qui ne veut pas abdiquer.

Louis ne veut pas frapper cet homme à terre. Il n'est pas de ceux qui disent, après avoir vu Villeroi : «Ce n'est plus qu'un vieux ballon ridé, dont tout l'air qui l'enflait est sorti. »

Mais il se souvient des propos de Françoise de Maintenon : « Votre Majesté ne peut plus soutenir le maréchal de Villeroi. »

Il partage ce sentiment. Il s'approche de Villeroi, lui annonce qu'il lui retire le commandement de son armée, ou de ce qu'il en reste, puis il ajoute :

— Monsieur le maréchal, on n'est pas heureux à notre âge.

C'est ce qu'il éprouve en cette année 1706, qu'il ressent comme la plus noire de son règne, si long déjà.

À chaque jour sa mauvaise nouvelle.

Un messager qui dépose sur la table dans la chambre de Mme de Maintenon un coffret contenant les bijoux de la couronne d'Espagne.

Philippe V a souhaité les mettre en sûreté à Versailles, car l'armée anglo-portugaise approche de Madrid.

C'est un Français, le marquis de Ruvigny, devenu lord Galloway, qui la commande, c'est lui qui repousse les troupes espagnoles commandées par Berwick – un neveu de Marlborough – et Philippe V.

Déjà, la reine et la princesse des Ursins ont abandonné la capitale. Et le 28 juin, les troupes de Galloway entrent dans Madrid et y proclament Charles de Habsbourg roi d'Espagne.

Jamais Louis n'a ressenti une telle souffrance.

Son petit-fils, ce roi de son sang, chassé de son trône. C'est comme si tout ce qu'il avait voulu et espéré depuis son mariage avec Marie-Thérèse, héritière du trône d'Espagne, était remis en cause, détruit.

Il ne doit pas montrer ce qu'il ressent.

Mais qu'il soit à Versailles ou à Marly, il n'a jamais vu la Cour plus triste qu'elle n'est à présent. On attend des nouvelles d'Italie, où l'armée commandée par le maréchal de Marsin assiège Turin.

Mais Louis est inquiet.

Il vient de recevoir, le 21 août, des lettres envoyées de l'armée par Philippe d'Orléans, qu'il a autorisé à prendre un commandement à la tête de quatre régiments que le fils de la princesse Palatine a équipés à ses frais.

Il lit et relit les lettres du duc d'Orléans.

Il connaît la bravoure et l'intelligence de son neveu. Philippe critique la stratégie suivie par le maréchal de Marsin et le duc de La Feuillade – le gendre de Chamillart – qui, sous l'autorité de Marsin, commande en fait l'armée.

Le duc d'Orléans conteste leurs décisions. L'armée française s'obstine à faire le siège de Turin alors que les troupes du prince Eugène de Savoie avancent, qu'elles sont déjà menaçantes, ayant franchi le Pô, le Tanaro, bientôt la Doire. Elles prendront les troupes françaises à revers, feront la jonction avec les soldats du duc Amédée de Savoie.

Il semble à Louis que son neveu lui présente un compte rendu exact de la situation.

Mais que faire ?

Il est trop tard pour bouleverser le commandement de l'armée tel que Chamillart l'a organisé autour de son gendre le duc de La Feuillade et du maréchal de Marsin.

Alors il faut à nouveau attendre.

Le 14 septembre, le premier valet de chambre du duc d'Orléans, Saint-Léger, se présente aux appartements du roi.

Louis le reçoit et avant même de lire les lettres l'interroge.

La défaite a été complète. Toute l'Italie du Nord, du Milanais à Mantoue, et le Piémont, est perdue.

Le duc d'Orléans a été deux fois blessé, au poignet et à la hanche. Il a conduit les troupes, chargeant à leur tête jusqu'à ce qu'il tombe. Le maréchal de Marsin a été gravement atteint, fait prisonnier, avant de mourir.

Louis veut rester seul dans le grand cabinet.

Il écrit à Philippe d'Orléans, gentilhomme valeureux, de bon sang royal, pour le consoler de la défaite.

Mais elle est là, accablante. L'Italie après la bataille de Turin est aux mains de l'ennemi, comme l'ont été les Flandres après la défaite de Ramillies, et la Bavière et les pays allemands en 1704, après celle de Blenheim.

Mais quelle autre issue sinon continuer la guerre, puisque, gonflés de leur victoire, les Impériaux, les Hollandais, les Anglais se refusent à toute négociation?

Louis veut voir la princesse Palatine, dont il imagine l'angoisse depuis que son fils a été blessé.

— J'aime mieux tout perdre, dit-il à la Palatine, et que le duc d'Orléans votre fils, mon neveu, vive. Je ne peux être plus content de lui que je ne le suis. Mme de Maintenon m'a dit, à raison : les héros dans les romans ne poussent pas la bravoure plus loin que ce qu'il a fait.

Il s'éloigne, suivi de quelques courtisans.

Il s'arrête, les toise.

— Ce n'est pas la faute de mon neveu, dit-il. C'est la mienne, c'est moi qui lui ai ordonné de suivre les avis de M. de Marsin.

Un roi est plus grand s'il sait prendre sa part des fautes de ceux qui lui ont obéi.

Il regarde la rouille de l'automne s'étendre jour après jour sur le parc de Versailles.

L'hiver est là, mais a-t-il jamais cessé tout au long de cette année 1706 ?

Malgré l'humidité et le froid, Louis s'obstine chaque jour à se promener dans les allées et, souvent, il doit rester assis sur son chariot que poussent les valets, tant les douleurs dans les jambes sont vives.

Il rentre dans ses appartements, puis passe dans le grand

cabinet, au moment où le bref crépuscule est englouti par la nuit.

On apporte les candélabres. On allume le feu dans les cheminées. Les dépêches sont posées sur la table.

Il lit la première.

Elle annonce que Philippe V et l'armée de Berwick sont rentrés dans Madrid, acclamés par la foule castillane, qui a crié : «Vive le roi!»

Les Anglo-Portugais de Galloway, harcelés par la population, ont abandonné la capitale. Le cœur de l'Espagne s'est donné au roi Bourbon.

«Mon petit-fils.»

C'est comme si ce poids qui l'écrasait se soulevait.

Il peut se redresser.

Son petit-fils règne. L'offense est effacée.

Et la duchesse de Bourgogne est grosse depuis quelques semaines d'un arrière-petit-fils.

Louis lève la tête, regarde monter la myriade d'étincelles qui jaillissent des bûches.

Il n'a plus froid.

31.

Il s'avance d'un pas lent dans la grande galerie, regardant droit devant lui, semblant ne pas voir les ambassadeurs et les courtisans qui s'inclinent, le suivent, font la haie.

Il ne doit pas leur montrer que son corps, des talons à la nuque, des doigts aux coudes et aux épaules, n'est que douleur.

Il a une fois de plus l'impression que ses os vont se briser, rongés par cette maladie qui revient avec le froid, se diffuse avec la chaleur et que Fagon ne peut faire reculer, se contentant de répéter d'un air accablé :

— La goutte, Votre Majesté.

Louis s'arrête, se tourne vers l'ambassadeur d'Espagne, le fixe silencieusement, puis dit :

— Monsieur, nos affaires vont bien.

Il veut se persuader que cette année 1707 effacera l'année cruelle qui vient de s'achever.

Le 8 janvier, la duchesse de Bourgogne, cette Marie-Adélaïde qui met un peu de gaieté et tout simplement de vie dans cette Cour devenue si grise, a donné naissance – enfin ! – de nouveau à un fils, et l'accouchement s'est déroulé si facilement que quelques personnes seulement ont pu assister à la naissance de cet arrière-petit-fils du roi.

Lorsque Louis l'a vu, il a détourné la tête pour cacher son émotion.

Il a dit d'une voix sourde qu'il saluait la naissance du second duc de Bretagne. Puis aussitôt il est sorti de la chambre, se souvenant de la mort de son premier arrière-petit-fils si vite venue.

Il sait que la mort est un poison qui se glisse dans la vie, dès qu'elle apparaît.

Aussi la joie qu'il éprouve est-elle ternie par cette inquiétude sourde.

La mort est là, si proche. Il la sent dans son corps et elle est déjà dans celui du duc de Bretagne.

Il se rend à la messe chaque jour.

Il prie pour son arrière-petit-fils puis il gagne le grand cabinet où les ministres l'attendent.

Il voit Chamillart dont le visage exsangue et la pâleur, toute son attitude aussi – tête penchée, dos voûté – disent la fatigue et l'accablement. Les billets ne réussissent pas à remplacer l'or ou l'argent.

Les coffres sont vides.

Une flotte de galions espagnols, chargée d'argent des Amériques, a été coulée par les navires anglais à Carthagène.

La création et la vente d'offices dans toutes les activités, depuis celles des perruquiers barbiers jusqu'à celles des visiteurs de beurre frais ou de beurre salé, n'apportent que de faibles ressources qu'on ne peut renouveler qu'en créant d'autres charges, tout aussi inutiles mais qui peu à peu ossifient le royaume.

Il comprend le désarroi et l'épuisement de Chamillart qui laisse entendre, une fois encore, qu'il est prêt à abandonner sa charge de contrôleur général des Finances.

«Votre Majesté, écrit-il, j'ai toujours eu du courage et les forces ne m'ont point manqué tant que j'ai eu des ressources.

« Mais elles sont malheureusement épuisées, reprend-il. Je commence à travailler à l'impossible. Dieu me donne assez de lumières pour en faire quelque chose ! »

Il ne laissera pas Chamillart renoncer à ses fonctions.

Il ne veut plus changer de ministre. Il a besoin d'avoir autour de lui ces visages qui le rassurent.

Il lui semble que tout mouvement, tout changement, l'inquiète.

Il ne veut pas se séparer de Chamillart ou exclure de la Cour le maréchal de Villeroi, vaincu à Ramillies, mais vieux compagnon.

Ils sont si rares désormais ceux qui ont connu les splendeurs des débuts du règne, quand il dansait le corps léger devant toute la Cour l'une de ces comédies-ballets dont il était l'acteur principal, aussi beau qu'Apollon, Louis, le Roi-Soleil.

Et dans la rotonde en marbre rose des bains de Diane, il retrouvait Athénaïs de Montespan de Mortemart, belle comme Vénus.

Il est à Marly.

Il s'apprête, entouré de quelques courtisans, à partir à la chasse. Un courrier s'approche, remet une dépêche. C'est un acte de décès rédigé par le curé de Bourbon.

C'est là que s'est retirée Athénaïs de Montespan.

Louis commence à lire à haute voix : « Aujourd'hui 28 mai 1707 a été apporté en cette église le corps de Mme Marie... »

Louis s'interrompt.

Pourquoi a-t-on donné à Athénaïs ce prénom qui n'est pas le sien !

Il reprend :

« En mourant la marquise de Montespan a manifesté les sentiments les plus chrétiens. »

Louis replie la dépêche.

Il sent sur lui tous ces regards. Il doit rester impassible quoi que cela lui coûte.

D'ailleurs, pour lui, Athénaïs est morte le jour où il l'a congédiée, peut-être même depuis plus longtemps encore, quand on a prétendu, témoigné qu'elle avait dévoilé son corps devant un prêtre du diable, lors d'une messe noire, sa poitrine servant d'autel.

Et des nouveau-nés avaient été sacrifiés lors de telles cérémonies diaboliques.

Il n'a jamais pu oublier ces accusations. On avait aussi affirmé qu'Athénaïs avait voulu l'empoisonner. Et sans doute lui avait-elle administré des philtres d'amour, pour le soumettre au désir et le retenir.

D'un geste, Louis indique aux courtisans que la journée va se dérouler comme à l'habitude. En selle donc, et ce matin il le peut. Comme autrefois.

On chevauche. On chasse.

Mais il est distrait. Il se sent lourd et las.

Il rentre à Marly.

Il veut qu'on le laisse seul. Il renvoie les valets qui s'apprêtent à lui retirer ses bottes et ses habits de chasse. Il marche dans sa chambre, d'une fenêtre à l'autre.

Il se souvient d'Athénaïs. Et le désespoir l'étreint. Que reste-t-il de la vie quand elle s'achève ?

Il ferme les yeux.

Il voit passer cette gondole qui voguait légère sur le grand canal de Versailles, et à la poupe de laquelle se trouvaient dans une robe d'or Athénaïs de Montespan de Mortemart, et près d'elle un jeune homme vigoureux et souriant.

Lui.

Le soir au souper, il se souvient encore des banquets joyeux d'autrefois, quand il lui arrivait de lancer des olives sur les jolies suivantes d'Athénaïs.

Maintenant règne autour de la table un silence de couvent.

Chacun avale son affaire sans dire une parole. Parfois, quelqu'un chuchote un ou deux mots. Personne ne tourne la tête.

Tout provoque soupçon, tout est intrigue.

Il sait qu'on attend sa mort.

On se rassemble déjà autour du futur souverain, le Grand Dauphin. Mais s'il ne vit pas ce sera le duc de Bourgogne son fils, ou bien, si la mort fait son office, ce duc de Bretagne de quelques mois, et il faudra un régent, qui pourrait être Philippe duc d'Orléans.

Louis apprécie son neveu qui vient de partir pour l'Espagne où il va, aux côtés de Berwick, prendre le commandement des armées de Philippe V.

Louis se souvient de la manière dont il a imposé à Madame et à Monsieur, les parents de Philippe, le mariage de celui-ci avec Mlle de Blois, bâtarde selon la mère de Philippe, fille du double adultère du roi et d'Athénaïs de Montespan.

En ces jours qui suivent la mort d'Athénaïs, il pense à sa fille, à ces bâtards, le duc du Maine, le comte de Toulouse, qu'il a reconnus et voulu allier à la famille légitime, et dont il veut assurer l'avenir.

Mais il connaît les jalousies qui déchirent la Cour, et d'autant plus qu'on sait que sa mort ne peut plus être éloignée. Il a soixante-neuf ans.

Alors chacun surveille chacun, cherche à détruire le rival.

On se moque de Philippe d'Orléans. On chantonne un refrain qui rappelle la défaite de Turin, dont il ne fut pas responsable.

On sourit en répétant :

Gendre et neveu de ce grand roi
Vous allez donc paraître
Encore, une seconde fois
Vous vous ferez connaître.

Et quand on apprend que Philippe est arrivé après la bataille livrée et gagnée par Berwick à Almanza contre lord Galloway, on murmure quand passe la mère de Philippe, la Palatine : « Je n'y étais pas... Je n'y étais pas. »

Louis est irrité, attristé.

Cette jalousie haineuse lui semble gagner toute la Cour.

Il est sensible et touché par la lettre que lui adresse Philippe d'Orléans.

« J'ai eu le malheur d'arriver ici un jour trop tard quelque diligence que j'aie pu faire, écrit Philippe. Je ne puis m'empêcher de dire à Votre Majesté que si la gloire de M. de Berwick est grande, sa modestie ne l'est pas moins, ni sa politesse qui l'engageaient quasi à vouloir s'excuser d'avoir remporté une victoire aussi complète que celle-ci. »

Il est heureux dans les semaines qui suivent d'apprendre que le duc d'Orléans soumet le royaume de Valence, puis réussit à obtenir la reddition de Saragosse, la capitale du royaume d'Aragon.

Il veut marquer qu'il honore Philippe d'Orléans et, en compagnie du dauphin et de la Cour, il se rend auprès de la princesse Palatine pour, par cet hommage à la mère, saluer la gloire du fils qui vient d'encercler la ville de Lérida.

Si elle tombe, la couronne d'Espagne ne sera plus menacée. Elle restera sur la tête d'un Bourbon, petit-fils de Louis le Grand.

Il croit, durant quelques jours, que cette année 1707, comme il l'a pensé en janvier, sera bonne pour sa gloire et donc celle du royaume.

Les troupes de Villars s'enfoncent en Allemagne.

Philippe d'Orléans achève les travaux de siège autour de Lérida. Il va lancer l'assaut.

Mais tout à coup, la situation change.

Les troupes d'Eugène de Savoie, anglaises et piémontaises, pénètrent en Provence, occupent Nice, puis franchissent les Maures et l'Estérel et mettent le siège devant Toulon.

La flotte anglaise qui croise au large bombarde le port.

Il faut faire venir les troupes de Berwick d'Espagne, et celles de Villars d'Allemagne afin de briser l'encerclement de Toulon et d'effacer l'humiliation du royaume de France envahi.

Il sent que l'inquiétude revient.

Ses douleurs se font plus vives, s'accrochent à son corps, alors qu'à un hiver glacial et à un printemps froid succède un été torride, dont les marins disent qu'il est plus chaud et plus étouffant que celui qu'ils subissent dans les mers de l'Inde.

Les moissons pourrissent. La misère et la famine reviennent dans certaines régions.

Les paysans du Quercy se révoltent contre les impôts, menacent de « brûler et piller tous les contrôleurs et partisans et affirment qu'ils ne paieront pas autre chose que la taille à cause qu'ils meurent de faim ».

Il apprend par les rapports de l'intendant qu'en Anjou, les paysans succombent par centaines, « attaqués par une maladie pestilentieuse » qui ne dure que deux ou trois jours.

Il lui semble entendre les cris – « horribles », dit le rapport – poussés par les malades qui souffrent tant, « jusqu'à presque rendre les boyaux par le fondement ».

Il connaît la souffrance. Il peut imaginer celle des autres.

Il craint lorsqu'il apprend que le duc de Chartres, le fils de Philippe d'Orléans et de Mlle de Blois, duchesse

d'Orléans, est atteint d'une forte fièvre, que ce ne soit le premier signe d'une épidémie.

Il pense aussitôt à son arrière-petit-fils, ce duc de Bretagne
dont il ne pourrait pas supporter la mort.

Il faut qu'il le protège.

Il décide que le duc de Chartres devra quitter ses appartements proches de ceux du duc de Bretagne. Il se rend
auprès de la duchesse d'Orléans, sa propre fille.

— Si je ne regardais que moi, commence-t-il, il ne
serait pas question de transporter votre fils ; mais je dois
compte à l'État qui me reprocherait d'avoir hasardé le
duc de Bretagne pour trop ménager le duc de Chartres.
Cependant, si la petite vérole avait paru, tout ce qu'on aurait
pu dire ne m'aurait jamais fait consentir à exposer la vie de
votre fils.

Il prend la main de la duchesse d'Orléans.

— Heureusement il a bien passé la nuit, prenons ce temps
pour le faire transporter, il est de votre intérêt comme du
mien d'éviter les reproches du public. Faisons porter votre
fils dans l'appartement de M. de Marsan qui est de l'autre
côté de la chapelle.

Il a fait ce qu'il doit, mais l'inquiétude a mille visages.

Il apprend ainsi que son premier écuyer, qui se rendait
dans un carrosse royal de Versailles à Paris, a été enlevé dans
la plaine non loin de Sèvres, par une bande d'une trentaine
de huguenots venus de Hollande et commandés par un
Allemand, colonel de l'armée des Provinces-Unies. Ils se
sont trompés de proie : ils voulaient s'emparer du Grand
Dauphin !

Telle est donc la faiblesse du royaume que l'ennemi puisse
y faire le siège de Toulon, et ses affidés agir aux portes de
Paris !

Il ne peut accepter cette situation. Il n'est d'autre solution
que de continuer la guerre tout en proposant la paix à
l'ennemi.

Il a offert au nouvel empereur Joseph Ier de lui concéder tout le Milanais et, comme les Flandres sont déjà perdues, cela revient à admettre que l'héritage espagnol sera partagé, que l'Empire germanique en sera pour partie bénéficiaire, Philippe V restant roi d'Espagne.

Mais Joseph Ier et les Anglais ne semblent pas vouloir négocier.

Alors il faut se battre.

Philippe d'Orléans vient d'obtenir la capitulation de Lérida.

Ce n'est pas suffisant pour contraindre l'ennemi à accepter la paix.

Il faut subir la guerre. Et pour cela il faut de l'argent.

Il a parcouru ce *Projet d'une dîme royale* dont Vauban serait l'auteur et qu'il aurait fait imprimer clandestinement à sept cents exemplaires à Paris.

Louis sait que l'état du royaume que présente ce livre est conforme à la vérité.

Le royaume est un océan de misère entourant quelques îles privilégiées.

Mais comment imposer à chaque sujet, prince ou duc, évêque, parlementaire ou manouvrier, une dîme royale unique ?

Il a bien voulu recevoir Vauban, l'écouter présenter son projet.

Vauban était sincère mais il a dû le réprimander pour avoir par la publication de son livre troublé le royaume, car tous ceux qui échappent aux impôts se sont révoltés, au nom de leurs droits et de leurs privilèges.

C'est au roi seul d'énoncer ce qui est bon et nécessaire pour le royaume, et non à un sujet, fût-il le glorieux maréchal de Vauban. Et, d'une voix qu'il a voulue la plus douce qu'il se pouvait, il a annoncé à Vauban que son *Projet d'une dîme royale* était condamné « à la saisie et au pilon ».

Mais il a voulu que Vauban comprenne qu'il lui gardait son estime et son amitié.

Louis est en train de souper quand il voit Fagon s'approcher.

Le médecin porte le masque lugubre de celui qui annonce la mort.

Louis se raidit.

Fagon dit que Vauban est à la dernière extrémité.

Encore un des témoins et des acteurs des premières années glorieuses du règne que la mort emporte.

— Je perds un homme affectionné à ma personne et à l'État, murmure Louis.

Sera-t-il le prochain à mourir ?

32.

Il est debout au pied du lit de la princesse Palatine.

Il a la tentation de détourner les yeux, de quitter cette chambre où depuis plusieurs jours un violent accès de fièvre retient alitée la mère du duc d'Orléans. Mais il s'oblige à regarder le visage de cette femme qu'il a connu rayonnant de santé et d'énergie, de gaieté aussi.

Elle se soulève en grimaçant, se plaint de son corps trop lourd que la goutte paralyse.

Elle a, dit-elle, des aphtes plein la bouche et des maux de gorge qui sont comme un feu brûlant jusqu'à sa poitrine.

Elle tousse, continue de parler bien que sa voix soit éraillée, étouffée.

— Sire, la guerre réussit mieux à mon fils que Paris.

Louis sait que Philippe d'Orléans vit avec sa maîtresse dans une maison proche du Palais-Royal. À son habitude, il mêle l'amour, la débauche et l'étude. Il a fait installer des cornues dans une cave où il s'adonne à la chimie. Et il espère, après ses victoires de Valence, de Saragosse, de Lérida, obtenir un nouveau commandement en Espagne.

— Sire, je le vois presque aussi peu que s'il était encore à Lérida, chuchote Madame.

Elle laisse retomber sa tête sur sa poitrine, épuisée.

234

Il la dévisage. Les joues sont empourprées, couperosées. Le front, les lèvres sont couverts de petits ulcères.

Fagon se penche vers Louis.

— Elle ne veut point être saignée, dit le médecin, ni faire de remède, et on craint que ce mal n'ait de la suite. Dès que Madame a un peu de soulagement, elle s'habille et écrit comme elle a coutume de le faire.

Louis se tait.

Il a tant lu de lettres de la Palatine qu'il lui semble avoir entretenu avec elle une conversation libre et tumultueuse. Elle a conservé aujourd'hui le style mordant, l'écriture ardente qu'elle avait autrefois, mais c'est la main d'une vieille femme qui tient la plume.

Et tout à coup, il a l'impression que le souffle va lui manquer.

Il se retient de fuir cette chambre. Il retrouve peu à peu sa respiration régulière. Mais la pensée qui l'a oppressé est restée en lui, au centre de sa poitrine, flèche rougie au feu : la Palatine a près de quinze ans de moins que lui. Et en cette année 1708 qui commence, il va avoir soixante-dix ans.

Il s'efforce de ne plus y penser, d'arracher cette réalité brûlante de son esprit et de sa poitrine, mais à chaque instant elle s'enfonce davantage, fouaillant son cœur et son corps.

Il suffit qu'on lui présente un portrait de lui, ou un buste de cire, pour qu'il ne retienne de ces œuvres que les bajoues, les rides profondes autour de la bouche qui paraissent tirer les lèvres vers le bas, dans un rictus d'amertume et de dégoût. Il ne s'aime plus, il ne veut plus se voir. Son regard glisse sans s'y arrêter sur les miroirs.

Mais les autres, marqués par ce temps inexorable et cette mort qui vient, sont comme son reflet.

235

Il est contraint d'accepter le départ de Chamillart qui, épuisé, abandonne le contrôle général des Finances au profit de Nicolas Desmarets. Mais cet homme plus jeune, dévoué, lui rappelle qu'il a commencé à servir sous les ordres de Colbert dont il est le neveu, fils de Marie Colbert la sœur du ministre.

Temps enfuis. Ministres morts : Colbert, Louvois.

Il est le survivant.

À cette pensée, il se sent à la fois plus fort et plus menacé.

Il voudrait tant pouvoir oublier ces soixante-dix années. Il faut pour cela accomplir méthodiquement, régulièrement, les tâches du métier de roi.

Et faire mine de rencontrer par hasard dans les jardins de Marly le financier Samuel Bernard qui s'y promène en compagnie de Nicolas Desmarets.

Il faut s'étonner et se féliciter de sa présence, être plein d'attention pour ce banquier dont on veut obtenir du crédit pour cette guerre dévoreuse de finances.

— Vous êtes bien homme à n'avoir jamais vu Marly, dit-il à Bernard. Venez le voir à ma promenade, je vous rendrai après à Desmarets.

Plus tard, il retrouve à Versailles, dans le grand cabinet, Nicolas Desmarets.

Le contrôleur général des Finances a la mine sombre. Samuel Bernard, comme les autres banquiers, les « partisans » et usuriers, hésite à prêter au roi.

— L'État, dit Desmarets, n'a jamais été dans des engagements si considérables envers le public, si arriéré pour le paiement de ses dépenses, ni avec aussi peu de fonds pour y satisfaire.

Desmarets semble hésiter à poursuivre, et Louis l'y invite d'un geste las.

Il a souvent le sentiment que la maladie des finances qui frappe le royaume est accordée à celle qui atteint son corps de vieux roi, entré par cette porte des soixante-dix ans dans le grand âge.

Il est vieux et son règne est vieux.

— Tous ces papiers et les sommes considérables qui sont dues aux différents entrepreneurs pour les années précédentes ont causé un si grand discrédit et rendu les espèces si rares qu'il paraît impossible de mettre les armées en campagne.

Il ne peut pas accepter cette conclusion. Jusqu'à son dernier souffle de vie il doit être Louis le Grand, et il défendra son royaume.

La mort n'existe ni pour le sang royal qui se transmet tout au long des temps ni pour la nation que la dynastie incarne !

— Les armées doivent défendre le royaume, dit-il à Desmarets.

Il reçoit presque chaque jour les dépêches que d'Espagne ou de Flandre les princes et les maréchaux lui envoient.

Il a confiance en Philippe d'Orléans, qui a pris le commandement de l'«armée des deux couronnes» et qui a ouvert les tranchées de siège autour de la ville forte de Tortosa.

On lui rapporte que le duc d'Orléans mène lui-même les assauts, arpentant les tranchées et les glacis, encourageant ses soldats, prenant tous les risques.

Mais Louis sait que, à la Cour, un clan ne cesse de critiquer le duc d'Orléans.

On jalouse le neveu et le gendre du roi. On le soupçonne de vouloir supplanter un jour Philippe V d'Espagne, et peut-être de songer, après la mort du roi, à la couronne de France.

Louis veut ignorer ces rumeurs. Il fait célébrer un *Te Deum* pour saluer la chute de Tortosa, la victoire remportée par

Philippe d'Orléans. Il remarque le dépit du prince de Conti et de quelques autres. Il ne se soucie que de cette victoire qui conforte Philippe V sur son trône.

Mais peu à peu, il s'inquiète lui aussi des ambitions de Philippe d'Orléans. Mme la princesse des Ursins affirme que le duc d'Orléans a pris contact avec les Anglais dont le chef, James Stanhope, a été, à Paris, l'un de ses compagnons de débauche. Il lui aurait laissé entendre qu'il pourrait remplacer Philippe V sur le trône d'Espagne.

Est-ce une trahison ? Louis ne le croit pas.

Philippe d'Orléans l'a averti de ses contacts avec Stanhope en lui assurant que, dans une négociation de paix avec les Anglais, son accession au trône d'Espagne pourrait être une manière de trouver une issue à la guerre, l'Espagne restant ainsi toujours entre les mains d'un Bourbon.

Mais ce n'est pas cela que Louis reproche à Philippe d'Orléans.

Il a appris que ce dernier a insulté la princesse des Ursins et Mme de Maintenon, invitant ses officiers à lever leur verre à la santé du « con-lieutenant et du con-capitaine ».

Ce n'est pas admissible.

Il faut priver Philippe d'Orléans de son commandement et le rappeler à Paris.

Il le regrette car Philippe d'Orléans est bien le seul à remporter dans cette guerre des succès.

Partout ailleurs, c'est l'incertitude, la défaite, parfois la déroute. Louis a accepté que le fils de Jacques II, le roi défunt d'Angleterre, tente de débarquer en Écosse. Échec. La flotte anglaise bloque les navires français dans la rivière d'Édimbourg, et c'est miracle qu'ils réussissent à échapper à la bataille. Mais le rêve d'un débarquement s'effondre. Il faut fuir.

238

En Flandre, la situation est tout aussi incertaine.

Jour après jour, Louis suit à travers les dépêches la marche des quatre-vingt mille hommes qui sous le commandement du duc de Vendôme et du duc de Bourgogne progressent, occupant Gand et Bruges.

Mais il devine qu'entre Vendôme, vieux noble débauché mais officier aguerri, et le duc de Bourgogne, la rivalité, la jalousie, l'incompréhension, les désaccords se sont installés.

Il connaît son petit-fils. Il voit chaque jour son épouse, la duchesse de Bourgogne. Il aime Marie-Adélaïde, et il mesure aux traits tirés de la jeune femme son inquiétude.

Elle attend, comme toute la Cour, des nouvelles de l'armée.

Quand un courrier arrive, les courtisans s'agglutinent à la porte du grand cabinet.

Il est aussi impatient qu'eux! Il sait que de l'issue de l'affrontement entre l'armée des ducs de Vendôme et de Bourgogne et celle du prince Eugène et de Marlborough peut dépendre le sort du royaume.

Le matin du 11 septembre 1708, alors qu'il est en train de revêtir son costume de chasse, un courrier arrive. Il le lit puis, quand il lève la tête, il découvre les visages anxieux des courtisans.

Il montre la dépêche.

— Afin qu'on ne me fasse pas parler mal à propos, commence-t-il, je vais vous dire ce que le courrier a apporté. Voilà assez de témoins. Mais au moins redites la chose comme je vais vous la dire. L'armée du duc de Bourgogne s'allongea hier le long de la Marque pour avancer sa marche d'aujourd'hui, mais le quartier général ne marcha point, aujourd'hui il a marché avec le reste de l'armée... Les ennemis sont retranchés. Le maréchal de Boufflers est averti que les armées sont en présence.

Il n'en sait pas davantage, mais il répète que le duc de

Bourgogne est entré dans Gand et Bruges, et a conquis aussi Ypres.

Il voudrait croire que c'est de bon augure, mais près de lui il entend Mme de Maintenon murmurer :

— J'ai vu tant de fois prendre et reprendre les villes que je ne vois plus rien de stable.

Il voudrait ne pas partager ce sentiment. Mais des courriers, envoyés par le duc de Vendôme puis le duc de Bourgogne, lui font craindre que les dissensions entre les deux chefs ne conduisent à l'échec.

Et il a le sentiment déplaisant qu'il ne peut rien.

Qu'est-ce qu'un roi impuissant ? Le jouet des événements sur lesquels il n'a pas prise !

Il ne peut l'accepter, et il a peur d'y être contraint !

N'est-ce pas cela la vieillesse ? Vouloir et ne plus pouvoir, subir, être soumis à la maladie.

Il ne le veut pas.

Il prie.

Mais Dieu l'écoute-t-il encore ?

Il lit les dernières dépêches que les courriers hagards de fatigue ont apportées à bride abattue.

Eugène et Marlborough ont attaqué à Audenarde, enfoncé les lignes françaises.

Le duc de Vendôme et le duc de Bourgogne se sont opposés sur la conduite à tenir. Laissée sans ordres précis, accablée par des commandements contradictoires, l'armée française se débande. Le duc de Bourgogne ordonne la retraite qui se transforme en déroute. On abandonne les villes conquises, on se replie sur Lille que les troupes d'Eugène encerclent et où le maréchal de Boufflers tente de résister.

Louis s'interroge. Son petit-fils a-t-il failli, homme de cour plutôt que de guerre ?

Il apprend qu'à Paris on se moque du duc de Bourgogne, on fustige sa lâcheté.

À la Cour même, le propre père du duc de Bourgogne, Monseigneur le dauphin, condamne son fils, et rassemble autour de lui quelques princes, dont le duc du Maine. En face se dressent les ducs de Beauvillier et de Chevreuse, les gendres de Colbert et la duchesse d'Orléans.

Il a le sentiment que, à travers le duc de Bourgogne, son petit-fils estimé, c'est lui qu'on veut atteindre.

Parce qu'on imagine qu'il va bientôt mourir et on se rapproche de ceux dont on pense qu'ils vont s'installer au pouvoir.

Il doit faire face, tenir fermement le sceptre royal jusqu'à ce qu'il ne puisse plus serrer les doigts.

Il ne doit rien abandonner de sa puissance.

À l'instant de la mort seulement, il sera désarmé.

Il faut donc rester impassible devant la défaite d'Audenarde, puis la déroute.

Et il ne peut laisser accuser son petit-fils. Il sait ce que l'on dit du duc de Bourgogne. Et il lit ce que celui-ci écrit à Mme de Maintenon, à propos du duc de Vendôme :

«Vous n'aviez que trop raison, madame, quand je vous ai vue trembler de voir nos affaires entre les mains du duc de Vendôme... le roi s'y trompe fort s'il a une grande opinion de lui. Je ne le dis pas seul, toute l'armée en parle. Il n'a jamais eu la confiance de l'officier, et il vient de la perdre du soldat...»

Il ne peut non plus accepter ce jugement, ni la campagne de rumeurs que les adversaires du duc de Bourgogne entretiennent contre lui.

Il le reçoit.

Il veut lui manifester son estime et son affection, et rassurer aussi Marie-Adélaïde de Savoie qu'il voit inquiète et tourmentée. Il embrasse le duc de Bourgogne, le garde longuement contre lui, puis se tourne vers la duchesse et dit :

— Il n'est pas juste de retarder plus longtemps votre plaisir d'être ensemble.

Il les regarde s'éloigner.

Il ne peut être sévère avec eux, ils continuent son sang. C'est d'eux qu'est né son arrière-petit-fils et que d'autres naîtront sans doute.

Quant à Vendôme, qu'il quitte la Cour, et s'exile en son château d'Anet. Lui aussi est de sang royal, puisqu'il est le petit-fils d'un des bâtards d'Henri IV. Mais un roi doit toujours choisir en pensant aux intérêts de sa lignée qui sont ceux du royaume.

Et jamais ils ne lui ont semblé aussi menacés qu'en cette fin de l'année 1708, alors qu'il a depuis le mois de septembre plus de soixante et dix ans.

Et quel que soit le sujet qu'il examine, il ne voit que périls.

Les finances du royaume sont au plus bas. Si exsangues que lorsqu'il propose à Desmarets un cadeau de deux cent mille livres pour sa fille celui-ci refuse, et il doit insister pour que le contrôleur général des Finances accepte une pension de dix mille livres.

Louis sait qu'à des finances pauvres correspond une armée faible.

Les troupes d'Eugène et de Marlborough viennent de conquérir Lille, où le maréchal de Boufflers a résisté dans la citadelle jusqu'à la limite de ses forces.

Il le reçoit. Un roi doit savoir honorer ses serviteurs courageux. Boufflers refuse de quémander.

— Eh bien ! Monsieur le maréchal, puisque vous ne voulez rien me demander, je vais vous dire ce que j'ai pensé afin que j'y ajoute encore quelque chose si ne j'ai pas assez pensé à tout ce qui peut vous satisfaire : je vous fais pair, je vous donne la survivance du gouvernement des Flandres pour votre fils, et je vous donne les entrées des premiers gentilshommes de la chambre.

Il interrompt le maréchal de Boufflers qui le remercie et l'assure de sa fidélité.

Il l'a éprouvée. Boufflers est de ceux, comme Mme de Maintenon ou son premier valet de chambre Blouin, en qui il a une totale confiance.

Il lui dit que Gand s'est rendu au prince Eugène. Il hésite, puis il replie la lettre qu'on lui a communiquée ce matin, et à propos de laquelle il a été tenté de demander l'avis du maréchal de Boufflers.

Mais il ne la lira pas.

C'est une copie d'une missive adressée par Fénelon au duc de Chevreuse.

L'archevêque de Cambrai écrit :

« Si le roi venait en personne sur la frontière, il serait cent fois plus embarrassé que le duc de Bourgogne. Il verrait qu'on manque de tout, et dans les places en cas de siège et dans les troupes, faute d'argent. Il verrait le découragement de l'armée, le dégoût des officiers, le relâchement de la discipline, le mépris du gouvernement, l'ascendant des ennemis, le soulèvement secret des peuples et l'irrésolution des généraux. »

Il est persuadé que Fénelon dit vrai.

Mais un grand roi ne peut laisser son royaume se défaire.

Il luttera avec ce que Dieu lui accordera de force et de vie.

33.

Il regarde la glace rouge, le vin gelé dans les verres et les carafes.

Il voit dans la soupière le bouillon de poule lui aussi recouvert d'une couche de glaçons.

Il lève les yeux.

Mme de Maintenon assise en face de lui est enveloppée dans des fourrures, et le duc de Beauvillier et le duc de Chevreuse, assis à sa droite et à sa gauche, sont eux aussi emmitouflés.

Le maréchal de Boufflers tousse, puis commence à parler.

Il se trouvait chez son notaire, à Paris, dit-il.

Il a entendu des cris, vu une foule composée de femmes de la Halle et de laquais sans emploi. Ils hurlaient en brandissant leurs poings : «Du pain! Nous voulons du pain!»

Il est sorti dans la rue Saint-Denis, il est allé à la rencontre de l'émeute. Il a interrogé les meneurs.

— Que se passe-t-il, que voulez-vous?

Ils ont réclamé du pain, crié : «Dites au roi notre misère!»

Il s'y est engagé.

Il a remercié Dieu d'avoir pu apaiser la colère de ces gens, avant que les régiments des gardes-françaises et suisses, commandés par le lieutenant général de police, d'Argenson,

244

qui étaient en marche, n'aient réprimé l'émeute à coups de mousquet.

Le matin, on avait déjà relevé après leur intervention une quarantaine de morts, près du Palais-Royal.

Tout le royaume a faim, dit le duc de Beauvillier.

Louis devine que Mme de Maintenon va vouloir interrompre le duc.

Il l'a déjà plusieurs fois surprise essayant de lui masquer la situation du royaume depuis que le grand hiver qui s'est abattu le 6 janvier 1709 sur le royaume a rendu la vie difficile à la plupart des sujets.

Ici même, à Versailles, on mange du pain d'avoine !

Et les paysans en sont à se nourrir d'herbe quand elle n'est pas pourrie par la neige. Le blé a disparu. Les accapareurs font avec le grain un cruel manège, s'enrichissant de la rareté qui a multiplié le prix du blé par huit depuis 1708 !

— Dites-moi ce que vous savez de l'état du royaume, interroge Louis.

Le roi doit savoir.

Beauvillier commence à parler d'une voix d'abord hésitante, puis qui peu à peu prend de l'assurance.

Il dit ce froid qui a paralysé tout le pays en une nuit de janvier, la température tombant à vingt degrés en dessous de zéro.

Les arbres fruitiers ont tous gelé. Le tronc des chênes centenaires a éclaté comme si on avait placé dans l'âme de l'arbre une charge de poudre.

Les loups sont sortis des forêts, ont attaqué les courriers, dévorant chevaux et cavaliers. La faim et le froid ont, assure-t-on, tué près de vingt personne par jour à Paris.

Et l'hécatombe continue.

— La misère, le désespoir et la colère sont partout, poursuit le duc de Beauvillier.

Louis se souvient de ces cris lancés par des femmes de la halle, venues hurler leur faim contre les grilles de Versailles.

À Paris, à Tours, dans la plupart des villes on pille les boulangeries.

Place Maubert, une centaine de femmes ont écharpé, démembré un commissaire.

On a découvert souvent dans les rues des cadavres raidis, morts de froid.

Hier, on a trouvé à Versailles les corps de quatre pauvres petits ramoneurs savoyards.

Beauvillier s'interrompt, montre le vin, le bouillon gelés, et le feu qui pourtant crépite dans la cheminée.

— Personne, quel que soit son âge, ne se souvient d'avoir vécu une telle gelée, reprend le duc. La Seine est entièrement prise de glace. Il y a des morts et des malades dans toutes les maisons. Les pauvres n'ont plus rien à manger, et ce que l'on mange – il montre la soupière en or contenant le bouillon – est gelé.

Louis sait cela.

Depuis le début du grand hiver, il n'a cessé d'imaginer ce que devaient subir les sujets du royaume.

Il a ordonné qu'on achète du grain hors de France, au Levant, mais les navires anglais font la chasse aux bateaux chargés de grain. Et l'argent manque pour payer le grain !

Un convoi venu des Amériques, les navires chargés d'argent, a réussi à atteindre La Rochelle, forçant le blocus anglais, mais cela est insuffisant.

Desmarets tente d'obtenir des prêts à des taux usuraires. Les financiers se dérobent. Alors il faut fondre les monnaies pour en fabriquer d'autres, moins titrées en argent et en or, et valant cependant davantage.

Louis tend le bras, montre la soupière en or.

Il va, dit-il, comme il l'a déjà fait quand, il y a une quinzaine d'années, le royaume connaissait la famine, faire porter sa vaisselle d'argent et d'or à la Monnaie, afin qu'on la fonde. Et il compte que ceux qui ont le souci du royaume feront de même.

Il connaît les courtisans. Ils l'imiteront pour lui plaire.

Le duc de Beauvillier et le duc de Chevreuse promettent déjà de suivre l'exemple de Sa Majesté.

Mais il ne s'illusionne pas. Tous les princes et tous les ducs, tous les courtisans apporteraient-ils leur vaisselle d'or et d'argent à la Monnaie que cela ne suffirait pas à sauver le royaume, à rendre la confiance aux sujets qui se rebellent.

Il lit les rapports des intendants.

Dans le Bourbonnais, l'intendant a été assailli par plus de huit cents paysans et n'a dû son salut qu'à la fuite.

Des bandes de mendiants, de soldats déserteurs, de paysans attaquent les châteaux et les couvents, pour piller les réserves de grain qu'ils imaginent y trouver.

Le carrosse de M. le dauphin a été arrêté à Paris par des femmes enragées. Et il n'a pu se sauver qu'en leur jetant des poignées de pièces.

Le royaume va-t-il sombrer dans le désordre et la révolte ?

Les protestants du Vivarais ont pris les armes.

Il faut, alors que la menace que font peser sur les frontières les armées du prince Eugène de Savoie et du duc de Marlborough n'a jamais été aussi forte, envoyer des troupes pour réduire ces camisards qui ne se soucient pas de l'intérêt du royaume.

Louis est inquiet.

La nuit il ne trouve pas le sommeil, réveillé à chaque instant par des cauchemars qui le replongent dans ce temps des troubles, la Fronde, quand il devait avec la reine et le cardinal Mazarin fuir, et que les libelles haineux se répandaient dans Paris.

Ils sont à nouveau affichés sur les murs de la capitale, vendus, distribués, certains de leurs passages chantés.

Il interroge le lieutenant de police d'Argenson, qui assure que de «pareilles insultes ne méritent que du mépris».

Mais il veut connaître ces textes, ce *Pater*, qu'on récite et qu'il peut enfin lire, chaque mot comme un défi :

> *Notre père qui êtes à Marly*
> *Votre nom n'est plus glorieux*
> *Votre volonté n'est faite*
> *Ni sur la terre ni sur la mer*
> *Rendez-nous aujourd'hui notre pain*
> *Parce que nous, nous mourons de faim*
> *Pardonnez à vos ennemis qui vous ont abattu*
> *Mais ne pardonnez pas à vos généraux*
> *Et ne nous induisez pas en tentation de changer de maître*
> *Mais délivrez-nous de la Maintenon,*
> *Amen.*

Il est blessé.

Il sait combien Mme de Maintenon se dévoue, donnant chaque jour aux pauvres, s'efforçant de les accueillir pour les arracher au froid et à la faim, s'obligeant à manger du pain d'avoine pour partager leur misère.

Et lui-même n'a pour seul souci que la gloire du royaume qui se confond avec la sienne.

Ceux qui écrivent et diffusent ces libelles – peut-être des huguenots, au service de Heinsius, du prince Eugène ou du duc de Marlborough – ignorent sa volonté de protéger et de sauver le royaume. Et il sait bien qu'il ne peut y parvenir que si la guerre cesse, et pour cela il faut négocier avec l'ennemi.

Nuits d'insomnies. Journées douloureuses.

Il faut décider d'envoyer des émissaires à La Haye, et c'est une humiliation. Alors il a l'impression que même son corps

248

se révolte contre ce choix nécessaire, et que les souffrances qu'il endure sont le prix à payer pour sa décision.

Le ventre est le lieu de ses tourments.

Il mange pour les apaiser. Il se vide plusieurs fois par nuit et à toute heure du jour. Et la faim vient, comme une angoisse qu'il faut étouffer en s'empiffrant de poissons et de poulets rôtis, de pâtés en croûte, de pois, de fruits, d'eau glacée et d'eau de cannelle.

On le purge. On le saigne. Il est vingt-deux fois en une journée assis sur sa chaise percée.

Mais quand le ventre et le ver qui s'y love s'apaisent, c'est dans les reins une douleur d'enfer qui le traverse.

Uriner est un supplice. Puis, quand le « calcul » gros comme un grain de sable est passé, c'est la goutte qui le paralyse. Il grelotte. Il tousse, enveloppé dans une peau d'ours.

Il tient ainsi conseil dans le grand cabinet. Il ne veut plus qu'y figure Chamillart qui, après avoir abandonné le contrôle général des Finances, est encore secrétaire d'État à la Guerre. Il faut un autre homme pour les temps qui s'annoncent, qui seront ceux des négociations, de la paix et donc des ultimes batailles.

Il donne l'ordre à Jean-Baptiste Colbert de Torcy, ministre des Affaires étrangères, de se rendre incognito à La Haye afin d'y rencontrer Heinsius, Eugène de Savoie et le duc de Marlborough, d'offrir à ce dernier dont toute l'Europe connaît l'âpreté au gain quatre millions de livres.

Il faut attendre. Prier, se confesser.

Et chaque fois se souvenir du père de La Chaise, mort au début de l'année, tué par l'âge et le froid, murmurer à Le Tellier, le provincial des jésuites qui l'a remplacé :

— Le père de La Chaise était si bon que je le lui reprochais quelquefois. Il me répondait : «Ce n'est pas moi qui suis bon, mais vous qui êtes dur.»

Il doit être dur. C'est la première qualité d'un grand roi. Et il a confiance en Le Tellier. Ce jésuite est volontaire, dur lui aussi, fier de ses origines modestes, précisant qu'il n'appartient pas à la famille des Colbert, qui sont aussi des Le Tellier.

— Je suis bien loin de cela, a-t-il dit, je suis un pauvre paysan de Basse-Normandie où mon père était fermier.

Louis est satisfait. Ce jésuite-là, même s'il fait désormais partie de la Cour, même s'il est invité à Marly, ne peut être un courtisan.

Il prie avec lui, pour que Torcy réussisse à obtenir la paix. Elle est nécessaire.

Louis sait que le royaume est au bord de l'abîme.

Il lit le mémoire que lui remet Nicolas Desmarets – et qu'approuve le nouveau secrétaire d'État à la Guerre Voysin, un homme prudent, dévoué, efficace, soumis à Mme de Maintenon.

Desmarets dresse la liste de tous les maux qui assaillent le royaume. Il souligne «la mauvaise disposition d'esprit de tous les peuples» qui sont prêts, tenaillés par la faim, la misère, le désespoir, à la révolte.

Et Desmarets conclut :

«À tous ces maux il n'est possible de trouver des remèdes que par une prompte paix.»

Louis partage plus que jamais cette opinion et, lorsqu'il écoute le sermon de carême du père Massillon, ses dernières hésitations disparaissent.

— La main du Seigneur, dit Massillon en ce quatrième dimanche du carême, est étendue sur nos peuples dans les villes et dans les campagnes : vous le savez et vous vous en plaignez. Le ciel est d'airain pour ce royaume affligé, la misère, la pauvreté, la désolation, la mort marchent partout devant nous.

250

Louis attend donc Torcy.

Il est impatient, le corps tourmenté par les douleurs du ventre et de la goutte.

Lorsqu'il traverse la galerie et les salons en s'efforçant de masquer ses souffrances, il lit sur les visages des courtisans le désarroi et l'anxiété.

La paix est necessaire, même s'il faut pour l'obtenir beaucoup céder.

Mais lorsqu'il voit Torcy rentré dans la nuit de La Haye, il devine à l'expression du ministre que Heinsius, et surtout Eugène et Marlborough, les Impériaux et les Anglais, ont présenté des exigences insolentes, exorbitantes.

Il veut rester impassible cependant que Torcy rapporte les propositions qui lui ont été communiquées.

Marlborough, précise-t-il d'abord, a refusé, narquois, les quatre millions que Sa Majesté lui offrait.

— Le roi de France, continue Torcy, devrait abandonner entièrement le roi d'Espagne. Il lui ôterait jusqu'au titre de roi. Il livrerait aux Hollandais Bayonne et Perpignan pour rester entre leurs mains jusqu'à ce que Philippe V ait entièrement évacué l'Espagne.

Torcy s'interrompt, mais Louis ne bouge et ne commente pas.

Torcy reprend :

— Le roi rétablirait en France la religion prétendue réformée et donnerait aux huguenots pour places de sûreté Bordeaux et La Rochelle, dans lesquelles il y aurait garnisons hollandaise et anglaise.

« Le roi ferait boucher le port du Havre et raser Dunkerque. Il ôterait tout commerce à la France pour l'abandonner tout entier à la Hollande.

« Le roi donnerait en propre aux états généraux des Provinces-Unies la Gueldre et tous les Pays-Bas espagnols et même Thionville et toutes les places de l'Escaut.

« Le roi céderait toute l'Alsace et toute la Franche-Comté

au duc de Lorraine et même l'évêché de Toul, et à l'empereur Strasbourg tout fortifié.

«Le roi donnerait au duc de Savoie le Dauphiné et la Provence.

Torcy reste un long moment silencieux, puis conclut :

— Le prince Eugène a ajouté qu'il s'agissait là de belles propositions, qu'il fallait accepter. Les alliés, a répété le prince, donnent à la France tout ce qu'ils lui laissent, puisqu'ils sont les maîtres de tout lui ôter.

Louis se tait. Il sent, il comprend ce que signifient ces exigences.

Eugène de Savoie, le duc de Marlborough et le stathouder Heinsius ne veulent pas la paix, mais l'humiliation de Louis le Grand et la soumission du royaume de France.

Croient-ils que les sujets de ce royaume respecteraient un roi reniant son petit-fils, roi d'Espagne ?

Ce qu'ils veulent, donc, c'est sa mort comme grand souverain et son rejet par son peuple.

Il se lève.

Il va jusqu'à la fenêtre du grand cabinet. Il contemple les statues et les jardins, les bassins, les fontaines, les cours et les bâtiments, tout ce qu'il a fait surgir d'une nature hostile, aujourd'hui ordonnée et soumise.

Il se tourne vers Jean-Baptiste Colbert de Torcy.

Il dit :

— Puisqu'il faut faire la guerre, j'aime mieux la faire à mes ennemis qu'à mes enfants.

Il faut qu'il explique cela à tous les sujets de son royaume.

34.

Il pose le texte que vient de lui remettre Torcy devant lui.

Il écarte du bout des doigts les feuillets les uns des autres, comme s'il voulait pouvoir d'un seul regard lire toutes les phrases de cet appel qu'il adresse aux gouverneurs et aux évêques de toutes les provinces du royaume.

Il veut, dit-il à Torcy, que les évêques fassent des mandements avec les principaux passages de l'appel.

Il veut que les curés, tous les curés de France – il hausse la voix, il répète –, tous les curés de France dans toutes les paroisses de France, lisent ces mandements après la grand-messe.

Il rassemble les feuillets qu'il a dictés à Torcy.

Il veut, ajoute-t-il, que les gouverneurs fassent distribuer l'appel et le collent en placards aux carrefours des rues de toutes les villes du royaume.

— Mes sujets, dit-il, sauront les raisons de leur roi.

Il veut relire cet appel, même s'il a l'impression d'en connaître chaque mot. Ils ont jailli de lui comme s'ils avaient été retenus et qu'enfin, le barrage levé, libérés, ils formaient ce grand fleuve des phrases qui allait irriguer tout le royaume.

Il commence par un murmure, pour lui-même, puis il enfle la voix, lit :

« L'espérance d'une paix prochaine était si généralement répandue dans mon royaume que je crois devoir à la fidélité que mes peuples m'ont témoignée pendant le cours de mon règne la consolation de les informer des raisons qui empêchent encore qu'ils ne jouissent du repos que j'avais dessein de leur procurer.

« J'avais accepté pour le rétablir des conclusions bien opposées à la sûreté de mes provinces frontières ; mais plus j'ai témoigné de facilité et d'envie de dissiper les ombrages que mes ennemis affectent de conserver de ma puissance et de mes desseins, plus ils ont multiplié leurs prétentions... »

Il s'interrompt, parcourt des yeux les lignes suivantes, s'indigne à nouveau en les relisant des prétentions de ces alliés, de ce marché de dupes et de ce contrat de mort qu'on lui propose.

Il devrait démanteler, raser ses places fortes, abandonner celles des Pays-Bas et de l'Alsace.

Et tout cela pour une suspension d'armes, laissant aux puissances ennemies le choix de reprendre les hostilités s'ils jugeaient que Philippe V tardait à abandonner le trône d'Espagne !

Il est si révolté de ce piège dans lequel on l'invite à entrer qu'il reprend la lecture, d'une voix forte :

« Je passe sous silence les insinuations qu'ils m'ont faites de joindre mes forces à celles de la Ligue et de contraindre le roi, mon petit-fils, à descendre du trône. [...]

« Il est contre l'humanité de croire qu'ils aient seulement eu la pensée de m'engager à former avec eux une pareille alliance.

« Mais quoique ma tendresse pour mes peuples ne soit pas moins vive que celle que j'ai pour mes propres enfants, quoique je partage tous les maux que la guerre fait souffrir à des sujets aussi fidèles, et que j'aie fait voir à toute l'Europe que je désirais sincèrement de les faire jouir de la paix, je suis persuadé qu'ils s'opposeraient eux-mêmes à la recevoir à des conditions également contraires à la justice et à l'honneur du nom français. »

Il ferme les yeux.

Il est le roi de France, Louis le Grand, le Roi Très-Chrétien.

« Comme je mets ma confiance en la protection de Dieu, reprend-il, et j'espère que la pureté de mes intentions attirera les bénédictions divines sur les armes, j'écris aux archevêques et aux évêques de mon royaume d'exciter encore la ferveur des prières dans leurs diocèses.

« Et je veux en même temps que mes peuples, dans l'étendue des provinces, apprennent des gouverneurs qu'ils jouiraient de la paix s'il eût dépendu seulement de ma volonté de leur procurer un bien qu'ils désirent avec raison, mais qu'il faut acquérir par de nouveaux efforts, puisque les concessions immenses que j'avais accordées sont inutiles pour le rétablissement de la tranquillité publique. »

Il attend dans les jours qui suivent les rapports que lui envoient les intendants et celui du lieutenant général de police d'Argenson.

À la lecture des premiers qu'il reçoit, il a le sentiment que sa poitrine s'emplit d'un air vif et salubre.

Les intendants signalent que les manouvriers, les paysans s'engagent dans la milice, après avoir entendu la lecture par le curé de l'appel de Sa Majesté.

Dans les villes, on approuve le roi d'avoir refusé de faire la guerre à son petit-fils.

Philippe V est roi d'Espagne par la volonté de Dieu, et exiger de son grand-père qu'il contribue à sa chute est contre tout droit et contre toute justice.

Oui, dit-on, l'honneur français ne l'accepte pas.

Il reçoit d'Argenson.

Celui-ci lui indique que la foule s'est rassemblée devant l'imprimerie dans laquelle l'appel, dont les premiers exemplaires s'étaient arrachés, est réédité.

Il reste impassible, mais il remercie Dieu pour cette grâce.

Car il n'est de grand roi que celui qui veut le bien et la gloire de son royaume, et celui qui reçoit l'aide et l'amour de ses sujets.

Il a l'impression qu'il vient de recevoir, alors que la fin de sa vie approche, la confirmation de son sacre.

Il veut remercier Dieu, et il donne satisfaction à Le Tellier qui ne cesse de le mettre en garde contre ces jansénistes qui, malgré les condamnations pontificales, continuent d'infester l'Église de leur hérésie sur la grâce, à laquelle les œuvres ne pourraient concourir.

Il autorise donc la destruction de l'abbaye de Port-Royal, et l'expulsion puis la dispersion dans d'autres couvents des dernières religieuses qui s'y trouvent encore.

Il apprend qu'il faut déterrer les restes de trois mille morts enfouis dans le cimetière de l'abbaye, et ceux qui ne seront pas réclamés par leurs familles seront déversés dans une fosse commune. Et on labourera la terre, on sèmera sur l'emplacement de l'abbaye. Mais force doit rester à l'Église qui est celle de la religion du roi.

Et Dieu en saura gré au Roi Très-Chrétien.

Il est ce souverain-là, qui honore Dieu, qui écoute son confesseur et assiste chaque jour à la messe, qui est conforté dans sa foi par la présence de la pieuse et charitable Mme de Maintenon, épouse fidèle devant Dieu.

Il voudrait que sa vie de débauche et d'adultère n'ait pas existé. Quand il apprend que La Reynie, l'ancien lieutenant général de police, vient de mourir, c'est toute cette époque, celle des soupçons, des messes noires, des accusations contre

Athénaïs de Montespan de Mortemart, qui lui revient en mémoire.

Il convoque Maître Nicolas Gaudion qui a la garde de tous les interrogatoires des coupables qui avaient mis en cause Athénaïs ou sa dame de compagnie, Mlle des Œillets.

Maître Gaudion s'avance, ce 13 juillet 1709, dans les appartements de Mme de Maintenon.

Il porte une cassette en cuir noir contenant les pièces qui avaient été retirées, à la demande de Sa Majesté, du dossier de justice.

Louis regarde le chancelier de France, le comte de Pont-chartrain, qui est debout près du fauteuil de damas rouge dans lequel est assise Mme de Maintenon.

Il faut que ces papiers disparaissent, que rien ne demeure de cette époque noire, des accusations contre Athénaïs de Montespan, maîtresse du roi, mère de plusieurs de ses enfants, le duc du Maine, le comte de Toulouse, Mlle de Blois, duchesse d'Orléans, et Mlle de Nantes, épouse du prince de Condé, et donc Mme la duchesse.

Il fait sauter les serrures. Il sort les liasses vieilles de plus de vingt ans.

Il ne les ouvre pas. Tout cela ne doit pas exister. Tout cela doit être ignoré. Tout cela, les poisons, les messes noires, les poudres et les philtres, les accusations contre Athénaïs, n'a jamais eu lieu.

Il jette l'une après l'autre les liasses dans la cheminée.

Les flammes, d'abord vives, sont étouffées peu à peu par les cendres qui s'accumulent.

De ce passé, il ne reste que cette poussière noire.

Il est Roi Très-Chrétien du royaume de France qui ne doit penser qu'à l'avenir de sa dynastie, qui se confond avec celui de ses sujets.

35.

Dans le grand cabinet, il s'approche du maréchal de Villars.

Il veut lui confier le commandement de l'armée des Flandres, alors que la situation des troupes françaises face aux régiments anglais et hollandais du duc de Marlborough et du prince Eugène de Savoie est périlleuse, et quelquefois il pense, s'efforçant d'oublier ce mot, désespérée.

Un grand roi qui veut assurer l'avenir de sa dynastie et de son royaume, qui sert Dieu et croit à sa bienveillance, ne doit jamais perdre l'espoir. Et cependant, les gentilshommes blessés qui rentrent à Versailles après avoir combattu en Flandre décrivent des troupes découragées, mal ou point payées, désertant en foule.

Tournai est tombé, la citadelle résiste encore, mais pour combien de jours ?

Il sait qu'elle est condamnée, même si M. de Surville qui la commande a une conduite héroïque et si la ville ne s'est rendue qu'après un siège de près de deux mois.

Maintenant, les troupes d'Eugène et de Marlborough peuvent avancer, fortes de près de cent dix mille hommes accompagnés d'une puissante artillerie.

Il faut les arrêter, leur montrer que lorsque l'honneur français est en jeu, l'armée royale ne se débande pas.

Et pour cela il faut qu'elle ait un chef qui a fait ses preuves.

Louis ouvre les bras, serre le maréchal de Villars contre lui et l'embrasse. Il devine l'émotion de Villars.

— Je mets ma confiance en Dieu et en vous, dit Louis. Mais je ne puis rien vous ordonner puisque je ne puis vous donner aucun secours.

Il espère en Villars qui a sous son commandement quatre-vingt mille hommes, semblant décidés à combattre avec détermination.

Villars a dit que lorsqu'il leur a lu l'appel du roi, ils ont répondu par des «Vive le roi!» enthousiastes, en brandissant leurs fusils armés de baïonnettes.

Villars leur a répondu :

— Nous voici à la veille des grandes actions qui peuvent décider du salut de l'État.

Il faut attendre, apprendre par les courriers que les deux armées sont face à face à Malplaquet, non loin de Mons, que le maréchal de Boufflers est tout aussi résolu que Villars, et que les deux maréchaux sont dans une parfaite entente.

Puis, le 13 septembre, un officier arrive à Marly, annonce que la bataille a fait rage, que le maréchal de Villars qui conduisait les charges, creusant des sillons sanglants dans les rangs hollandais, a été grièvement blessé au genou, et qu'en dépit de ses protestations on a été contraint de l'évacuer.

Jamais, dit l'officier, on n'a vu autant de morts entassés enlacés sur un champ de bataille; les pertes françaises seraient moins fortes que celles des armées anglo-hollandaises.

Louis écoute, ne pouvant s'empêcher d'exprimer sa tristesse et sa déception quand il apprend que le maréchal de Boufflers a décidé d'ordonner la retraite, livrant ainsi Mons à l'ennemi.

Autour de lui, Louis ne voit que visages consternés et

inquiets, car toutes les dépêches confirment que les morts se comptent par milliers, et que parmi eux on compte un grand nombre de gentilshommes qui ont à la Cour femmes, parents, amis.

Louis s'interroge. Si les troupes d'Eugène et de Marlborough ont essuyé plus de pertes que les françaises, pourquoi leur avoir abandonné le champ de bataille et concédé ainsi la victoire ?

Et puis, il reçoit ces quelques mots du maréchal de Villars :

« Si Dieu nous fait la grâce de perdre encore une pareille bataille, Votre Majesté peut compter que ses ennemis sont détruits. ».

Défaite ? Victoire ?

L'armée a reculé en bon ordre. Elle a blessé profondément l'ennemi, sans doute même l'a-t-elle arrêté.

Il se rassure. Peut-être cette bataille, ni perdue ni gagnée, mais montrant à l'ennemi que le royaume de France n'est pas à l'agonie, permettra-t-elle de conclure la paix ?

Il lit et relit les lettres que le maréchal de Boufflers lui adresse et qui affirment que « jamais malheur n'a été accompagné de plus de gloire... Je puis vous assurer, Sire, avec vérité que cette gloire est infiniment au-dessus de tout ce que je pourrais lui en dire. Votre Majesté le saura par la relation même des ennemis qui ne peuvent assez exalter, ni vanter l'audace, la valeur, la fermeté et l'opiniâtreté des troupes de Votre Majesté.

« Enfin, Sire, la suite des malheurs arrivés depuis quelques années aux armes de Votre Majesté avait tellement humilié la nation française que l'on n'osait quasi plus s'avouer français.

« J'ose assurer, Sire, que le nom français n'a jamais été plus en estime, ni plus craint qu'il l'est présentement dans toute l'armée des alliés.

« Ils parlent avec admiration de la beauté de notre retraite,

260

et de la fierté avec laquelle elle a été faite. Ils disent qu'ils ont reconnu en cette action les anciens Français.

« Ce que je puis avoir l'honneur de dire à Votre Majesté, c'est que depuis longtemps armée n'acquit plus de gloire et n'a plus mérité l'estime du maître et des ennemis ».

Louis est satisfait.

Il lui semble qu'avec les moyens du royaume, la longue guerre qui comme une interminable maladie l'a épuisé, il ne pouvait faire plus que de blesser l'ennemi et ainsi de se faire respecter.

Mais il mesure le prix de cette bataille.

Lorsqu'il regarde autour de lui, à Marly, à Versailles, il ne voit que tristesse et larmes.

Tous les jours arrivent au château des officiers appuyés sur des béquilles. Il faut les récompenser et d'abord leur chef, le maréchal de Villars, dont la blessure est profonde.

Il décide de lui envoyer son premier chirurgien Mareschal, auquel il ordonne de lui adresser chaque jour un état de la santé de Villars.

Il demande à Mme de Maintenon d'aller visiter le blessé, et de lui apporter le salut du roi.

Le 22 décembre, après avoir écouté le sermon, il se rend auprès de Villars qui a été transporté à Versailles. Il s'assied au pied du lit. Il converse longuement avec lui. Un grand roi sait reconnaître les qualités et les vertus de ceux qui le servent avec fidélité et courage, et les gratifier pour cela.

Il dit à Villars que son duché est transformé en pairie, et qu'il n'oubliera pas le fils du maréchal, le jeune marquis de Villars.

Louis rentre dans sa chambre, et regarde les trente-trois drapeaux conquis sur l'ennemi à Malplaquet.

Il demande à ce qu'ils soient accrochés dans la nef de Notre-Dame.

Puis il prie pour que ce carnage de Malplaquet ouvre le chemin de la paix.

Car elle seule pourra faire sortir le royaume de ce grand hiver, commencé le 6 janvier de cette année 1709.

36.

Il a froid.

Il se tient emmitouflé dans son fauteuil face à la cheminée du grand cabinet.

Il a l'impression que tout est glace en lui et hors de lui.

Quand il tourne la tête et qu'il aperçoit le parc, il ne voit que l'étendue blanche qui emprisonne les fontaines et les arbres, les massifs, et recouvre les canaux.

Le grand hiver continue de régner, indifférent à la succession des années. Ce mois de janvier 1710 ressemble au mois de janvier 1709. La faim est la sœur du gel. La misère et la révolte sont leurs enfants.

Le lieutenant de police d'Argenson énumère dans ses rapports les « émotions », les pillages, les violences contre les riches en carrosse, les commissaires, tous ceux dont on soupçonne qu'ils remplissent leur ventre de pain de froment et non de miches grises de son, d'avoine et d'herbes. Et les coffres de l'État restent vides alors qu'il faudrait acheter du grain, pour le distribuer aux plus pauvres.

Louis reçoit le contrôleur général des Finances qui, le visage anxieux d'un homme aux abois, propose la création d'un impôt frappant chaque sujet du roi, prince ou manant,

membre du Parlement, duc ou artisan, à hauteur du dixième
de ses revenus. Et comme chaque fois, Desmarets énumère
les oppositions des plus riches des princes, ce duc de Saint-
Simon se faisant leur porte-parole, dénonçant la désolation
que va provoquer cet impôt et le chaos des finances royales,
tous ces billets émis qu'un édit vient de décréter sans valeur
– et que faire alors de ces «billets d'État, billets de monnaie,
billets de receveurs, billets sur taille, billets d'ustensile» dont
le retrait provoque la ruine, que l'impôt du dixième va aggra-
ver.

Louis écoute Desmarets. Il imagine les résistances qu'il va
rencontrer. Mais un roi doit d'abord penser à sauver son
royaume.

Il le rappelle aux ministres rassemblés en Conseil.

La situation est d'autant plus grave que les négociations
avec les Impériaux, les Hollandais et les Anglais n'aboutissent
pas.

— Je ne peux ni sortir de la guerre ni obtenir la paix, dit-il.

Il regarde les ministres les uns après les autres.

Il sait que certains sont favorables à la paix à tout prix.
Même le maréchal de Villars lui a conseillé d'accepter toutes
les exigences des alliés. «La paix à n'importe quel prix», a
insisté Villars.

Louis doit le redire :

— Je ne promettrai jamais ni n'envisagerai de consentir à
faire la guerre à mon petit-fils.

Et cependant, il ne faut pas interrompre les négociations.

La situation peut changer.

Les espions affirment qu'à Londres le Parlement veut en
finir avec la guerre, et qu'il critique Marlborough.

En Espagne, la population castillane, les Grands sont,
malgré les échecs militaires, fidèles à Philippe V.

Louis décide donc d'envoyer à Geertruidenberg, dans les
Provinces-Unies où se déroulent les négociations, le maréchal d'Huxelles et l'abbé de Polignac. Qu'ils écoutent. Qu'ils

proposent et même qu'ils laissent entendre qu'ils sont prêts à accepter les conditions qu'on leur soumet. Mais qu'ils ne s'engagent en rien.

— Gagnez du temps, dit Louis au ministre des Affaires étrangères Torcy.

Et il ajoute :

— Nous n'avons plus comme moyen pour porter nos ennemis à la paix que celui de faire véritablement la guerre.

Mais pour cela il faut de l'or et de l'argent. Alors, il faut approuver l'impôt du dixième, car il ne suffit pas que les princes et les ducs donnent leur vaisselle en métal précieux à la Monnaie pour qu'on l'y fonde et qu'ils se « mettent en faïence », il faut qu'ils paient comme tout sujet du royaume.

Et il annonce, en ce mois de janvier 1710, qu'il suspend le versement des étrennes à la famille royale.

Mais il le sait, il le sent, tout cela est insuffisant.

Le grand hiver, celui du froid, de la misère et surtout des défaites, persiste, s'aggrave même.

Il voudrait confier à nouveau au maréchal de Villars le commandement de l'armée des Flandres, mais Villars souffre encore de sa blessure, il boite, craint peut-être de dilapider sa gloire en affrontant avec des troupes encore affaiblies Eugène et Marlborough.

Alors il faut donner le commandement au maréchal de Montesquiou. Et, il l'apprend par des officiers blessés lors des premiers combats, les soldats se moquent de ce maréchal qui se laisse surprendre, ordonne la retraite.

Les hommes chantonnent « Montesquiou, montre ton cul ! ».

Et les villes du Nord tombent les unes après les autres : Douai, Arras, Cambrai, Béthune, Aire-sur-la-Lys.

En Espagne, la situation est pire.

L'Anglais Stanhope remporte la victoire d'Almenera,

l'Autrichien Starhemberg prend Saragosse et ses troupes marchent sur Madrid.

Louis est accablé, mais il doit masquer ses inquiétudes, ne pas céder au découragement quand un courrier lui annonce que l'archiduc Charles est entré à Madrid, que Philippe V, la reine, les Grands d'Espagne et une grande partie de la population se sont enfuis.

Il écoute Torcy lui lire une lettre qu'il vient de recevoir de la princesse des Ursins. Malgré l'exode, elle se montre confiante car partout les Castillans acclament Philippe V, leur roi, et rejettent le Habsbourg, Charles, cet usurpateur sous le nom de Charles III.

« Nous crevons tous de rhumes et de mille autres incommodités, que causent les maisons gelées où nous habitons, écrit la princesse des Ursins, mais tout ceci n'est rien quand on a le cœur aussi content que nous l'avons. J'attends avec la dernière impatience que vous me fassiez l'honneur de me témoigner que le vôtre l'est aussi. Vous ne seriez pas bon à jeter aux chiens si vous n'étiez pas dans ces sentiments. »

Il demande à Torcy de lui relire les dernières phrases. Elles portent l'espoir.

Non seulement il ne faut pas abandonner Philippe V, mais il doit l'aider. Et il approuve Torcy qui propose d'envoyer en Espagne le duc de Vendôme, exilé loin de la Cour depuis la défaite d'Audenarde. Mais c'est un bon chef de guerre. Il faut, dit Louis, que tous les sujets du royaume, ducs ou paysans, participent à cette guerre.

Il est indigné de lire dans une lettre de l'archevêque de Cambrai, qui a été interceptée, que Fénelon écrit au duc de Chevreuse :

« Notre mal vient de ce que cette guerre n'a pas été jusqu'ici que l'affaire du roi, qui est ruiné et discrédité. Il faudrait en faire l'affaire véritable de tout le corps de la nation. »

N'est-ce pas ce qu'il a fait dans l'appel adressé au pays ?

Il prend la plume. Il sent le besoin d'écrire une nouvelle adresse à ses sujets, et les mots de cette harangue viennent sans que jamais un seul lui manque.

Il a le sentiment, en écrivant, de se confesser.

« J'ai soutenu cette guerre avec la hauteur et la fierté nécessaires qui conviennent à ce royaume, dit-il. C'est par la valeur de ma noblesse et le zèle de mes sujets que j'ai réussi dans les entreprises que j'ai faites pour le bien de l'État.

« J'ai donné tous mes soins et toute mon application pour y parvenir.

« Je me suis aussi donné les mouvements que j'ai cru nécessaires pour remplir mes devoirs et pour faire connaître l'amitié et la tendresse que j'ai pour mes peuples en leur procurant par mes travaux une paix qui les mette en repos le reste de mon règne pour ne penser plus qu'à leur bonheur.

« Après avoir étendu les limites de cet empire et couvert mes frontières par les importantes places que j'ai prises, j'ai écouté les propositions de paix qui m'ont été faites et j'ai peut-être passé, à cette occasion, les bornes de la sagesse pour parvenir à un aussi grand ouvrage.

« Je puis dire que je me suis sorti de mon caractère et que je me suis fait une violence extrême pour procurer promptement le repos à mes sujets aux dépens de ma réputation ou du moins de ma satisfaction particulière et peut-être de ma gloire. J'ai cru leur devoir cette reconnaissance.

« Mais voyant à cette heure que mes ennemis les plus emportés n'ont voulu que m'amuser, me tromper, je ne vois plus de parti à prendre que celui de songer à nous bien défendre en leur faisant voir que la France bien unie est plus forte que toutes les puissances rassemblées.

« Par les efforts que nous ferons par notre union, nos ennemis connaîtront que nous ne sommes pas en l'état qu'ils veulent faire croire et nous pourrons les obliger à faire une paix honorable pour nous, durable pour notre repos et convenable à tous les princes de l'Europe.

« C'est à quoi je penserai jusqu'au moment de sa conclusion, même dans le plus fort de la guerre, aussi bien qu'au
bonheur et à la félicité de mes peuples qui ont toujours fait
et feront jusqu'au dernier moment de ma vie ma plus grande
et ma plus sérieuse application. »

Il pose la plume.
Il se sent mieux d'avoir ainsi écrit ce qu'il éprouve.
Mais, il le sait, son sort et donc celui du royaume sont
entre les mains de Dieu.

37.

Il remercie Dieu quand, ce 14 février 1710, à sept heures du matin, son premier valet de chambre Blouin vient le réveiller.

La duchesse de Bourgogne, Marie-Adélaïde, est en travail, l'enfant, le deuxième arrière-petit-fils, peut naître d'un instant à l'autre.

Il faut se lever aussi vite que le corps lourd et douloureux le permet. Hier soir, Louis a ordonné aux valets qu'on laisse ses habits dans sa chambre.

Il n'a pas pu assister à l'accouchement du duc de Bretagne, né trop vite. Il ne veut pas manquer celui-là.

Un arrière-grand-père, un roi, doit être présent au moment de la naissance de ses descendants.

Il se rend dans la chambre de la duchesse.

L'accoucheur Clément lui murmure que l'enfant ne vient pas trop bien, puisqu'il se présente d'abord par le derrière et ensuite les jambes. Il faut faire faire un soubresaut à la duchesse, pour pouvoir tirer l'enfant par les pieds.

Louis croise les bras.

«Si Dieu le veut», murmure-t-il, puis il prie, ne détournant pas les yeux de l'accoucheur qui, assisté de deux médecins, s'affaire.

Enfin un cri. Il est né à huit heures trois minutes et trois secondes.

C'est un garçon qui sera appelé duc d'Anjou, le nom qu'avait porté le deuxième fils du Grand Dauphin avant de devenir le roi d'Espagne Philippe V.

Louis s'approche. L'enfant dort paisible, après avoir été ondoyé.

Louis veut croire les faiseurs d'horoscope qui prédisent que cet enfant sera heureux. Ils ajoutent : « Il est très avantageux à un État d'avoir beaucoup de princes d'une même race. »

Louis se retire dans l'appartement de Mme de Maintenon.

Il pense à ce nouveau descendant qui ne régnera sans doute pas puisque, avant lui, doivent accéder au trône le Grand Dauphin – son grand-père –, le duc de Bourgogne – son père – et le duc de Bretagne – son frère aîné.

Mais Dieu décide de ceux qui doivent survivre et régner[1].

Et cette naissance ainsi le fait de nouveau penser à la mort.

Il apprend que, dans le couvent des Carmélites, on a découvert, agonisant sur les dalles de la galerie du cloître, sœur Louise de la Miséricorde.

C'est un autre pan de son passé qui devient poussière. Et quelques instants sa mémoire retrouve le visage et la silhouette de Louise de La Vallière.

Mais tout se dissipe vite, et il ne réussit même pas à imaginer cette passion d'il y a près de cinquante ans, enfouie, qui lui semble appartenir à une autre vie que la sienne.

Et cependant il doit recevoir la princesse de Conti, sa fille, que Mlle de La Vallière a portée. Elle pleure sa mère, et lui demande l'autorisation d'en prendre le deuil.

Il l'accorde à regret.

Ses enfants sont les siens, et non ceux des femmes, ses maîtresses, qui les ont portés !

---

1. Le duc d'Anjou sera le successeur de Louis XIV et régnera sous le nom de Louis XV.

Ils sont de sang royal et, bâtards ou légitimes, ils font partie de la famille royale, et il veut en unir toutes les branches, afin que les bâtards ne soient séparés par rien des enfants légitimes.

Il connaît les réticences qu'il doit surmonter avant d'atteindre ce but.

Il se souvient qu'il a dû imposer à son frère et à Mme la Palatine le mariage de leur fils Philippe d'Orléans avec Mlle de Blois, la fille bâtarde d'Athénaïs de Montespan.

Maintenant, il veut marier son troisième petit-fils à Marie-Louise Élisabeth d'Orléans, la fille de Philippe d'Orléans et de Mlle de Blois. Elle est à la fois sa petite-nièce et sa petite-fille.

Elle n'a que quinze ans mais son corps déjà lourd est celui d'une femme avide de toutes les jouissances.

Elle est entêtée, orgueilleuse, fantasque, ambitieuse, dévorée par le désir d'épouser le duc de Berry, un gros jeune homme de vingt-quatre ans qui ne sait que chasser et jouer. Louis est aussi inquiet des relations équivoques que la jeune fille entretient avec son père le duc d'Orléans.

Mais il veut ce mariage.

Il obtient la dispense de Rome, nécessaire compte tenu des liens de parenté qui unissent les futurs époux. Et le mariage est célébré dans la nouvelle chapelle de Versailles.

Le duc de Berry est si corpulent qu'on n'a pu lui faire porter un pourpoint. Et sa jeune épouse ne peut elle aussi, sous sa robe de taffetas noir couverte de broderies, dissimuler ses formes généreuses.

Lorsque Louis entre dans la chapelle, il oublie les préoccupations qui l'assaillent. Il voit tous les princes du sang et les duchesses agenouillés de part et d'autre du prie-Dieu royal où lui-même prend place.

Il lève les yeux.

Les tribunes de la chapelle sont pleines de dames de cour et comme elles sont extrêmement parées et qu'elles portent une infinité de pierres précieuses, leur beauté et leurs parures forment l'un des plus magnifiques et des plus éclatants spectacles qu'il ait vus depuis longtemps.

Il est ému lorsque, à la fin de la messe, le curé dépose sur son prie-Dieu le livre des mariages, et lorsque le premier aumônier lui présente la plume pour signer. Il attend un instant avant de le faire. Il faut savourer ce moment.

Il est Louis le Grand, à l'origine de tout cela, la chapelle, l'étiquette, et aussi source des vies et des destins de tous ceux qui sont de son sang.

Et le soir, il les rassemble, dans le salon qui précède sa chambre, pour un grand souper de vingt-huit couverts.

Il préside la longue table rectangulaire avec à sa droite le Grand Dauphin, son fils, et à sa gauche le duc de Bourgogne, son petit-fils. Et il y a autour de la table ses bâtards, mêlés à ses enfants légitimes.

Il a réussi cela, cette fusion de tous ceux qui sont de son sang.

À la fin du souper, il conduit, suivi de toute la Cour, les mariés à leur lit. Il donne la chemise au duc de Berry, et la duchesse de Bourgogne fait de même avec la duchesse de Berry.

Puis le duc de Beauvillier ferme le rideau du côté du marié, et la duchesse de Saint-Simon, dame d'honneur de la mariée, fait de même de son côté. Puis il sort. Il est minuit et demi.

Il n'a pas voulu que les violons accompagnent les différents moments de cette journée.

Le temps n'est pas aux fêtes, a-t-il dit.

Si elles sont petites, elles ne conviennent pas à la grandeur d'un roi tel que lui.

Et les grandes fêtes ne sont pas de mise dans les temps et les circonstances où les affaires de l'État se trouvent.

Mais cette naissance d'un deuxième arrière-petit-fils et ce mariage le rassurent.

Le sang royal est encore vigoureux, plein de vie.

Et lorsqu'il reçoit des courriers qui lui annoncent que les Anglais, qui ont débarqué à Agde et à Sète afin d'aider les huguenots révoltés, ont été repoussés, et les camisards battus, tués, il y voit un signe d'espoir.

Il attend, s'efforçant de paraître insensible aux défaites et aux difficultés qui continuent de s'accumuler.

Et en décembre 1710 arrivent les premiers courriers d'Espagne qui annoncent que les troupes anglo-autrichiennes de Stanhope et de Starhemberg ont été écrasées à Brihuega et à Villaviciosa.

Philippe V et sa Cour ont pu regagner Madrid. Il n'y a plus de menace militaire sur la couronne. Son petit-fils peut ainsi conserver son trône.

Il lit la lettre que lui adresse le duc de Vendôme et chaque mot est comme une rémission longtemps espérée, inattendue.

Le duc de Vendôme écrit :

« Jamais bataille n'a été si glorieuse aux armes du roi, ni si complète que celle de Villaviciosa. Cette formidable armée qui avait percé jusqu'à Madrid et qui menaçait toute l'Espagne d'une invasion générale est détruite entièrement. »

Quelques jours plus tard, un autre courrier lui apprend que le duc de Noailles vient de conquérir Gérone, après avoir battu les troupes de Starhemberg.

Ces victoires, il en est sûr, changent toute la face des affaires d'Espagne en même temps que celles de toute l'Europe.

Il n'a ni trahi ni abandonné son petit-fils. Il a sauvé son trône.

Il veut croire que la paix est proche.

SIXIÈME PARTIE

1711-1714

38.

Il observe la duchesse de Berry assise en face de lui à la table du souper. Il voudrait ne penser qu'aux bonnes nouvelles que lui a apportées Torcy. Les espions des ministres, à Londres, à La Haye et à Amsterdam, sentent que le vent qui vient d'Espagne change le climat en Angleterre et dans les Provinces-Unies.

Les discours sont moins hauts en Hollande. Les pamphlets en faveur de la paix se multiplient à Londres.

Les tories devenus majoritaires depuis l'année dernière au Parlement sont pacifistes. Ils jugent la contribution anglaise à la guerre trop forte par rapport à celles des Hollandais et des Impériaux. Ils semblent prêts à des négociations séparées avec la France, et ils critiquent les initiatives de Marlborough.

Louis a écouté. Il s'est contenté d'approuver de la tête la suggestion de Torcy d'ouvrir avec les Anglais des conversations secrètes. Si elles aboutissent, les Hollandais et les Impériaux seront contraints de conclure à leur tour.

Mais il a appris au cours de son long règne que rien n'est jamais joué, qu'il ne faut jamais dévoiler ses pensées. Il vaut mieux répondre : «Je verrai», qui laisse toutes les issues ouvertes, que choisir trop vite une voie qui ferme les autres.

Il a pourtant dit à l'intendant de Flandre, Bernières :

— Vous m'avez mandé souvent l'année passée des choses tristes et dures, mais j'espère que cette année vous ne me manderez que rien de bon.

Il lui semble qu'il en a trop dit.

Depuis le début du souper, il n'a prononcé que quelques mots.

Le dauphin n'a pas été plus loquace, et les dames se sont tues, l'œil aux aguets, cherchant à saisir une expression, à comprendre le sens d'un regard, ou d'un signe, espérant être invitées à Marly.

Il n'y a que la duchesse de Berry, mariée depuis peu et déjà cheval rétif, engloutissant les mets, buvant à en perdre haleine, et il sait qu'on l'a plusieurs fois ramenée chez elle, ivre.

Elle a grossi, le visage rouge, et on murmure qu'elle participe aux soirées de débauche de son père.

Le duc de Berry s'est plaint, et la mère, Mme la Palatine, s'est inquiétée aussi. Mais la duchesse de Berry n'a écouté ni son mari ni sa mère. Et Louis a préféré se contenter d'un « je verrai » quand on lui a rapporté ces frasques et même ces soupçons de liens incestueux entre Philippe d'Orléans et sa fille.

Il est surpris par le mouvement brusque de la duchesse de Berry. Elle s'appuie à la table des deux mains, repousse sa chaise, la renverse en se levant, quitte la table, et on l'entend vomir dans l'antichambre.

Il est soucieux dans les jours qui suivent, comme si ce comportement de la duchesse de Berry révélait, malgré la naissance du duc d'Anjou et le mariage du duc de Berry, que l'étiquette de la Cour n'était qu'un masque posé sur des passions, des débauches et des ambitions.

Il a beau réunir autour de la même table, pour le souper du roi, son fils le dauphin et son petit-fils le duc de Bourgogne, il sait qu'entre le père et son fils aîné, l'entente ne règne pas. Il connaît les défauts et les qualités de l'un et de l'autre.

Le dauphin aime les arts et les plaisirs. Il est nonchalant. Les rumeurs le disent apathique, étouffé par sa graisse. On critique son mariage secret avec une Mlle Chouin qui régente les soirées du château de Meudon. Saura-t-il gouverner le royaume ? Les espions du lieutenant de police d'Argenson le disent populaire.

Ils assurent aussi qu'autour de son fils, le duc de Bourgogne, s'est constituée une coterie, une cabale, animée par le duc de Saint-Simon, les ducs de Beauvillier et de Chevreuse, et ce Fénelon qui, de son évêché à Cambrai, est l'âme de ce parti dévot. Ils espèrent que l'accession au trône du duc de Bourgogne permettra la constitution d'un gouvernement des ducs et des princes, consultant tous les trois ans les états généraux, « États du royaume entier ».

C'est la mort du roi qu'ils escomptent.

Il le sait, elle est là, toujours en embuscade.

Le 9 avril, un courrier venu du château de Meudon lui tend une missive des médecins du dauphin.

Le dauphin s'habillait pour la chasse au loup, sa passion quotidienne, quand il s'est affaissé sur sa chaise percée, le visage empourpré, frappé par une soudaine fatigue, un accès de fièvre. Et les médecins craignent la petite vérole.

Il faut se rendre à Meudon, même si l'air est chargé de tous les miasmes de la maladie.

Le dauphin est l'héritier du trône, son père doit être à ses côtés.

Il n'hésite pas à entrer dans la chambre, à s'approcher du

dauphin, dont le visage est couvert de pustules rouges. Mais les médecins se montrent confiants. Ils ont déjà saigné plusieurs fois le dauphin.

Louis se retire, tient ses Conseils des ministres, deux fois par jour, parce qu'il faut décider de poursuivre les négociations avec les Anglais et qu'elles sont difficiles. Marlborough prépare une offensive contre Bouchain, la dernière forteresse tenue par les troupes françaises. Il faut retenir le maréchal de Villars qui commande à nouveau en Flandre et voudrait attaquer les Anglais aussitôt. Il faut le convaincre que les négociations font espérer la paix.

Louis soupe après le Conseil. Et tout à coup, il voit Fagon entrer. Il connaît cette expression du médecin, son visage décomposé. Fagon balbutie, murmure que « tout est perdu », que le venin de la petite vérole a suffoqué M. le dauphin brusquement au moment où on le croyait sans danger. Sa mort a été aussi imprévue que s'il était mort d'apoplexie.

Louis a l'impression que tout son corps est devenu un bloc de pierre. Son fils, à peine âgé de plus de quarante-neuf ans, est mort, sans avoir eu le temps de se confesser, ayant reçu seulement l'extrême-onction.

Il faut penser au destin du royaume.

Il décide de ne pas rentrer à Versailles où se trouve toute la famille royale, ses fils, ses petits-fils, ses arrière-petits-fils.

Il faut les avertir du décès, de l'air vicié de petite vérole que tous ceux qui ont approché le dauphin peuvent porter avec eux.

Il va se rendre à Marly, et demain il y recevra les princes et les princesses. Mais il veut que le duc et la duchesse de Bourgogne, ceux qui maintenant vont régner après sa mort, viennent à sa rencontre quand son carrosse passera près de Versailles.

Il les aperçoit en pleurs dans cette nuit claire du 14 avril 1711.

Il sait gré à Mme de Maintenon de crier au duc et à la duchesse :

« Où allez-vous, n'approchez pas, nous sommes pestiférés ! »

Il ne craint pas la mort. Dieu donne les ordres. Mais il a vu au moment où il quittait le château de Meudon les officiers, les courtisans, les laquais s'enfuir, en courant, affolés, craignant de respirer plus longtemps l'air empoisonné par la petite vérole.

Il faut forcer la porte pour pouvoir entrer dans l'une des pièces du château de Marly, désert.

Il a froid.

L'une des dames qui arrive à Versailles raconte que le duc et la duchesse de Berry criaient si fort qu'on les entendait trois chambres plus loin. Toutes les dames assises sur le parquet autour de la duchesse de Bourgogne sanglotaient, comme le duc et la duchesse d'Orléans.

Il n'a pas encore pleuré.

Il pense à tous ceux de cette cabale qui entoure le duc de Bourgogne, et qui doivent se servir des larmes et des cris de douleur pour dissimuler leur joie, leurs espérances.

Ils espèrent gouverner avec le duc de Bourgogne, maintenant dauphin de France.

Mais il faut pour cela que je meure.

Il s'efforce de ne pas pleurer à son lever, devant les courtisans admis dans sa chambre, puis il fait entrer les ministres, et veut leur dire sa peine.

Tout à coup sa voix s'étrangle, les sanglots l'étouffent, les pleurs inondent son visage.

Il dit qu'il a peine à comprendre son état, puisque la veille, alors qu'autour de lui ce n'étaient que sanglots, cris, désolation, il n'a pas pleuré, et que maintenant...

Il s'interrompt, sa douleur est telle qu'il ne peut que répéter « Mon fils, Monseigneur le dauphin », et sa voix se brise.

Il voit les ministres qui pleurent aussi, et leur émotion, leur peine lui font obligation de se maîtriser.

Il les interroge.

Le titre de dauphin, dit-il, n'est attribué qu'au fils aîné. Mais celui-ci est mort.

Ces mots l'accablent. Il se mord les lèvres pour ne pas pleurer à nouveau.

— Le duc de Bourgogne, appelé à régner après ma mort, peut-il porter ce titre ? demande-t-il.

Il écoute Torcy répondre que le duc de Bourgogne étant l'héritier nécessaire immédiatement après le roi, personne ne pouvant survenir entre Sa Majesté et lui, ce titre lui revient.

Louis approuve, baisse la tête.

Qui peut savoir quel vif la mort désire prendre ?

Maintenant, il faut recevoir la Cour en grand deuil qui vient à Marly lui faire révérence.

Le lundi 27 avril, il faut écouter les compliments des ministres étrangers et après dîner, tout l'après-midi, accueillir les harangues des cours supérieures et autres corps.

Puis ce sera l'hommage des princesses et de toutes les dames en mante, et de tous les courtisans en manteau long.

Un roi doit se plier à ce cérémonial.

Mais pendant qu'il se déroule, jour après jour, il pense sans cesse à son fils dont le corps a été porté sans aucune pompe à Saint-Denis, tant on craint la contagion de la petite vérole.

On n'a ni ouvert ni embaumé son corps. On a mis du son dans le cercueil, lui un prince, comme on le fait au dernier des pauvres.

Et l'ouvrier qui a fabriqué le cercueil, l'ayant conçu trop

étroit, n'a fait entrer le corps dedans qu'à force de trépigner de ses genoux sur le ventre du dauphin.

Il sait qu'il n'y eut même pas de carrosse de deuil, et celui – un carrosse de sa suite – dans lequel on le chargea s'étant trouvé trop court, on en ôta la glace de devant par où une partie du cercueil sortait du carrosse.

Il a lu dans le rapport qu'a établi le lieutenant de police d'Argenson que «le peuple de Paris qui l'aimait est si offensé par ce traitement inouï, que les harengères de la Halle disent que si on avait voulu leur laisser le soin de faire le convoi de ce prince à leurs dépens, elles auraient trouvé un million, s'il l'avait fallu, pour en faire la dépense avec la magnificence qu'il convenait de faire».

Il est seul. Il pleure.

Il songe à ce spectacle affreux, et à cette nouvelle carte de la Cour qui se dessine.

Tous ceux qui, autour du dauphin, avaient espéré parvenir avec lui au gouvernement du royaume sont déçus, désemparés.

Et les autres, ceux de la cabale du duc de Bourgogne, se préparent à l'accession de leur prince au trône de France.

Fénelon et le duc de Chevreuse ont écrit déjà les *Tables de Chaulnes ou Plans de gouvernement pour être proposés au duc de Bourgogne*, et le duc de Saint-Simon a établi les *Projets de gouvernement résolus par Monseigneur le duc de Bourgogne*.

Il éprouve non pas de l'indignation devant l'impatience de ces hommes qui trépignent et ont hâte qu'il meure, mais du mépris.

Ne savent-ils pas que personne n'est maître de l'avenir? Et imaginent-ils qu'il ne gouvernera pas jusqu'à l'extrémité de sa vie? Sa peine ne peut entamer sa détermination.

Il écrit à son petit-fils, Philippe V, roi d'Espagne, et chaque mot qu'il trace lui arrache des larmes et l'apaise.

«J'ai perdu mon fils, dit-il, et vous perdez en lui un père qui vous aimait aussi tendrement que je l'aimais lui-même.

«Il méritait toute mon amitié pour son attachement pour moi, par son attention continuelle à me plaire, et je le regardais comme un ami à qui je pouvais ouvrir mon cœur et donner toute ma confiance.

«Quoique je trouve une sorte de soulagement à vous faire part d'une affliction aussi juste que la mienne et que vous ne ressentirez pas moins vivement que moi, ce n'est cependant que de Dieu que je puisse espérer les secours nécessaires pour la supporter constamment.

«Je le prie aussi de consoler Votre Majesté et, si l'assurance de mon amitié peut y contribuer, croyez que j'ai pour vous la même tendresse et que le seul plaisir que je puisse goûter est de retrouver aussi, de votre part, les mêmes sentiments que mon fils, votre père, m'a témoignés pendant le cours de sa vie.»

Il reste longtemps comme écrasé par cette peine, que seul Dieu en effet peut consoler.

Mais la mort oblige à tourner les pages.

Il s'adresse de plus en plus souvent, dans les Conseils, au duc de Bourgogne, le nouveau dauphin.

Il présente ce petit-fils aux députés de l'assemblée du clergé, rassemblés à Marly.

Son devoir de roi est de tout mettre en œuvre pour que son successeur dispose de tous les appuis, et celui de l'Église est le plus important.

Il dit :

— Voilà un prince qui me succédera bientôt et qui, par sa vertu et sa piété, rendra l'Église encore plus florissante et le royaume plus heureux.

Il ne peut cependant arracher cette sourde inquiétude qui s'accroche à lui

284

Tout meurt.

Il se rend auprès de Mme la Palatine qui vient d'apprendre que sa fille la duchesse de Lorraine a perdu sa fille aînée, victime de la petite vérole, que ses autres enfants sont malades de la rougeole, et que les médecins sont persuadés qu'ils vont mourir. Et c'est fait quelques jours plus tard.

Il faut à nouveau tenter de la consoler, cependant qu'elle répète :

— Ma pauvre fille a déjà perdu huit enfants.

Que répondre à cela sinon que Dieu dans son mystère accueille auprès de lui les défunts ?

Mais où ira la fille mort-née dont la duchesse de Berry vient d'accoucher à Fontainebleau ?

Il craint que désormais le grand voile du deuil ne se soit étendu sur tout le royaume, et qu'il ne se soulèvera plus jusqu'à ce que vienne sa propre mort.

Il se rend à Marly et y séjourne de plus en plus longuement.

Tous les autres châteaux, Saint-Germain, Versailles, Saint-Cloud, Meudon, ont été visités par la mort. Marly seul a jusqu'à maintenant été épargné.

Il soupe ce samedi 25 avril 1711, en compagnie de quelques courtisans. La mort et la tristesse rôdent. Personne ne parle. Il se retire pour aller se coucher quand Torcy se présente, s'approche, lit à voix basse une brève missive qu'un courrier vient d'apporter.

Louis regarde les courtisans.

La mort change toujours la donne.

Il dit :

— L'empereur est mort.

Il devine aux murmures, au frémissement de l'assistance que chacun a compris que cette disparition de l'empereur germanique Joseph Ier bouleverse la situation en Europe.

Son successeur ne peut être que l'archiduc Charles qui se prétend Charles III, et va devenir aussi Charles VI, empereur du Saint Empire romain germanique.

Comment les Anglais, les Hollandais, les autres souverains d'Europe accepteraient-ils que ce Charles VI reconstitue l'empire de Charles Quint?

Pour Londres et La Haye, Philippe V de Bourbon est moins inquiétant que Charles VI, empereur germanique et roi d'Espagne.

Peu importe que Marlborough lance son attaque, s'empare de la ville forte de Bouchain.

C'est la paix qui va sortir de cette nouvelle situation.

Il n'éprouve aucune joie.

Elle vient si tard, cette paix, elle a été accompagnée d'un si long hiver de morts, de souffrances, de misères, qu'il est las, même s'il est satisfait de voir enfin le bout de cette guerre interminable et de savoir que son petit-fils restera roi d'Espagne.

Il accepte, au terme de longues négociations, de signer avec Londres des préliminaires de paix.

Le prix qu'il doit payer est lourd, mais il lui semble qu'il a préservé l'essentiel, les conquêtes aux frontières du royaume et Philippe V régnant à Madrid.

Il doit reconnaître la monarchie anglaise, protestante, détruire les fortifications de Dunkerque, signer un traité de commerce avec Londres, et accorder pour trente ans à une compagnie anglaise le privilège de l'*asiento*, la traite négrière. Il abandonne aussi aux Anglais Gibraltar, Port-Mahon, et aux Antilles l'île Saint-Christophe.

Il a négocié en son nom et en celui de son petit-fils, qu'il faut rassurer.

«Ne soyez pas surpris, lui écrit-il, si j'ai interprété votre pouvoir sans vous consulter. Il fallait pour avoir la réponse de Votre Majesté perdre un temps précieux et je crois travailler utilement pour vous en cédant le moins pour conserver le principal. »

Le duc de Marlborough est disgracié, le prince Eugène n'exerce plus aucune influence sur le nouvel empereur Charles VI, et sous la pression anglaise les Hollandais acceptent de recevoir à Utrecht les plénipotentiaires français.

La paix, enfin, à l'horizon.

Il doit, il veut l'obtenir. Il veut négocier une nouvelle fois au nom de la France et de l'Espagne. Philippe V doit l'accepter.

« Laissez-moi conduire vos intérêts, lui dit-il. Vous pouvez accepter sur ma tendresse que je ne ferai rien à votre préjudice. »

39.

Il se lève de table. Le souper vient de se terminer. Il lui a paru long. Personne n'a parlé. Il a même hâte de se retrouver dans le cabinet, en compagnie des membres de la famille royale dont il apprécie la compagnie.

Il y a invité, depuis quelques semaines, Mme la Palatine. Même si le parler dru de Madame le choque souvent, il aime qu'elle dise la vérité et d'abord sur elle-même.

Elle ne s'illusionne pas, elle lui dit, lorsqu'il l'admet à nouveau dans ce qu'on appelle le « Saint des Saints » :

— Vous m'avez vue courir, sauter, légère et jeune. Maintenant, je suis vieille et pesante.

Elle s'est tournée vers le miroir.

— Regardez mes yeux ridés, mes grandes joues pendantes, mes cheveux blancs comme la neige, l'enfoncement entre mes oreilles et mes joues et mon grand menton double...

Elle continue avec une sorte de complaisance amère, parlant de ses épaules grosses et larges, de ses jambes fort enflées.

— Quand j'ouvre la bouche, poursuit-elle, mes dents reflètent bien mon délabrement, l'une est cassée, l'autre noire, et celles qui restent partent en morceaux. En un mot toute ma personne n'est que misère, mais que faire ?

Il a l'impression qu'elle vient aussi de parler de lui, de le décrire, et jetant un regard à Mme de Maintenon il imagine qu'elle doit être irritée, inquiète, croyant qu'il n'a pas supporté cette insistance sur les maux de la vieillesse.

Mais au contraire, ces vérités, il faut les regarder en face, se souvenir que la mort est là, tapie.

Il dit :

— Présentement que je suis vieux, mes enfants s'ennuient avec moi et sont ravis quand ils peuvent trouver quelque occasion de me planter là, et aller se divertir ailleurs.

Il incline la tête vers la princesse Palatine.

— Il n'y a que vous, Madame, qui ne me quittiez pas, et je vois bien que vous êtes bien aise d'être avec moi.

La duchesse de Bourgogne bondit, s'écrie qu'elle n'aime rien autant qu'être auprès de Sa Majesté. Elle s'approche, l'embrasse, fait une révérence, chantonne.

Il aime Marie-Adélaïde.

Elle est auprès de lui un jaillissement de gaieté.

Lorsqu'il la voit, il oublie pour quelques instants cette guerre qui continue alors qu'à Utrecht la négociation est difficile, que si les Anglais, les Hollandais, les Portugais, la Prusse et la Savoie semblent vouloir conclure la paix, l'empereur s'obstine et les troupes du prince Eugène continuent d'attaquer de la Sambre à l'Escaut.

Arras a été bombardé, Le Quesnoy occupé, Landrecies assiégé. Des éclaireurs des troupes du prince Eugène ont investi Pontoise, ravagent la Champagne, la Picardie, le pays messin. Ils sont à quelques jours de la capitale dont la route, depuis la chute de Corbie, est ouverte.

Il a le sentiment que la situation militaire n'a jamais été pire, que Paris peut tomber.

Certains à la Cour suggèrent de quitter Versailles, de s'installer sur les bords de la Loire. Et ce, au moment même où, à Utrecht, la négociation, ardue, n'a jamais cependant autant avancé.

Il évoque rarement cela, après souper, dans son cabinet avec les princesses, et il est surpris quand Marie-Adélaïde vient vers lui, s'immobilise et, le visage qu'elle a d'habitude si rieur tout à coup grave, dit :

— J'ai dans l'esprit que la paix se fera et que je mourrai sans la voir.

Elle vient de lui porter un coup au creux de la poitrine, et il tressaille, il a peur, ce sentiment qu'il éprouve si rarement.

Mais il aime tant la duchesse de Bourgogne ! Il ne veut pas que la mort la prenne. Il murmure :

— La paix se fera.

Il ne veut penser qu'à cet avenir-là.

Il répète les jours suivants, à l'abbé Polignac, au maréchal d'Huxelles et à Nicolas Mesnager, qui négocient à Utrecht, ses instructions.

— Il convient de ne rien offrir à mes ennemis au-delà de ce que je me suis proposé, eux-mêmes n'ayant pas encore répondu à mes offres, dit-il. Vous devez vous en tenir exactement aux instructions que je vous ai données et, lorsque vous jugerez pour mon service d'en changer quelques articles, vous m'en avertirez et vous attendrez la réponse.

Il faudrait pour que la négociation aboutisse remporter une victoire dans les Flandres et le Nord, briser ce prince Eugène dont il se souvient que lorsqu'il n'était qu'un gentilhomme vivant à Paris, quêtant une charge d'officier, il se prostituait pour un écu, si bien qu'on l'avait surnommé, lui, le fils d'une nièce de Mazarin, « Mme Putana », et qu'on disait qu'il n'était qu'un « petit salaud très débauché ».

Et le voici, après avoir accumulé les victoires, chef d'une armée de cent trente mille hommes, puissamment armée et équipée, nantie d'une forte artillerie et dont les avant-gardes sont à deux ou trois jours de chevauchée de Paris.

Louis est inquiet et même la dépêche qui lui annonce l'arrivée à Brest des navires de Duguay-Trouin, chargés d'un butin de lingots et de pièces d'or, pour une valeur de vingt millions de livres, arraché à des navires anglais dans la baie de Rio de Janeiro, ne le rassure pas.

Et au soir du 5 février 1712, quand Fagon demande à le voir, il ressent de nouveau cette douleur au creux de la poitrine.

Il n'est pas étonné que le médecin d'une voix tremblante dise que la duchesse de Bourgogne a été prise de frissons, de douleurs de tête et d'une forte fièvre.

La mort est là, il le sait.

Elle va frapper celle qui est sa joie, sa lumière dans cette pénombre qui depuis quelques années a envahi Versailles et obscurci l'avenir du royaume.

Il prie. Que pourrait-il faire? Les médecins agissent à leur manière, brutale, faisant se succéder bains brûlants et saignées.

Il est tenté d'écouter la princesse Palatine qui crie qu'il faut « suivre la nature », qu'il faut attendre que Marie-Adélaïde ne soit plus en sueur pour la baigner et la saigner.

— Voulez-vous être plus habile que tous les docteurs qui sont là? répond Mme de Maintenon.

Louis l'approuve.

Mais le 12 février, entre huit et neuf heures du soir, la duchesse de Bourgogne meurt. Elle a murmuré après avoir reçu l'extrême-onction :

— Aujourd'hui princesse, demain rien, dans deux jours oubliée.

Pourquoi Dieu le punit-il ainsi?

Elle était celle qui lui rappelait que la jeunesse existe. Elle n'avait que vingt-six ans.

Il ne peut rester dans ce château où elle est morte.

Il veut quitter immédiatement Versailles, rejoindre, en compagnie de Mme de Maintenon, Marly.

Il respire avec peine, comme si sa poitrine était écrasée et blessée par une pierre lourde, aux angles vifs. Et chaque fois qu'il veut reprendre son souffle la pierre s'enfonce, lui brise les côtes, les avant-bras, les épaules.

Et la douleur s'accroît quand le lendemain matin il reçoit à Marly le duc de Bourgogne.

Il reste silencieux devant son petit-fils dont le visage livide est taché de plaques rouges.

Serait-il possible que lui aussi, comme sa femme, soit atteint par cette rougeole pourprée ?

Il l'observe, incapable de parler, suivant des yeux les gouttes de sueur qui glissent sur le front, les joues du duc de Bourgogne qui frissonne.

Il se souvient de cette phrase lancée tel un défi par le duc lors d'un souper à Marly, il y a quelques semaines, et qui était comme une accusation :

— Les rois sont faits pour leurs peuples, et non les peuples pour les rois, avait dit son petit-fils.

Louis n'avait pas répondu, mais il avait reconnu les idées de Fénelon, de Saint-Simon ou du duc de Chevreuse. Et il avait été blessé par l'incompréhension et la critique que révélait cette phrase.

Elle lui paraît dérisoire aujourd'hui, alors que les prêtres entrent dans la chambre de celui qui est le dauphin, et qui va mourir.

C'est fait le 18 février 1712, moins de six jours après la mort de la duchesse de Bourgogne, et le nouveau dauphin n'est qu'un enfant de cinq ans, ce duc de Bretagne, malade lui aussi, qu'il faut baptiser vite, avec son frère cadet, le duc d'Anjou, que la fièvre et la rougeole pourprée touchent à son tour.

Louis regarde le corps du duc de Bourgogne. Il est le premier des membres de la famille royale à mourir à Marly. La mort avait-elle jusqu'alors préservé ce château pour frapper encore plus fort, atteindre le roi en ce lieu qu'il aimait plus que tout autre ?

Il veut qu'on transporte le corps de son petit-fils à Versailles. Et il veut quitter Marly, recevoir à Versailles les dames en mante et les courtisans en manteau long, venus lui présenter leurs compliments de deuil. Il veut aussi pouvoir se rendre dans les appartements du duc de Bretagne et du duc d'Anjou, ces deux enfants qui viennent de perdre leur mère et leur père et qui, avec le duc de Berry frère cadet du duc de Bourgogne, sont les derniers descendants, mais l'un n'a que cinq ans et l'autre à peine deux.

Et il sait que déjà l'on murmure que Philippe d'Orléans sera le régent, et, si la mort frappe encore, alors il montera sur le trône de France.

Et si pour atteindre ce but « on » avait empoisonné le duc et la duchesse de Bourgogne ?

Qui ignore la passion de Philippe d'Orléans pour les alchimistes ? Ces expériences auxquelles il se livre dans les caves du Palais-Royal ?

Louis devine aux soupirs, aux allusions de Mme de Maintenon, qu'elle croit Philippe d'Orléans coupable !

Louis ne veut pas écouter ces rumeurs, soupçonner le fils de la princesse Palatine, l'époux de Mlle de Blois, bâtarde du roi et d'Athénaïs de Montespan.

Et puis Fagon lui annonce, le 8 mars, que le duc de Bretagne, le petit dauphin, est mort, tout empourpré de la rougeole.

Est-il possible que la mort s'acharne ainsi ?

Comment ne pas croire qu'une main criminelle a versé le poison pour s'ouvrir le chemin du trône ?

Il se souvient de ces liasses accusant Athénaïs de Montespan et qu'il a brûlées il y a trois ans.

Vrai, faux? Il ne sait pas. Et le soupçon le ronge.

Il a l'impression que tout son corps est meurtri, que toutes les souffrances qu'il a endurées, dans sa vie, celles nées du ventre et de la goutte, ces étaux serrant ses chevilles, et ces maux de tête, ces étouffements, ces vapeurs, ces vertiges, et même ces douleurs quand les chirurgiens brisaient ses mâchoires, crevaient son palais, incisaient son anus, sont revenues toutes ensemble, plus aiguës.

La mort de ses descendants et de Marie-Adélaïde est la sienne.

Pourquoi a-t-elle frappé cet enfant, ce petit dauphin?

Il veut savoir.

Il lit les lettres que la princesse Palatine adresse à sa tante et que le « cabinet noir » subtilise :

« Nous avons encore perdu M. le dauphin, ci-devant duc de Bretagne, qui est mort en quatre jours, écrit-elle. C'était le plus aimable et joli enfant qu'il soit possible de voir...

« Lorsque le petit dauphin était déjà tout empourpré de la rougeole et en transpiration les médecins l'ont saigné, puis donné de l'émétique et le pauvre enfant est mort au milieu de l'opération. Et ce qui prouve bien que les médecins ont tué aussi ce dauphin, c'est que son petit frère avait la même maladie.

« Pendant que les neuf médecins étaient occupés de l'aîné, les femmes du cadet se sont enfermées avec lui et lui ont donné un peu de vin et de biscuit.

« Hier, puisque l'enfant avait une forte fièvre, ils ont voulu le saigner lui aussi, mais sa gouvernante, Mme de Ventadour, mon ancienne dame d'honneur, s'est opposée catégoriquement aux médecins. On l'a simplement tenu bien au chaud. Cet enfant a été sauvé à la honte des médecins.

« Et ce sont eux pourtant qui prétendent que le duc et la duchesse de Bourgogne et le duc de Bretagne ont été empoisonnés, sans qu'ils expliquent pourquoi le duc d'Anjou, qu'ils n'ont pas pu "soigner", a été sauvé. »

Il se répète cela, mais les soupçons demeurent en lui, le rongent.

Quand il reçoit le duc d'Orléans, il ne peut regarder son neveu tant il craint de lui montrer qu'il ne peut rejeter totalement ces accusations qui lui paraissent pourtant, en raison, calomnieuses et monstrueuses.

Il sait qu'à la Cour, à Paris, on les reprend, on les amplifie. Des placards ont été affichés sur les murs du Palais-Royal, la demeure des Orléans.

On y accuse Philippe d'Orléans de fabriquer le « poison le plus fin » et d'avoir des relations incestueuses avec sa fille la duchesse de Berry.

Il faut tenter de dissiper ces ragots, et pour cela il demande à son chirurgien Mareschal d'établir la vérité en examinant les corps des défunts, qui ont déjà été autopsiés par les médecins.

Il reçoit quelques jours plus tard Mareschal qui l'assure que la rougeole pourprée est la seule cause du décès, que cette maladie a tué plusieurs centaines de personnes à Paris, qu'elle a frappé d'autres villes en Europe, que les corps ne recèlent aucune trace de poison.

Il est apaisé même si la douleur demeure, et s'il sait qu'elle ne le quittera plus, que cette plaie restera toujours ouverte.

Il remercie Mareschal, se tourne vers Mme de Maintenon.

— Eh bien, madame, eh bien, lance-t-il, ne vous avais-je pas dit que ce que vous m'avez dit de mon neveu était faux ?

Il n'attend pas sa réponse.

Il doit essayer de sauver le royaume, dont l'héritier direct n'est plus que ce duc d'Anjou, un enfant de deux ans.

Il connaît la gravité du mal qui frappe le royaume.

Il a posé devant lui, sur la table de son grand cabinet, l'une de ces missives dont les auteurs restent masqués et, protégés par l'anonymat, décrivent les symptômes du mal.

Ils le font avec complaisance et amertume.

Ils espéraient gouverner avec le duc de Bourgogne.

Louis reconnaît leurs idées et, lisant cette missive, il est sûr qu'elle est du duc de Saint-Simon, ce serpent ambitieux et insatisfait.

«Sire, vous le savez, ce royaume n'a plus de ressources», écrit Saint-Simon. Rien ne trouve grâce à ses yeux.

«Le clergé est tombé dans une abjection de pédanterie et de crasse qui l'a tout à fait enfoncé dans un profond oubli... La noblesse française n'est plus qu'une bête morte, qu'un mari insipide, qu'une foule séparée, dissipée, imbécile, impuissante, incapable de tout et qui n'est plus propre qu'à souffrir sans résistance... Le tiers état est dans le même néant que les deux précédents corps...»

Et le seul remède proposé par le duc de Saint-Simon est un gouvernement des princes, des conseils aristocratiques, d'où serait exclue la «vile bourgeoisie».

«Il faut, Sire, que Votre Majesté règne enfin par elle-même... Secouez le joug des ministres...» conclut Saint-Simon.

Louis n'est même pas indigné. Il sait que chaque jour, depuis qu'il règne, et cela fait cinquante et un ans, et même quand la maladie l'a terrassé, il s'est soucié des affaires de l'État, il a présidé les Conseils, s'efforçant de ne négliger aucun domaine, ni celui des armées ni celui du commerce, avec pour seul souci sa gloire, et donc celle de l'État, et donc le bonheur de ses sujets.

Que savent faire ces princes et ces ducs? Ils ont donné leur mesure durant la Fronde, et il ne l'oubliera jamais.

Il n'a pas besoin des conseils des princes pour gouverner le royaume.

Il lui faut des serviteurs dévoués à sa personne et hommes de talent. Ainsi furent Colbert, Louvois, Vauban, ainsi est le maréchal de Villars.

Il le reçoit le 12 avril 1712, alors que les villages de Champagne, ceux des environs de Pontoise, sont pillés et brûlés par les cavaliers du prince Eugène.

Il regarde cet homme qui commande la dernière armée du royaume, à peine soixante-dix mille hommes, mal équipés, mal nourris, mal payés, ne disposant pas d'artillerie. Et c'est cette armée-là qui doit vaincre celle du prince Eugène, et ouvrir ainsi les portes de la paix. Louis commence à parler et l'émotion le submerge, il sent que les larmes emplissent ses yeux.

— Vous voyez mon état, monsieur le maréchal, dit-il. Il n'y a pas d'exemple de ce qui m'arrive, et que l'on perde dans la même semaine son petit-fils, sa petite-fille et leur fils, tous de très grande espérance, et très tendrement aimés.

Il s'efforce d'étouffer les sanglots qui secouent sa poitrine et envahissent sa gorge.

— Dieu me punit, reprend-il, je l'ai bien mérité. J'en souffrirai moins dans l'autre monde. Mais suspendons mes douleurs sur les malheurs domestiques, et voyons ce qui peut se faire pour prévenir ceux du royaume.

Il se maîtrise.

— La confiance que j'ai en vous est bien marquée, continue-t-il, puisque je vous remets les forces et le salut de l'État. Je connais votre zèle et la valeur de mes troupes, mais enfin la fortune peut vous être contraire. S'il arrivait ce malheur à l'armée que vous commandez, quel serait votre sentiment sur le parti que j'aurais à prendre pour ma personne ?

Villars se tait, hoche la tête sans répondre.

— Je ne suis pas étonné que vous ne répondiez pas bien promptement ; mais en attendant que vous me disiez votre pensée, je vous apprendrai la mienne.

Villars murmure :

— Votre Majesté me soulagera beaucoup.

— Eh bien, voici ce que j'en pense, vous me direz après

297

votre sentiment. Je sais les raisonnements des courtisans : presque tous veulent que je me retire à Blois et que je n'attende pas que l'armée ennemie s'approche de Paris, ce qui lui serait possible si la mienne était battue.

Il secoue la tête.

— Mais pour moi, monsieur le maréchal, je compterai aller à Péronne ou à Saint-Quentin, y ramasser tout ce que j'aurai de troupes, faire un dernier effort avec vous, et périr ensemble ou sauver l'État, car je ne consentirai jamais à laisser approcher l'ennemi de ma capitale. Voilà comme je raisonne, dites-moi présentement votre avis.

Il aime que Villars lève la tête, le regarde droit dans les yeux, dise :

— Les partis les plus glorieux sont aussi souvent les plus sages. Et je n'en vois pas de plus noble pour un roi que celui auquel Votre Majesté est disposée. Mais j'espère que Dieu vous fera la grâce de n'avoir pas à craindre de telles extrémités et qu'Il bénira enfin la justice, la piété et les autres vertus qui règnent dans vos actions.

Louis s'avance. Il a envie de serrer Villars contre lui, mais il se contente de lui poser la main sur l'épaule, comme pour l'adouber.

Il faut attendre alors qu'il sent, à Versailles ou à Marly, l'inquiétude et la tristesse imposer un silence lourd.

On chuchote à peine. On porte le deuil. On apprend, presque sans surprise, que le duc de Vendôme, après avoir chassé les Anglo-Autrichiens d'Espagne, est mort à Vineroz, près de Valence, d'indigestion !

Il semble que la mort ne veuille pas desserrer ses crocs, plantés, enfoncés dans la chair du royaume de France.

Villars pourra-t-il la faire reculer ? Les places fortes tombent aux mains du prince Eugène.

Louis quitte Versailles, s'installe avec l'été qui vient à Fontainebleau.

— Je ne vois pas, dit-il lorsqu'on lui apprend que le siège

autour de Landrecies s'est encore resserré, les troupes d'Eugène ayant ouvert de nouvelles tranchées, que la ville soit capable longtemps d'arrêter l'ennemi.

Mais il faut continuer à vivre, chasser, dîner, souper.

Il a fait réinstaller les tables de jeu afin de rompre, s'il se peut, cette atmosphère lugubre qui flotte dans le château. Mais si on joue gros, on perd et on gagne sans éclat.

Des courriers annoncent que les troupes du maréchal de Villars marchent vers Denain, au lieu de se porter au secours de Landrecies, et ainsi de protéger la capitale.

Et tout à coup, à l'aube du 25 juillet, un courrier épuisé demande à ce qu'on réveille le roi, parce qu'il annonce une grande victoire du maréchal de Villars.

Louis lit la dépêche. Conquête du camp retranché de Denain. Dix-sept bataillons détruits, comme les magasins pleins de l'équipement de toute l'armée du prince Eugène. L'armée de celui-ci contrainte d'abandonner le siège de Landrecies, ses arrières occupés par les troupes royales.

Les Impériaux laissent même sur le terrain toute leur artillerie lourde.

Il faut remercier Dieu, et Villars, faire célébrer aussitôt dans la chapelle un *Te Deum*.

Louis s'agenouille sur son prie-Dieu, le front appuyé sur ses mains nouées.

Peut-être l'étau se desserre-t-il enfin après cette grande épreuve, ces morts, ces défaites.

Il voudrait le croire, mais il connaît désormais les surprises noires que l'avenir peut recéler.

Il apprend pourtant dans les jours qui suivent que les troupes des maréchaux Villars et Montesquiou ont conquis Marchiennes où se trouvent tous les approvisionnements de l'armée du « hideux prince Eugène », ainsi qu'on le nomme à la Cour.

Puis tombent les villes fortifiées : Douai, Saint-Amand, Le Quesnoy, Bouchain. Les dépêches de Villars décrivent la déroute de l'armée du prince Eugène. Les Anglais et les Hollandais l'ont abandonné. Les désertions se multiplient. Maintenant, la paix est à portée de main.

Louis est étonné quand, avec ferveur, les courtisans l'acclament. Il aperçoit même au premier rang le duc de Saint-Simon.

La gloire et la victoire font aimer les rois. Et ils ont aussi besoin de paix.

Lorsque, le 5 novembre 1712, Philippe V d'Espagne renonce à ses droits sur la couronne de France, plus aucun obstacle n'empêche la signature à Utrecht d'une suspension d'armes.

Certes, l'empereur ne s'est pas associé à ce traité, et ce n'est donc pas encore la paix, mais ce n'est déjà plus la guerre générale.

Louis marche avec difficulté, en boitant, dans les allées des jardins du château de Versailles. Le chariot, poussé par les valets, le suit, mais il ne veut pas renoncer à sentir craquer sous ses pas les feuilles mortes qui s'enfoncent dans la terre humide.

Il ne pense pas à la paix prochaine, mais à ses trois dauphins, le grand-père, le père et le fils, et à la dauphine, son aimée Marie-Adélaïde, morts en moins d'une année.

Il sait qu'il ne quittera l'hiver que pour le tombeau.

40.

Il lève la tête.

Il regarde avec surprise la duchesse de Saint-Simon, qui bouscule les valets, entre en courant dans le cabinet, fait une courte révérence et d'une voix exaltée annonce que la duchesse de Berry, dont elle est la dame d'honneur, est au travail, que l'enfant va naître.

Il voudrait être heureux de cette annonce mais, tout en se rendant dans la chambre de la duchesse de Berry, suivi par toute la famille royale qui doit assister avec lui à l'accouchement, il ne peut échapper à l'inquiétude, à un pressentiment.

Le duchesse de Berry n'est enceinte que depuis sept mois. Même si, durant cette grossesse, elle a tempéré sa conduite, elle a continué à boire avec excès, à participer à toutes les fêtes intimes organisées par son père, Philippe d'Orléans.

Il s'approche du lit. Le visage de la duchesse est creusé par l'effort. Elle halète. Et enfin, à quatre heures du matin, l'enfant pousse son premier cri. Il est malingre et fripé mais il vit.

Louis est ému. C'est un nouvel arrière-petit-fils qui prend place après le duc d'Anjou dans la ligne de succession.

Il se penche sur l'enfant, et l'inquiétude l'étreint à

nouveau, en pensant au Grand Dauphin, au duc de Bourgogne, au duc de Bretagne, à cette branche aînée dont il ne
survit que le duc d'Anjou.

Il s'efforce de montrer de la joie, saluant la naissance de
ce duc d'Alençon qui prend place dans la famille royale.

Il félicite le père, le duc de Berry, fils cadet du Grand
Dauphin et frère du duc de Bourgogne !

Il serre contre lui le duc de Berry, ce jeune homme corpulent, son dernier petit-fils. Il veut se convaincre que le
sang royal est encore vif.

Et cependant, au bout de quelques jours, il voit l'avenir à
nouveau s'obscurcir. Il se rend plusieurs fois dans la chambre
où l'enfant crie, le corps secoué par des convulsions.

Il lit sur le visage du duc de Berry, assis près du berceau
de son fils, le désespoir et l'incompréhension devant ce travail acharné de la mort, à l'œuvre dans ce corps qui le
11 avril, à peine trois semaines après sa naissance, se raidit,
meurt.

Et il faut accepter cela, et il doit continuer à agir en roi
qui croit en l'avenir de sa dynastie et de son royaume.

Il a fait enregistrer par le Parlement la renonciation à
leurs droits sur la couronne d'Espagne du duc de Berry et
du duc d'Anjou. Philippe V ayant renoncé déjà aux siens sur
la couronne de France, les derniers obstacles à la signature
à Utrecht du traité de paix entre les puissances sont ainsi
levés.

Et cette signature est intervenue le jour de la mort du duc
d'Alençon, comme si – Louis l'a souvent pensé – cette mort
et celles qui ont précédé étaient le sacrifice exigé. La famille
royale devant elle aussi payer l'impôt du sang pour cette
longue guerre de près de trente années.

Mais il est satisfait des conditions de cette paix. L'Espagne perd ses possessions italiennes et dans les Pays-
Bas, attribuées à l'empereur germanique Charles VI qui

pourtant continue la guerre. Et la France retrouve Lille et Béthune.

Il voudrait que chaque sujet du royaume sache que cette guerre a été fructueuse pour la gloire et la sûreté du royaume, mieux protégé par la ceinture de fer de ses forteresses.

Il reçoit à Versailles l'Académie française qui vient lui rendre hommage. Et il est heureux d'entendre le cardinal de Polignac déclarer, au nom de l'Académie :

— Qui l'aurait cru, Sire, qu'après neuf ans de malheurs où jusqu'à la nature tout semblait avoir conjuré votre perte, vous dussiez en sortir plus glorieux et rétablir dans vos États le calme qu'on leur avait si longtemps refusé, conserver vos plus belles conquêtes, affermir des couronnes sur la tête de vos enfants, en donner même à vos alliés ?

Mais cette paix, il veut qu'elle soit complète.

Or le prince Eugène, au nom de l'empereur Charles VI, a rassemblé plus de cent mille hommes, entre le Rhin et la Forêt-Noire. Il faut imposer à Charles VI de conclure lui aussi la paix, de mesurer les avantages qu'on lui a accordés : il va être le maître des anciens Pays-Bas espagnols et du Milanais.

Une fois de plus, il faut vaincre par les armes.

Louis invite à Marly le maréchal de Villars, et le reçoit en compagnie du ministre de la Guerre Voysin.

Il faut encore une fois féliciter ce chef de guerre victorieux, lui confier le commandement des troupes qui vont attaquer celles du prince Eugène.

— Sire, dit Villars, je n'ai pas refusé des emplois très difficiles et très dangereux que personne ne voulait, ainsi je ne refuserai pas ceux que la dernière campagne rend moins embarrassants.

Villars écarte les bras, mains ouvertes.

— Sire, Votre Majesté n'a donc plus d'ennemis en Flandre ? poursuit Villars. Eh bien, il faut en transporter toute la cavalerie en Allemagne. Vous avez des marchés faits à vingt-cinq sous la ration : je les nourrirai à bien meilleur compte.

Louis dévisage Villars. Ce que dit le maréchal l'étonne.

— Les maréchaux d'Harcourt et de Bezons m'ont assuré que s'ils avaient plus de deux cents escadrons, ils ne pourraient les faire subsister.

— Plus j'aurai de troupes, Sire, et plus je trouverai de pays à les nourrir, dit Villars. Il n'est question que de cacher nos desseins, et de faire en sorte que nos premiers mouvements persuadent que nous ne songeons qu'à une guerre défensive.

Il a confiance dans Villars.

— Faites comme vous l'entendrez.

— Sire, la plus importante attention est le secret : ainsi, Votre Majesté seule et le ministre de la Guerre seront informés de mes projets.

Quelques semaines plus tard, Louis au reçu des dépêches a le sentiment que la partie militaire qui se joue sur les bords du Rhin est à la fois décisive et truquée.

Villars et Eugène savent bien que leurs armées s'affrontent pour parvenir au plus tôt à l'ouverture de négociations.

L'empereur Charles VI a besoin d'un prétexte pour y participer, et le but de Villars n'est pas de détruire l'armée du prince Eugène, mais de démontrer au prince, à l'empereur, aux populations de la Souabe, du Palatinat, qu'ils doivent exiger la paix.

Et il ne doute pas quand il ouvre les dépêches de Villars qu'elles n'annoncent des victoires.

Les villes de Spire, de Worms, de Landau, de Kaiserslautern, tombent aux mains de Villars. Et le maréchal annonce qu'il assiège la place forte de Fribourg.

Il faut prendre cette ville qui pourrait être le meilleur des gages, une monnaie d'échange contre Strasbourg.

Elle capitule le 16 novembre 1713. Et aussitôt des émissaires de Charles VI annoncent qu'ils sont prêts à ouvrir des négociations avec le royaume de France, au château de Rastadt.

Enfin !

Louis ordonne qu'on célèbre un *Te Deum* dans la chapelle de Versailles pour saluer la victoire de Villars et les rencontres prochaines de Rastadt.

Il prie et remercie Dieu.

Peut-être le Seigneur lui sait-il gré d'avoir suscité, approuvé la bulle pontificale *Unigenitus, Dei Filius*. Elle condamne les propositions jansénistes qui placent au centre du salut de chaque chrétien la grâce que Dieu lui accorde : «Tous ceux que Dieu veut sauver le sont infailliblement. Sans la grâce nous ne pouvons rien faire sinon notre propre condamnation. »

Propositions, dit la bulle, «fausses, captieuses, malsonnantes, capables de blesser les oreilles pieuses, scandaleuses, pernicieuses, téméraires, injurieuses à l'Église, outrageantes pour les puissances séculières, séditieuses, impies, blasphématoires, suspectes d'hérésie».

Il est sûr d'avoir eu raison quelles que soient les réserves et les résistances de quelques évêques de l'Église de France.

Il est le Roi Très-Chrétien, le héraut et le défenseur de Dieu et du pape.

41.

Il regarde ses deux fils, le duc du Maine et le comte de Toulouse, assis de part et d'autre de Mme de Maintenon.

Les valets passent, courbés, et servent de l'orangeade dans de grands verres de cristal à lisière d'or.

Il soulève à peine la main de son genou et les dix violons du roi, debout au fond de la pièce dans la pénombre, commencent à jouer.

Il ferme les yeux.

Il aime ce moment d'après souper, dans l'intimité des appartements de Mme de Maintenon. La musique le berce. Elle accompagne le ballet de ses souvenirs.

Il voit passer la silhouette dorée d'Athénaïs de Montespan, et parfois un sourire, une expression du duc du Maine ou du comte de Toulouse lui rappelle avec précision le visage de cette femme, leur mère.

Il la revoit dansant avec lui, elle, Vénus, lui, Apollon. C'était il y a près de cinquante ans. Il était le Dieu solaire, entouré de jeunes femmes, régnant sur l'Île enchantée.

Tout cela est si loin qu'il ne peut évoquer ces souvenirs qu'avec ses vieux compagnons, le maréchal de Villeroi et le duc de Gramont.

Et c'est pour pouvoir échanger quelques bribes de ce passé avec eux qu'il les convie souvent à ces soirées.

Mais après quelques phrases, il se tait.

Ces souvenirs lui rappellent ce qu'il est devenu, ce vieil homme de soixante-seize ans, dont à la Cour on guette les faiblesses, ces moments de vertige qui le saisissent, ces vapeurs qui empourprent son visage, et le pas traînant, la claudication parfois quand les genoux refusent de se plier.

On attend, il le sait, sa mort. Elle lui a déjà presque tout arraché.

Que lui reste-t-il de cette famille qui lui semblait si vigoureuse, arbre dont il était le tronc avec tant de branches ?

Il y a ces fils bâtards, le duc du Maine et le comte de Toulouse. Et puis le duc de Berry, le frère cadet du duc de Bourgogne. Et quand il voit ce dernier petit-fils, il ne peut s'empêcher de lui dire :

— Mon cher enfant, je n'ai donc plus que vous.

Car il craint que le duc d'Anjou, son dernier arrière-petit-fils, un enfant souffreteux d'à peine quatre ans, ne soit emporté par ces maladies qui ont tué ses frères aînés.

Il voudrait préparer sa succession, et presque chaque soir le duc du Maine et Mme de Maintenon lui rapportent qu'à la Cour on est persuadé que le duc d'Orléans sera, dès la disparition du roi, un régent tout-puissant, s'entourant de Conseils composés des ducs et des princes, changeant ainsi la manière de gouverner du royaume.

Que pourra un roi qui n'aura pas dix ans ?

Et certains ajoutent à mi-voix : «Et encore faut-il que le duc d'Anjou survive...»

Ils rappellent comment tous ceux dont l'existence était un obstacle sur le chemin qui mène Philippe d'Orléans au trône sont morts.

Il écoute. Il n'aime pas Philippe d'Orléans. Il ne le soup-çonne pas d'être un empoisonneur, mais il se méfie de lui, de sa vie de débauche, de son ambition, de sa volonté de régner contre les descendants directs, le duc de Berry, le duc d'Anjou, et les deux bâtards légitimés qui, issus aussi du roi, devraient prendre place dans la succession.

C'est ce qu'il veut. C'est ce que Mme de Maintenon et le duc du Maine lui suggèrent chaque soir.

Mais il hésite encore. Il sait qu'il ne respectera pas, en décidant cela, ce que les parlementaires, les ducs, tel ce Saint-Simon, appellent les lois fondamentales du royaume.

Mais il est le roi Louis le Grand, et Dieu lui a donné le pouvoir de gouverner le royaume, donc de changer, s'il le veut, s'il le juge utile au bien de ses sujets, à sa gloire, les habitudes du royaume. Et pourtant il diffère le moment où il devra imposer les dispositions qu'il envisage pour le lendemain de sa mort.

Il ne le peut pas encore, comme s'il refusait de la regarder en face.

Et pourtant elle est en lui déjà.

La fatigue le terrasse souvent. Il somnole. Il est de plus en plus fréquemment soumis à des vertiges. Il chancelle, la tête envahie de vapeurs brûlantes. Il a envie de se laisser tomber à même le sol. Rester droit, marcher, exige de lui un effort de volonté qui le laisse épuisé. Il a l'impression que sa chair devient une charpie molle qui ne le porte plus. Elle s'effiloche. Elle se détend. Il maigrit.

Et pourtant, il a encore tant à faire.

Il veut servir Dieu et la religion. Pour le bien du royaume et son propre salut. Faire que ses sujets et l'Église soient soumis à la juste foi telle que le souverain de l'Église en ce monde, le pape, la définit.

Il faut faire plier ces évêques, cet archevêque de Paris, Noailles, qui contestent la bulle *Unigenitus*. Comment osent-ils, eux les sujets du pape, se dresser contre lui ?

Il faut briser cette Fronde, contraindre le Parlement de Paris, la Sorbonne, la faculté de théologie, à enregistrer cette bulle pontificale, et exiler au sein de leurs diocèses Noailles et les évêques réticents, qu'il ne veut plus voir à la Cour.

Il se sent apaisé quand son confesseur, le père Le Tellier, le félicite d'avoir ainsi servi Dieu, la religion, le souverain de l'Église, et brisé cette rébellion d'une Église tentée par l'hérésie janséniste ou par, plus grave encore, l'indépendance à l'égard de son souverain. N'est-ce pas ce qui s'est produit dans le royaume d'Angleterre ? Et n'est-ce pas ce que veulent ici ces « gallicans » ?

Il prie. Il a œuvré pour Dieu et l'Église en combattant les huguenots, et maintenant en étant aussi rigoureux avec les jansénistes.

Il a accompli sa tâche et Dieu lui en saura gré.

Il en est sûr quand il reçoit le maréchal de Villars qui vient de signer à Rastadt le traité de paix qui complète celui d'Utrecht et met fin à la guerre entre le royaume de France et l'empereur germanique. Villars a négocié avec le prince Eugène, et les conversations ont été longues et difficiles, mais le 6 mars 1714, tout est conclu.

Louis s'avance vers Villars, qui s'incline dans ce grand cabinet d'où l'on voit la fontaine d'Apollon.

— Voilà donc, monsieur le maréchal, le rameau d'olivier que vous m'apportez. Il couronne vos lauriers, dit Louis.

Villars s'incline à nouveau en une longue et profonde révérence.

— Permettez-moi, Sire, d'embrasser les genoux de Votre Majesté de la part du prince Eugène, dit Villars. Il m'a fait promettre d'assurer Votre Majesté de son regret sincère de tout ce qu'il a été forcé de faire pendant la guerre. À l'occasion de la paix qui est un temps de clémence, il prend la liberté de supplier Votre Majesté de recevoir favorablement les assurances de son profond respect.

Louis se tait. « Mme Putana », ce « hideux prince Eugène », le voici qui courbe la nuque, parce qu'on l'a vaincu.

— Il y a longtemps que je ne regarde le prince Eugène que comme sujet de l'empereur, dit Louis. En cette qualité il a fait son devoir.

Il hésite, puis ajoute :

— Je lui sais gré de ce que vous me dites de sa part, et vous pouvez l'en assurer.

Et maintenant il faut remercier le maréchal de Villars, qui attend ses récompenses, voudrait être connétable ou entrer au Conseil des finances. Et Louis ne veut pas lui accorder cela. Il est résolu à ce qu'il n'y ait point de connétable et il ne faut pas donner à un chef de guerre trop de pouvoirs. Il faut marquer cependant sa reconnaissance. Il lui ouvre les « grandes entrées » au lever du roi, le convie à la chasse, lui dit après un tir fructueux :

— Monsieur le maréchal vous m'avez porté bonheur, car jusqu'à votre arrivée j'avais mal tiré. Vous êtes accoutumé à rendre mes armes heureuses.

Elles le sont. Il ne veut pas entendre ceux qui murmurent qu'aux traités d'Utrecht et de Rastadt, le royaume de France a trop payé la paix ! Et ils ergotent sur les places abandonnées – Ypres ou Tournai. Il s'indigne de ce mauvais procès. L'Alsace et Strasbourg, et Philippe V régnant à Madrid, cela ne compte-t-il pour rien ?

Se souviennent-ils de l'état du royaume en 1709, au temps du grand hiver ?

Il lui arrive cependant de murmurer : « J'ai trop aimé la guerre... »

Mais voilà des années qu'il veut aboutir à la paix et il veut rechercher, maintenant que l'empereur a accepté qu'un Bourbon règne à Madrid, une entente avec Vienne.

Mais lorsqu'il évoque ce projet en Conseil, puis avec les ambassadeurs, l'angoisse l'envahit.

Aura-t-il le temps d'affermir la paix en Europe, avant que la mort ne l'emporte ?

Car elle est là, de nouveau à l'œuvre.

Il a appris avec une sorte d'effroi la mort de la reine d'Espagne. Marie-Louise de Savoie n'avait que vingt-six ans et depuis sa disparition Philippe V, qui l'aimait, vit cloîtré, sans doute dominé par cette vieille et perverse princesse des Ursins, qui à soixante-douze ans – c'est ce qui se murmure à la Cour – rêve peut-être de se faire épouser par un roi de trente et un ans !

Il faut l'empêcher.

— On ne peut penser à l'état où il est sans frémir, dit Mme de Maintenon, il faut qu'il se marie. Il est trop jeune et trop pieux pour demeurer en l'état où il est.

Louis s'efforce de prêter attention à cela. Mais Philippe V est roi d'Espagne. Ses troupes ont conquis Barcelone, mettant fin à la sécession catalane. Il a renoncé à ses droits sur la couronne de France, et le duc de Berry et le duc d'Anjou à celle d'Espagne. Que Philippe V décide ! Car Louis se sent las.

Il ne veut plus soutenir les manigances de la princesse des Ursins, que Philippe V chasse, après avoir décidé d'épouser une jeune princesse italienne, peu titrée, peu fortunée, Élisabeth Farnèse.

Louis a le sentiment que les rênes lui échappent, qu'il n'est plus déjà qu'un spectateur distant, qui écoute avec une indifférence lasse la princesse des Ursins venue se plaindre de la manière dont elle a été traitée.

— On m'a fait coucher dans la paille et jeûner d'une

manière bien opposée aux repas que j'avais coutume de faire, je ne mangeais que deux vieux œufs par jour...

Puis elle ajoute :

— Je n'ai point encore reçu l'argent que Votre Majesté m'a fait la grâce d'ordonner qu'il me soit délivré.

Qu'on la paie, qu'elle quitte le royaume !

Il se sent, il se croit indifférent.

Et tout à coup, Fagon qui entre, et sur le visage ce masque que le médecin a si souvent accroché, celui grimaçant et gris de la mort.

Qui ?

Le dernier petit-fils, le duc de Berry !

En chassant le 26 avril à Marly, le duc de Berry a retenu son cheval qui glissait, et la monture s'est cabrée si violemment que le pommeau de la selle s'est enfoncé dans l'estomac du duc de Berry.

Il a caché son mal. Et il a pensé, pour étancher ce sang qu'il avait les jours suivants dans la bouche, qu'il devait avaler nourritures et boissons, chocolat et viande. Il a même chassé le loup, le 30 avril. Il a vomi. On a cru qu'il rendait le chocolat, alors qu'il s'agissait de sang noir, jailli d'une petite veine rompue.

Il est mort le vendredi 4 mai 1714, à quatre heures du matin.

Lui, le dernier petit-fils.

Louis est accablé, et il lui faut recevoir le baron de Breteuil pour fixer les cérémonies et la durée du deuil.

On drapera les carrosses. On ne portera pas de « pleureuses », ces larges manchettes que l'on met sur l'habit en signe de deuil, mais seulement des cravates de mousseline claire avec de l'effilé autour et un petit crêpe noir pendant au chapeau.

Il doit décider de tout cela alors que sa peine et son désespoir sont si profonds qu'il a l'impression que son corps est fendu, crevé.

Mais il ne veut pas pleurer devant Breteuil.

Il lui dit, parce qu'il se sent incapable d'affronter à nouveau les regards pour ce deuil venu après tous les autres :

— Je ne recevrai aucun compliment public de la part des ministres étrangers, ni harangue des cours supérieures. Les pertes de la famille royale recommencent trop souvent depuis quelque temps, et les compliments et les harangues renouvellent trop vivement les douleurs.

Il attend d'être seul pour s'abandonner au désespoir.

Le duc de Berry, le dernier petit-fils, n'avait que vingt-huit ans, et sa jeune épouse, enceinte depuis six mois, n'a pas dix-neuf ans.

Il sort lentement de ses appartements. Il se dirige vers la chambre où dort le duc d'Anjou, enfant de quatre ans, sur la tête de qui repose la succession qu'il avait cru assurée sur cinq vies, toutes brisées.

Il se penche, prend le duc d'Anjou dans ses bras, et murmure :

— Voilà ce qui me reste de toute ma famille.

Il a le pressentiment que l'enfant que porte la duchesse de Berry ne vivra pas. Il attend, tassé, amaigri, si las.

Et le 16 juin, il n'est pas surpris quand les médecins lui annoncent que la duchesse de Berry a mis au monde une petite fille sans vigueur, et qui ne pourra pas survivre au-delà de quelques heures.

Il ne peut aller plus profond dans l'abîme de tristesse dans lequel ces morts l'ont précipité.

Il pense à cet enfant de quatre ans, le duc d'Anjou, ce qui

313

reste de toute sa famille, et il songe à sa propre enfance quand il a subi la domination du cardinal de Mazarin, et peut-être jusque dans sa chair.

Et aujourd'hui, Philippe d'Orléans, le débauché, peut-être le père incestueux de la duchesse de Berry, va être le tout-puissant régent, imposant sa loi, ses vices, au duc d'Anjou, afin d'être le vrai souverain.

Il ne peut l'accepter.

Il va régler sa succession, tenter de survivre après sa mort, en dictant ce qu'il veut et ce que veulent aussi Mme de Maintenon, le duc du Maine et le comte de Toulouse, qui chaque jour insistent pour qu'il agisse.

Il agit et il sait que c'est sans doute la dernière décision importante qu'il prend avant sa mort.

Car la mort est audacieuse et il lui faut, pour la dominer, faire appel à tout ce qui lui reste d'énergie.

Il décide et proclame que le duc du Maine et le comte de Toulouse, légitimés depuis vingt ans déjà, et mis au-dessus des ducs et des pairs, seront désormais aptes à succéder au roi, à défaut des princes légitimes.

Il ne se soucie pas des grimaces des ducs et des princes, celles d'un Saint-Simon qui murmure que ce « crime fait d'une nation si libre une nation d'esclaves ».

Il se présente au Parlement qui enregistre cette « nouvelleté ». Puis il rédige son testament.

Il veut que la régence ne tombe pas entre les mains de Philippe d'Orléans.

Il crée un Conseil de quatorze personnes qui décidera à la majorité. Le duc du Maine obtient la charge de la « sûreté, conservation, et éducation du roi mineur ». Le maréchal de Villeroi sera gouverneur et le père Le Tellier, confesseur.

Il relit ce testament. Il ne s'illusionne pas. Mais il aura fait ce qu'il devait pour prolonger au-delà de sa mort son règne, et donner à son fils, Maine, la place que son sang doit lui réserver.

Le dimanche 17 août 1714, il reçoit dans le grand cabinet le premier président du Parlement et le procureur général.

Il leur tend une liasse scellée de sept cachets.

— Messieurs, dit-il, c'est mon testament. Il n'y a qui que ce soit qui sache ce qu'il contient. Je vous le remets pour le garder au Parlement.

Il s'interrompt, regarde tour à tour les deux parlementaires :

— L'exemple des rois mes prédécesseurs et celui du testament du roi mon père ne me laissent pas ignorer ce que celui-ci pourra devenir.

Il se tait à nouveau. Peut-être a-t-il aussi cédé aux pressions de Mme de Maintenon et de ses fils.

— Voilà, emportez-le, il deviendra ce qu'il pourra.

Il sait que même les rois, quand ils sont morts, ne connaissent plus les passions humaines.

SEPTIÈME PARTIE

1714-1715

42.

Il est debout devant le grand miroir.

Il ne peut détourner ses yeux de ce visage flétri, dont les joues paraissent couler en plis jaunes.

Il était le Roi-Soleil. Sa beauté rayonnait au milieu des danseurs. Il chevauchait tout une nuit pour rejoindre Louise de La Vallière ou Athénaïs de Montespan.

Il bondissait hors des tranchées durant le siège des villes. Il s'élançait sur les parapets, les glacis, se plaçant en avant des troupes, alors que tonnaient les canons.

Et la reine, ses maîtresses, leurs dames d'honneur, leurs jeunes suivantes attendaient dans les carrosses que Louis le Grand revienne vers elles.

Il lève lentement un bras, et ce mouvement est douloureux.

Il attend pour soulever l'autre que les valets qui s'affairent autour de lui aient terminé de retirer la manche de l'habit.

Il a besoin de toute son énergie et de sa volonté tendue pour rester ainsi debout, alors que la douleur monte dans sa jambe gauche, déchire la chair, fait éclater le talon, le genou, dévore la cuisse jusqu'à l'aine.

Mais il ne doit pas s'affaisser, donner un signe de faiblesse.

Il veut vivre droit jusqu'à ce que la mort le terrasse.

Il pense à Fénelon, l'archevêque de Cambrai, dont le père

Le Tellier, après le souper, lui a appris dans un murmure, en se signant, que Dieu l'avait rappelé à lui.

Un mort de plus, l'un de ceux qui avaient imaginé gouverner avec le duc de Bourgogne. Et le duc de Bourgogne et ses fils sont morts, et Fénelon est mort et tant d'autres.

Et il est encore le roi.

Il lève l'autre bras, ferme les yeux quelques instants. Les doigts des valets effleurent sa peau. Il entend le froissement du tissu des vêtements qu'on retire.

Il rouvre les yeux.

Ce corps si maigre qu'il découvre, c'est le sien.

Il lui semble que ses chairs ont fondu, qu'il a suffi de quelques semaines pour que son apparence se transforme. La peau est fripée, livide.

Il a en face de lui le corps d'un homme mort.

Il murmure comme s'il s'adressait à cet autre qui est lui :

— Je vois bien que ton heure approche et qu'il faut songer sérieusement à mourir.

Mais il ne veut pas céder à la tentation de fermer les yeux, de cesser ce combat qu'il mène contre la mort, cet affrontement de chaque instant, dont il s'efforce de masquer la cruauté.

Il voit bien dans les regards des courtisans, des ministres, et dans ceux de Mme de Maintenon ou du duc du Maine, qu'on suit, heure après heure, sa lutte contre la maladie et la mort.

Et certains espèrent leur victoire.

On lui rapporte que quand il paraît faiblir, les salons des appartements de Philippe d'Orléans, au Palais-Royal, se remplissent de la foule des courtisans qui s'empressent autour de celui qui doit être le futur régent.

Et d'apprendre cela lui donne un regain d'énergie.

Il veut qu'un édit royal attribue à ses bâtards, le duc du

Maine et le comte de Toulouse, la qualité de princes du sang. Et chacun comprendra ainsi les dispositions de son testament.

Il sait bien cependant qu'il ne s'agit que de batailles en retraite, et qu'il lutte pour que la fin de sa vie ne soit pas une déroute. Mais il n'est pas dupe. On attend sa mort, à la Cour et dans les royaumes d'Europe.

Il apprend par Torcy que des paris sont ouverts en Angleterre pour savoir s'il vivra au-delà du 1er septembre 1715, le mois de son soixante-dix-septième anniversaire.

Il toise les courtisans rassemblés autour de lui, au moment du dîner, et leur lance :

— On me dit qu'en Angleterre, on fait des paris sur ma mort prochaine.

Il les voit confus, baissant la tête.

Peut-être ici aussi, à Versailles, les paris sont-ils ouverts.

Mais il veut montrer à ces parieurs macabres que Louis le Grand peut encore être le Roi-Soleil.

Il écoute ses ministres, Torcy, Pontchartrain, Desmarets, qui répètent qu'il faudrait ouvrir aux manufactures du royaume le marché persan, et que l'occasion de nouer avec le shah de Perse Hussein Mirza des relations amicales est offerte à la France par l'arrivée à Paris, en ce mois de février 1715, de son ambassadeur Mehemet Reza Beg.

Il faut le recevoir avec faste, l'éblouir en l'accueillant dans la galerie du château de Versailles.

Louis veille avec le baron de Breteuil à chaque détail de cette réception. Il échappe ainsi à cette pénombre qui l'entoure et l'étouffe, à la mort qui s'avance, aux douleurs qui le tenaillent.

Il veut, dit-il, que toute la Cour soit magnifiquement vêtue. Qu'on installe des gradins dans la galerie, du côté qui est vis-à-vis des fenêtres. Les dames et les princes de la Cour y prendront place. Les dames ne porteront pas de grande robe de cour, puisqu'elles ne se lèveront pas alors que le roi le fera. Elles seront vêtues seulement en robe de chambre, comme à Marly, mais ces robes de chambre seront magnifiques et les dames auront beaucoup de pierreries sur la tête.

Il portera la couronne, et sur son habit or et noir seront placés les plus beaux, les plus gros diamants du roi.

Il veut que chaque membre de la famille royale, le petit dauphin, le duc d'Orléans, le duc du Maine et le comte de Toulouse portent eux aussi le plus grand nombre de pierreries.

Il veut que leurs rayons éblouissent Mehemet Reza Beg.

Et avant d'avancer lentement dans la galerie, le corps ployé sous le poids des diamants, il se regarde un long moment dans le miroir.

Il va montrer à tous les courtisans, à toute l'Europe présente par ses ambassadeurs, et à cet envoyé du shah de Perse, ce qu'est la magnificence du roi de France.

Et il ordonne que le peintre Antoine Coypel installe ses cartons et ses toiles dans la galerie, afin de préparer le tableau représentant cette cérémonie.

Il veut qu'elle soit plus que l'audience d'un ambassadeur venu de Perse. Elle doit rayonner comme l'ultime lumière d'Apollon.

Il faut qu'on se souvienne de ce qu'était le Roi-Soleil.

Il retrouve, après la réception, son appartement, le grand cabinet, et ce corps d'homme mort que son âme vivante habite.

Il ne veut renoncer à rien.

Il mange d'abondance. Il chasse en calèche légère, tenant lui-même les rênes. Il tient Conseil.

Et il veut, le samedi 8 juin, veille de la Pentecôte, recevoir tous ceux, plusieurs centaines, qui désirent être touchés par le roi. « Le roi te touche, Dieu te guérit. »

Ils sont parfois allongés sur des brancards, le corps gris, les plaies purulentes.

Il se penche. Il les touche. Et la douleur est si vive dans son corps, la chaleur si accablante qu'il craint de ne pouvoir se redresser.

Mais il accomplira sa tâche.

Il est le roi qui guérit. Et on est venu des plus lointaines provinces et même d'Espagne pour qu'il appose ses mains sur les corps malades.

Il le doit, puisqu'il vit.

Il veut encore chasser le cerf, mais ce 9 août, assis dans la calèche, sa jambe est si douloureuse qu'il a l'impression qu'on l'incise, qu'on la brise et la tranche à coups de hache, à hauteur du genou et de l'aine.

Le lendemain, il décide de rentrer à Versailles.

Il somnole dans le carrosse et, en arrivant à Versailles, ce samedi 10 août, il se sent si faible qu'il a de la peine à aller de son cabinet à son prie-Dieu.

Il convoque Fagon, lui parle de cette jambe gauche qui ne lui appartient plus que par la douleur qu'elle provoque, et qu'il a l'impression d'avoir perdue, membre étranger, ennemi.

Il écoute Fagon qui évoque une irritation des nerfs, une sciatique qu'on peut soigner, assure-t-il, avec du quinquina, des saignées et des purges.

Il écarte Fagon.

Il veut encore aller jusqu'à Trianon, voir les jardins, dans l'opulence de ce dimanche 11 août 1715.

Il rentre dans ses appartements et, au moment d'en franchir le seuil, il se retourne, et il regarde longuement ces bâtiments, ces fontaines, ces bassins.

Il pense que dans moins d'un mois il aura, le 5 septembre, soixante-dix-sept ans.

Qui reste en vie des temps de son enfance, de sa jeunesse et même de son âge mûr?

Il faudra bien rejoindre ces morts.

Mais il doit d'abord donner son audience de congé à l'ambassadeur de Perse, le 13 août.

Il est debout. Il doit rester debout, malgré cette lance de douleur qui à partir de sa cuisse gauche s'enfonce jusqu'au cœur.

Mais il ne faiblira pas.

Il est encore le roi Louis le Grand.

43.

La nuit.

Est-elle passée ? Ou bien l'a-t-elle englouti ?

Il n'entend aucun bruit. Il entrouvre les yeux, mais la lumière vive du jour le blesse.

Il referme les paupières.

Il a donc échappé à la nuit.

Il vit encore en ce matin du 14 août 1715.

Il se souvient de ces mâchoires, de ces griffes qui tout au long de la nuit l'ont lacéré, déchiré, l'empêchant de trouver le sommeil, et il a le sentiment qu'il n'a pas dormi, mais été terrassé par la douleur, écrasé par cette jambe gauche, ce lourd boulet de fer rougi qui fond lentement, et le métal envahit le bas-ventre, la poitrine, emprisonne le cœur. Et il étouffe.

Il voudrait que la nuit paisible le recouvre, l'enveloppe.

Et il ne doit pas céder à ce désir. Il doit s'arracher à la nuit, ne pas s'y enfouir.

Il ouvre les yeux et il s'efforce de ne pas les refermer, d'affronter la lumière.

La matinée est avancée.

Il voudrait se lever, mais il ne peut déplacer cette jambe pansée, ce boulet qui le retient couché.

Il reconnaît les médecins qui, maintenant, entourent son lit. Les valets disposent des coussins.

Il sent qu'il ne pourra pas marcher.

Mais il veut réunir et présider le Conseil.

Il veut continuer.

Le lit est devenu son château et la chambre, son royaume.

Il fait ouvrir les portes pour pouvoir écouter la messe.

Qu'on laisse entrer les courtisans. Qu'ils s'avancent jusqu'à la balustrade, qu'ils le voient dîner dans son lit.

Il veut, il doit manger. Il doit vivre.

D'un geste, il demande qu'on l'installe dans son fauteuil à roulettes et qu'on le pousse jusqu'aux appartements de Mme de Maintenon.

Il veut entendre ses vingt-quatre violons. Il veut être parmi les dames qui jouent aux cartes.

Et tout à coup, il ne voit plus les visages, les candélabres, la nuit vient et avec elle les tourments, les souffrances. Il geint.

Il sent qu'on le soulève, le pose sur son lit.

Il y a tous ces murmures.

Puis le silence.

Il entend des chuchotements.

Il aperçoit des silhouettes.

Il comprend que les médecins, les apothicaires ont dormi dans l'antichambre.

Combien la nuit a-t-elle duré ?

Il vent entendre ses violons.

Il les voit entrer dans la chambre, commencer à jouer. Et il s'enfonce dans la musique qui a accompagné toute sa vie.

Il ne veut plus suivre la succession des jours. Les heures forment une chaîne continue, jour, nuit, douleur violente ou apaisée.

Tout à coup il se souvient.

Il devait passer en revue les compagnies de gendarmes et de chevau-légers, et il ne peut bouger. Il ne veut pas se présenter, lui Louis le Grand, sur un fauteuil d'impotent, en robe de chambre.

Que le duc du Maine préside le défilé.

Il a l'impression que cette décision le fait surgir de la nuit. Il reconnaît le maréchal de Villars.

— Vous me voyez bien mal, monsieur le maréchal.

— Il n'est pas étonnant que Votre Majesté, accoutumée à beaucoup d'exercice, se croie mal par une incommodité qui l'empêche d'en faire.

Il secoue la tête, si lourde :

— Non, murmure-t-il, je sens dans ma jambe de très grandes douleurs.

Il ferme les yeux.

Combien de temps ?

Il reconnaît la voix de Fagon. Il entrouvre les yeux, mais le visage du médecin est masqué par un voile gris.

On est le vendredi 23 août, dit Fagon.

Il répète que la sciatique de Sa Majesté doit s'atténuer sous l'effet du traitement au quinquina et du lait d'ânesse.

Il voit derrière Fagon d'autres silhouettes noires, celles sans doute des médecins que Fagon a dû appeler en consultation.

Il ferme les yeux.

Que peuvent les médecins quand la mort a choisi un corps et qu'elle y creuse sa sape ?

Il voudrait ne pas entendre cette voix, qui murmure : «Après ton fils, tes petits-fils, tes arrière-petits-fils, c'est ton tour, et tu le sais.»

Mais il ne veut pas abandonner.

Il veut ce samedi 24 août réunir le Conseil, souper devant les courtisans qui se tiennent debout, dans le fond de la chambre.

Et brusquement cette douleur plus vive, cette pénombre qui éteint toutes les bougies. Et la voix altérée de Fagon qui dit qu'il faut interrompre le traitement au quinquina, et cesser de faire boire au roi du lait d'ânesse, car des stries noires sont apparues sur la jambe.

Il comprend ce mot, qu'on chuchote et qu'on répète : *gangrène.*

Voilà le nom de sa mort.

Il veut voir son confesseur.

Il murmure : « Quand j'étais roi… »

Il ne peut maîtriser les sursauts de son corps, tant la douleur dans la jambe est atroce.

Il est tout entier une chair qui pourrit.

Et c'est la Saint-Louis, ce dimanche 25 août.

Il veut qu'on fasse avancer les tambours sous le balcon, parce qu'il désire entendre encore les musiques martiales de la vie.

Et que les violons et les hautbois entrent dans l'antichambre et qu'ils jouent pendant son dîner.

Car il veut écouter vibrer les cordes et souffler l'air de la vie, pendant qu'il dîne.

S'il entend ces musiques, s'il mange, c'est que la mort est contenue.

Et tout à coup la nuit.

Puis peu à peu les sons reviennent, comme si la mort venait de lui rappeler qu'elle choisira à sa guise le moment.

Il ne doit pas se laisser surprendre. Il veut recevoir l'extrême-onction, les derniers sacrements, vite, en ce jour de la Saint-Louis, avant que la nuit ne l'engloutisse.

Il reconnaît le cardinal de Rohan, grand aumônier de France. Il porte Notre-Seigneur.

Derrière lui, un curé, chargé des saintes huiles, puis les princes du sang, tous ces visages qui vont s'estomper.

Il entend la voix qui dit :

— Voici un sacrement qui a la vertu de nous soulager dans les maladies du corps et de nous en délivrer même lorsqu'il est expédient pour notre salut, mais il a été principalement institué pour soulager notre âme dans ses infirmités et pour la guérir des blessures que le péché lui a faites et qui restent encore après qu'il est effacé.

Il voit ce crucifix qu'on approche de ses lèvres.

Il murmure les petits mots de sa grande foi, *Credo*, *Amen*.

A-t-il dormi ? A-t-il perdu conscience comme dans une avant-mort ?

Il sait seulement qu'il va mourir et qu'il lui faut utiliser ses derniers moments – quelques minutes, quelques heures, un jour, peut-être plus – pour dire les derniers mots de sa vie à ceux qui vont lui survivre, gouverner et servir ce royaume qui fut le sien.

Il ne peut plus penser : « ce royaume qui est le mien ».

Il ne dit plus qu'il veut voir le dauphin, mais qu'il veut parler au roi, cet arrière-petit-fils de cinq ans et demi qui va lui succéder.

Il demande à l'enfant de s'approcher.

Il ne peut détacher ses yeux de ce visage rond, de cette petite bouche si bien dessinée, de cette peau lisse que la vie n'a pas encore ridée, de ce regard noir et vif qu'aucune désillusion, qu'aucune épreuve n'a encore terni.

Entre cet enfant et lui, il y a cet abîme profond de près de soixante-douze années.

Il faut le mettre en garde, lui montrer les précipices où il peut tomber.

— Mignon, commence-t-il, vous allez être un grand roi, mais tout votre bonheur dépendra d'être soumis à Dieu et du soin que vous aurez de soulager vos peuples.

Il reprend difficilement son souffle, s'efforce de parler plus fort :

— Il faut pour cela que vous évitiez autant que vous le pourrez de faire la guerre : c'est la ruine des peuples. J'ai trop aimé la guerre. Ne m'imitez pas en cela, non plus que dans le goût que j'ai eu pour les bâtiments, et les trop grandes dépenses que j'ai faites. Ne suivez pas le mauvais exemple que je vous ai donné sur cela. J'ai souvent entrepris la guerre trop légèrement et l'ai soutenue par vanité. Ne m'imitez pas mais soyez un prince pacifique et que votre principale application soit de soulager vos sujets. Profitez de la bonne éducation que Mme la duchesse de Ventadour vous donne, et suivez aussi pour bien servir Dieu les conseils du père Le Tellier que je vous donne pour confesseur.

Il est au bord des sanglots, et il voit les yeux de l'enfant se remplir de larmes. Il tourne la tête, fixe Mme de Ventadour, se souvient que cette dame a sauvé le dauphin en écartant de l'enfant les médecins.

— Pour vous, madame, j'ai bien des remerciements à vous faire du soin avec lequel vous élevez cet enfant et de la tendre amitié que vous avez pour lui. Je vous prie de la lui continuer et je l'exhorte à vous donner toutes les marques possibles de sa reconnaissance.

Il se redresse, invite le dauphin à s'approcher et il l'embrasse deux fois et en pleurant lui donne sa bénédiction, puis il se laisse retomber, en larmes.

Mais il doit encore parler au duc du Maine, au comte de

330

Toulouse, au duc d'Orléans, et à tous ces gentilshommes, ces courtisans, ces officiers qui se pressent dans la ruelle et contre la balustrade.

Il faut qu'il trouve l'énergie de s'adresser à eux, afin qu'ils voient, une dernière fois, même si sa voix est faible, Louis le Grand.

— Messieurs, je suis content de vos services, dit-il.

On s'approche du lit, on l'entoure.

— Vous m'avez fidèlement servi et avec envie de me plaire. Je suis fâché de ne vous avoir pas mieux récompensés que j'ai fait ; les derniers temps ne l'ont pas permis. Je vous quitte avec regret. Servez le dauphin avec la même affection que vous m'avez servi. C'est un enfant de cinq ans qui peut essuyer bien des traverses car je me souviens d'en avoir beaucoup essuyé pendant mon jeune âge.

Il s'interrompt, surmonte la douleur qui lui écrase la poitrine et étouffe sa voix, puis reprend :

— Je m'en vais mais l'État demeurera toujours. Soyez-y fidèlement attachés et que votre exemple en soit un pour tous mes autres sujets. Soyez tous unis et d'accord ; c'est l'union et la force d'un État, et suivez les ordres que mon neveu Philippe d'Orléans, futur régent, vous donnera. Il va gouverner le royaume, j'espère qu'il le fera bien. J'espère aussi que vous ferez votre devoir et que vous vous souviendrez quelquefois de moi.

Il ferme les yeux, et il entend leurs sanglots.

Il voudrait leur parler encore, mais il ne peut plus que murmurer qu'il veut voir le duc d'Orléans et le maréchal de Villeroi.

Il faut un nouvel effort, plus douloureux encore :

— Je vous ai conservé tous les droits que vous donne votre naissance, dit-il d'une voix faible au duc d'Orléans.

Il lui parle de Mme de Maintenon, qui doit être traitée avec respect, et protégée tout au long de ce qui lui reste de vie. Il l'a aimée.

331

Puis il se tourne vers le maréchal de Villeroi :

— Monsieur le maréchal, je vous donne une nouvelle marque de mon amitié et de ma confiance en mourant ; je vous fais gouverneur du dauphin qui est l'emploi le plus important que je puisse donner.

Il saisit la main de Villeroi. Il l'a serrée pour la première fois dans son enfance, quand ils jouaient ensemble. Et Villeroi va lui survivre.

— Je ne doute pas que vous me serviez après ma mort avec la même fidélité que vous l'avez fait pendant ma vie. J'espère que mon neveu vivra avec vous avec la considération et la confiance qu'il doit avoir pour un homme que j'ai toujours aimé.

Il sent les larmes de Villeroi qui lui embrasse la main.

— Adieu, monsieur le maréchal, j'espère que vous vous souviendrez de moi.

Maintenant, il veut voir la duchesse de Berry, Mme la Palatine, les autres princesses, ses filles et ses petites-filles.

Il murmure : « Souvenez-vous de moi », « Union entre vous ».

Il se tourne vers la Palatine qui sanglote.

— Je ne dis pas cela à vous, je sais que vous n'en avez pas besoin et que vous êtes trop raisonnable pour cela. Je le dis aux autres princesses.

Il sent l'émotion le gagner. Il ne le faut pas.

Il doit encore brûler les papiers secrets contenus dans ses cassettes. Il demande à Voysin de trier avec lui ses liasses, qui seront bientôt cendres.

Il veut aussi voir le père Le Tellier pour l'entendre parler de Dieu.

Après viennent les médecins qui pansent sa jambe gauche, disent que la gangrène n'a fait aucun progrès, qu'elle était comme hier au-dessous de la marque que l'habitude de porter une jarretière a faite autour de sa jambe.

Mais il sait que la mort ne lâchera pas prise.

Il la sent en lui rageuse, après cette nouvelle nuit.

Il veut que Le Tellier ne quitte pas l'antichambre, puisse venir auprès de lui à chaque instant. Il veut que son confesseur l'accompagne jusqu'au moment où il n'entendra plus les prières, où il ne pourra plus prononcer «je confesse à Dieu» en se frappant la poitrine.

Il demande au comte de Pontchartrain, secrétaire d'État à la Maison du roi, d'approcher.

Il l'interrompt alors que le comte commence à dire que les médecins sont pleins d'espoir puisque la gangrène ne progresse pas.

— Aussitôt que je serai mort, lui dit-il, vous expédierez un brevet pour faire porter mon cœur à la maison professe des jésuites et l'y faire placer de la même manière que celui du feu roi mon père. Je ne veux pas qu'on y fasse plus de dépense.

Puis il se tourne vers Mme de Maintenon.

— J'avais toujours ouï dire qu'il était difficile de se résoudre à la mort; pour moi qui suis sur le point de ce moment si redoutable aux hommes, je ne trouve pas que cette résolution soit si pénible.

Elle se signe, elle murmure, penchée vers lui :

— Cette résolution est difficile quand on a de l'attachement aux créatures, quand on a de la haine dans le cœur, des restitutions à faire.

Il sent une poussée d'énergie.

— Ah, pour des restitutions à faire, je n'en dois à personne comme particulier, mais pour celle que je dois au royaume, j'espère en la miséricorde de Dieu.

La douleur est tout à coup plus vive. Il veut voir son

333

confesseur, même si c'est pour la vingtième fois dans la journée.

— *Confiteor Deo omnipotenti*, murmure-t-il.

Puis c'est la nuit.

Et un nouveau jour commence que la souffrance, cette jambe pourrie font ressembler à la nuit.

On veut le faire boire, manger.

— Il ne faut pas me parler comme à un autre homme. Présentement, ce n'est pas un bouillon qu'il me faut : que l'on m'appelle mon confesseur.

Il hésite. Est-ce Le Tellier qui se penche vers lui?

— Donnez-moi encore une absolution générale pour l'expiation de mes péchés.

Il ne veut pas entendre Le Tellier l'interroger sur l'intensité de sa douleur.

— Je voudrais souffrir davantage pour l'expiation de mes péchés, dit-il.

Ces sanglots autour de lui, ceux de ses officiers, des valets, l'irritent.

— Pourquoi pleurez-vous? Est-ce que vous m'avez cru immortel? Pour moi je n'ai point cru l'être, et vous avez dû dans l'âge où je suis vous préparer à me perdre.

Mais les pleurs et même les cris redoublent. Il a le sentiment que le désespoir qui l'entoure l'affaiblit, alors qu'il a besoin de toutes ses forces pour accueillir la mort.

— Ne vous semble-t-il pas que notre carrière a été très longue et que nous avons très longtemps vécu? Il convient de faire place aux autres et de nous disposer à comparaître au tribunal du roi des rois. Il y a dix ans que je me prépare chaque jour à ce passage et j'espère que Dieu voudra me faire miséricorde.

Il s'enfonce dans la nuit et, quand il revoit le jour, il aperçoit Mme de Maintenon, assise près du lit cependant que les médecins défont les pansements, et qu'à leur mine il devine que la gangrène s'est étendue, qu'il faut faire des incisions, atteindre l'os, et constater que toute la chair est rongée, que la gangrène vient de l'intérieur.

Il murmure, tourné vers Mme de Maintenon :

— Je ne vous ai pas rendue heureuse.

Il veut qu'elle quitte la chambre et n'assiste pas à ces coups de lancette qui font gicler le sang et le pus.

Il ne peut empêcher son corps de se cabrer à chaque coup, et de retomber brisé, inerte.

On lui présente un verre rempli d'un élixir spiritueux qu'un guérisseur venu de Provence vient d'apporter.

— Je ne le prends ni dans l'espérance ni avec le désir de guérir, mais je sais qu'en l'état où je suis je dois obéir aux médecins. À la vie ou à la mort tout ce qui plaira à Dieu.

Il a l'impression qu'un peu de vie pétille dans son corps, et puis cela faiblit, disparaît.

— À quoi tient-il, mon Dieu, que vous ne me preniez ?

La nuit. Et de brefs éclairs de jour.

Il entend la messe. Il grignote deux petits biscuits trempés dans du vin. Il s'anéantit.

Il entend la voix de Fagon si lointaine qui dit que la jambe est aussi pourrie que s'il y avait dix mois que Sa Majesté était morte.

Il veut psalmodier avec les aumôniers qui récitent la prière des agonisants.

Nunc et in hora mortis.

Maintenant et à l'heure de notre mort.

« Oh ! mon Dieu, venez à mon aide, hâtez-vous de me secourir. »

Dimanche 1ᵉʳ septembre 1715.

« Le roi est mort ce matin à huit heures un quart et il a rendu l'âme sans aucun effort comme une chandelle qui s'éteint. »

Baron de Breteuil.

Chronologie du règne de Louis XIV

1638 – Naissance de Louis-Dieudonné, futur Louis XIV.

1642 – Mort de Richelieu. Mazarin entre au Conseil du roi.

1643 – Mort de Louis XIII. Avènement de Louis XIV et début de la régence d'Anne d'Autriche, sa mère.
Bataille de Rocroi.

1648 – Début de la Fronde. Fronde parlementaire jusqu'en 1649, puis Fronde des princes jusqu'en 1653.

1654 – Sacre de Louis XIV à Reims.
Fouquet est nommé surintendant des Finances.

1656 – Publication des *Provinciales* de Blaise Pascal, immédiatement mises à l'index.

1659 – Traité des Pyrénées qui met fin à la guerre avec l'Espagne.

1660 – Mariage de Louis XIV et de Marie-Thérèse d'Autriche.

1661 – Mort de Mazarin.
Début du règne personnel de Louis XIV.
Arrestation de Fouquet.

1662 – Colbert est nommé contrôleur généraı des Finances.

1663 - Première représentation de *L'Impromptu de Versailles*, de Molière.

1666 – Mort d'Anne d'Autriche, mère de Louis XIV.
Fondation de l'Académie des sciences.

1667 – Guerre de Dévolution. Louis XIV après la morт du roi d'Espagne, revendique les Pays-Bas espagnols.
Disgrâce de Louise de La Vallière.
Mme de Montespan devient la favorite du roi
Colbert entre à l'Académie française.

1668 – Pays d'Aix-la-Chapelle. Charleroi, Douaı eт Tournai, entre autres, sont annexées.

1670 – Molière présente au roi *Le Bourgeois gentilhomme*.
Publication des *Pensées* de Blaise Pascal.
Début de la guerre de Hollande (jusqu'en 1678).

1671 – Fondation de l'Académie d'architecture.
Veuf d'Henriette d'Angleterre depuis un an, Monsieur, frère du roi, épouse en secondes noces la Princesse Palatine (Élisabeth-Charlotte de Bavière).

1672 – Fondation de l'Académie de musique.
La guerre avec l'Espagne reprend, et le conflit devient européen.

1673 – Début de l'Affaire des poisons (jusqu'en 1679).
Mort de Molière.

1675 – Bataille de Turckheim. Mort de Turenne.

Victoires navales de Duquesne.

Le père de La Chaise devient le confesseur de Louis XIV.

1676 – Exécution de la marquise de Brinvilliers, à l'origine de l'Affaire des poisons.

1678 – Traité de Nimègue. Annexion de la Franche-Comté, de Valenciennes, de Cambrai et de Maubeuge.

Vauban est nommé commissaire aux Fortifications.

1680 – Le roi est séduit par Mme de Maintenon.

Fondation de la Comédie-Française.

1681 – Bossuet devient évêque de Meaux.

1682 – Louis XIV s'installe à Versailles.

1683 – Mort de la reine Marie-Thérèse.

Louis XIV épouse en secret Mme de Maintenon, qui accroît son influence.

Mort de Colbert.

1685 – Révocation de l'Édit de Nantes.

Ordonnance coloniale ou Code Noir, qui, en fixant les droits et devoirs des propriétaires d'esclaves, constitue une reconnaissance légale de l'esclavage.

1686 – Formation de la Ligue d'Augsbourg contre Louis XIV.

Louis XIV est opéré avec succès d'une fistule anale.

Mort du Grand Condé.

1688 – Guerre de la Ligue d'Augsbourg (jusqu'en 1697).

1689 – Fénelon est nommé précepteur du duc de Bourgogne, fils du Grand Dauphin.

1691 – Conquête de la Savoie.

Mort de Louvois.

Publication des *Contes* de Charles Perrault.

1692 – Les charges de maire et d'échevin deviennent vénales et héréditaires, ce qui permet de faire entrer de l'argent dans les caisses de l'Etat.

1693 – Publication des *Fables* de La Fontaine.

1694 – Publication du *Dictionnaire* de l'Académie française.

Anoblissement du corsaire Jean Bart.

1697 – Traité de Ryswick mettant fin à la guerre de la Ligue d'Augsbourg.

1698 – Mort de Charles II d'Espagne. Il a désigné par testament le petit-fils de Louis XIV, Philippe d'Anjou, comme devant lui succéder sur le trône d'Espagne.

1700 – Traité de partage de la succession d'Espagne entre la France et l'Angleterre.

1701 – Début de la guerre de succession d'Espagne (jusqu'en 1713).

Mort de Monsieur, frère de Louis XIV.

1702 – Début de la guerre des Camisards (jusqu'en 1705), soulèvement des Protestants cévenols contre le pouvoir royal.

1707 – Mort de Vauban.

1708 – Destruction de Port-Royal des Champs et dispersion des religieuses.

1709 – Famine et émeutes. Louis XIV explique sa politique à ses sujets.

1710 – Naissance du futur Louis XV.

1711 – Mort du Grand Dauphin.

1712 – Mort du duc de Bourgogne, troisième dauphin, et de la duchesse.

1713 – Paix d'Utrecht qui met fin à la guerre de succession d'Espagne.

1714 – Perte de Terre-Neuve et de l'Acadie.

Mort du duc de Berry.

1715 – Mort de Louis XIV. Régence de Philippe d'Orléans.

Du même auteur

Romans

Le Cortège des vainqueurs, Robert Laffont, 1972.
Un pas vers la mer, Robert Laffont, 1973.
L'Oiseau des origines, Robert Laffont, 1974.
Que sont les siècles pour la mer, Robert Laffont, 1977.
Une affaire intime, Robert Laffont, 1979.
France, Grasset, 1980 (et Le Livre de Poche).
Un crime très ordinaire, Grasset, 1982 (et Le Livre de Poche).
La Demeure des puissants, Grasset, 1983 (et Le Livre de Poche).
Le Beau Rivage, Grasset, 1985 (et Le Livre de Poche).
Belle Époque, Grasset, 1986 (et Le Livre de Poche)
La Route Napoléon, Robert Laffont, 1987 (et Le Livre de Poche).
Une affaire publique, Robert Laffont, 1989 (et Le Livre de Poche).
Le Regard des femmes, Robert Laffont, 1991 (et Le Livre de Poche).
Un homme de pouvoir, Fayard, 2002 (et Le Livre de Poche).
Les Fanatiques, Fayard, 2006.

Suites romanesques

La Baie des Anges :
    I. *La Baie des Anges*, Robert Laffont, 1975 (et Pocket).
   II. *Le Palais des Fêtes*, Robert Laffont, 1976 (et Pocket).
  III. *La Promenade des Anglais*, Robert Laffont, 1976 (et Pocket). (Parue en un volume dans la coll. «Bouquins», Robert Laffont, 1998.)

LES HOMMES NAISSENT TOUS LE MÊME JOUR :
   I. *Aurore*, Robert Laffont, 1978.
   II. *Crépuscule*, Robert Laffont, 1979.

LA MACHINERIE HUMAINE :
   • *La Fontaine des Innocents*, Fayard, 1992 (et Le Livre de Poche).
   • *L'Amour au temps des solitudes*, Fayard, 1992 (et Le Livre de Poche).
   • *Les Rois sans visage*, Fayard, 1994 (et Le Livre de Poche).
   • *Le Condottiere*, Fayard, 1994 (et Le Livre de Poche).
   • *Le Fils de Klara H.*, Fayard, 1995 (et Le Livre de Poche).
   • *L'Ambitieuse*, Fayard, 1995 (et Le Livre de Poche).
   • *La Part de Dieu*, Fayard, 1996 (et Le Livre de Poche).
   • *Le Faiseur d'or*, Fayard, 1996 (et Le Livre de Poche).
   • *La Femme derrière le miroir*, Fayard, 1997 (et Le Livre de Poche).
   • *Le Jardin des Oliviers*, Fayard, 1999 (et Le Livre de Poche).

BLEU BLANC ROUGE :
   I. *Mariella*, XO, 2000 (et Pocket).
   II. *Mathilde*, XO, 2000 (et Pocket).
   III. *Sarah*, XO, 2000 (et Pocket).

LES PATRIOTES :
   I. *L'Ombre et la Nuit*, Fayard, 2000 (et Le Livre de Poche).
   II. *La flamme ne s'éteindra pas*, Fayard, 2001 (et Le Livre de Poche).
   III. *Le Prix du sang*, Fayard, 2001 (et Le Livre de Poche).
   IV. *Dans l'honneur et par la victoire*, Fayard, 2001 (et Le Livre de Poche).

MORTS POUR LA FRANCE :
   I. *Le Chaudron des sorcières*, Fayard, 2003 (et J'ai Lu).
   II. *Le Feu de l'enfer*, Fayard, 2003 (et J'ai Lu).
   III. *La Marche Noire*, Fayard, 2003 (et J'ai Lu).

L'EMPIRE :
   I. *L'Envoûtement*, Fayard, 2004 (et J'ai Lu).
   II. *La Possession*, Fayard, 2004 (et J'ai Lu).
   III. *Le Désamour*, Fayard, 2004 (et J'ai Lu).

LA CROIX DE L'OCCIDENT :
   I. *Par ce signe tu vaincras*, Fayard, 2005 (et J'ai Lu).
   II. *Paris vaut bien une messe*, Fayard, 2005 (et J'ai Lu).

Politique-fiction

La Grande Peur de 1989, Robert Laffont, 1966.
Guerre des gangs à Golf-City, Robert Laffont, 1991.

Histoire, essais

L'Italie de Mussolini, Librairie Académique Perrin, 1964, 1982 (et Mara-
  bout).
L'Affaire d'Éthiopie, Le Centurion, 1967.
Gauchisme, Réformisme et Révolution, Robert Laffont, 1968.
Histoire de l'Espagne franquiste, Robert Laffont, 1969.
Cinquième colonne, 1939-1940, Éditions Plon, 1970, 1980, Éditions Com-
  plexe, 1984.
Tombeau pour la Commune, Robert Laffont, 1971.
La Nuit des Longs Couteaux, Robert Laffont, 1971, 2001.
La Mafia, mythe et réalités, Seghers, 1972.
L'Affiche, miroir de l'Histoire, Robert Laffont, 1973, 1989.
Le Pouvoir à vif, Robert Laffont, 1978.
Le XXᵉ Siècle, Librairie Académique Perrin, 1979.
La Troisième Alliance, Fayard, 1984.
Les idées décident de tout, Galilée, 1984.
Lettre ouverte à Robespierre sur les nouveaux Muscadins, Albin Michel, 1986.
Que passe la Justice du Roi, Robert Laffont, 1987.
Les Clés de l'histoire contemporaine, Robert Laffont, 1989, Fayard, 2001 (et
  Le Livre de Poche éd. mise à jour, 2005).
Manifeste pour une fin de siècle obscure, Odile Jacob, 1989.
La gauche est morte, vive la gauche, Odile Jacob, 1990.
L'Europe contre l'Europe, Éditions du Rocher, 1992.
*Jè. Histoire modeste et héroïque d'un homme qui croyait aux lendemains qui
  chantent,* Stock, 1994 (et Mille et Une Nuits).
L'Amour de la France expliqué à mon fils, Le Seuil, 1999.
Fier d'être français, Fayard, 2006 (et Le Livre de Poche).
L'Âme de la France : une histoire de la nation des origines à nos jours, Fayard,
  2007.

Biographies

Maximilien Robespierre, histoire d'une solitude, Librairie Académique Perrin, 1968 (et Pocket).
Garibaldi, la force d'un destin, Fayard, 1982.
Le Grand Jaurès, Robert Laffont, 1984, 1994 (et Pocket).
Jules Vallès, Robert Laffont, 1988.

NAPOLÉON :
   I. *Le Chant du départ,* Robert Laffont, 1997 (et Pocket).
   II. *Le Soleil d'Austerlitz,* Robert Laffont, 1997 (et Pocket).
   III. *L'Empereur des Rois,* Robert Laffont, 1997 (et Pocket).
   IV. *L'Immortel de Sainte-Hélène,* Robert Laffont, 1997 (et Pocket).

DE GAULLE :
   I. *L'Appel du destin,* Robert Laffont, 1998 (et Pocket).
   II. *La Solitude du combattant,* Robert Laffont, 1998 (et Pocket).
   III. *Le Premier des Français,* Robert Laffont, 1998 (et Pocket).
   IV. *La Statue du Commandeur,* Robert Laffont, 1998 (et Pocket).

Une femme rebelle. Vie et mort de Rosa Luxemburg, Fayard, 2000.

VICTOR HUGO :
   I. *Je suis une force qui va !...,* XO Éditions, 2001 (et Pocket).
   II. *Je serai celui-là !,* XO Éditions, 2001 (et Pocket).

LES CHRÉTIENS :
   I. *Le Manteau du Soldat,* Fayard, 2002 (et Le Livre de Poche).
   II. *Le Baptême du Roi,* Fayard, 2002 (et Le Livre de Poche).
   III. *La Croisade du Moine,* Fayard, 2002 (et Le Livre de Poche).

César imperator, XO Éditions, 2003 (et Pocket).

LES ROMAINS :
   I. *Spartacus, la révolte des esclaves,* Fayard, 2006.
   II. *Néron, le règne de l'Antéchrist,* Fayard, 2006.
   III. *Titus, le martyre des Juifs,* Fayard, 2006.
   IV. *Marc Aurèle, le martyre des chrétiens,* Fayard, 2006.
   V. *Constantin le Grand : l'empire du Christ,* Fayard, 2006.

Conte

La Bague magique, Casterman, 1981.

En collaboration

Au nom de tous les miens de Martin Gray, Robert Laffont, 1971 (et Pocket).